Fortaleza Digital

Fortaleza Digital

Dan Brown

SEXTANTE

Título original: *Digital Fortress*

tradução
Carlos Irineu da Costa

preparo de originais
Virginie Leite

revisão
José Tedin Pinto
Sérgio Bellinello Soares

diagramação
Valéria Teixeira

capa
Raul Fernandes

fotolitos
RR Donnelley América Latina

impressão
Cromosete Gráfica e Editora Ltda.

CIP-BRASIL. CATALOGAÇÃO-NA-FONTE
SINDICATO NACIONAL DOS EDITORES DE LIVROS, RJ

B897f Brown, Dan, 1964-
Fortaleza digital
/ Dan Brown; tradução de Carlos Irineu da Costa. – Rio de Janeiro: Sextante, 2005.

Tradução de: Digital Fortress
ISBN 85-7542-161-1

1. Agentes de serviço de inteligência – Ficção. 2. Proteção de dados – Ficção.
3. Romance americano. I. Costa, Carlos Irineu da. II. Título.

05-0427. CDD 813
CDU 821.111(73)-3

Editora Sextante / GMT Editores Ltda.
Rua Voluntários da Pátria, 45 – Gr. 1.404 – Botafogo
22270-000 – Rio de Janeiro – RJ
Tel.: (21) 2286-9944 – Fax: (21) 2286-9244
E-mail: atendimento@esextante.com.br
www.sextante.com.br

Para meus pais...
meus mentores e heróis

AGRADECIMENTOS

Tenho uma dívida de gratidão com meus editores da St. Martin Press, Thomas Dunne e a talentosa Melissa Jacobs. Agradeço também aos meus agentes em Nova York, George Wieser, Olga Wieser e Jake Elwell. A todos aqueles que leram e contribuíram para melhorar o manuscrito ao longo da jornada. Especialmente à minha mulher, Blythe, por seu entusiasmo e paciência.

Além disso, um agradecimento discreto para os dois criptógrafos anônimos, ex-membros da NSA (Agência de Segurança Nacional), que contribuíram de forma inestimável através de e-mails anônimos. Sem eles, este livro não poderia ter sido escrito.

Prólogo

Plaza de España
Sevilha, Espanha
11h da manhã

Dizem que, quando chega a hora da morte, tudo se torna claro. Ensei Tankado sabia agora que isso era verdade. Quando caiu no chão com fortes dores, apertando o peito com a mão, percebeu a dimensão terrível do seu erro.

Algumas pessoas se aproximaram, cercando-o e tentando ajudar. Mas Tankado não queria ajuda. Era tarde demais.

Levantou a mão esquerda, tremendo, e esticou os dedos. *Olhem para a minha mão!* As pessoas em volta olhavam, mas ele percebia que não estavam entendendo.

Em um de seus dedos havia um anel dourado entalhado. Por um breve instante, as inscrições do anel reluziram ao sol da Andaluzia. Ensei Tankado sabia que essa seria a última luz que jamais veria.

De pé, enrolada na toalha, Susan ficou olhando as gotas de água caírem sobre as roupas que havia cuidadosamente separado na noite anterior – shorts para usar em caminhadas, um suéter para as tardes frias da montanha e a nova lingerie que comprara para as noites tórridas. Deprimida, foi até o armário pegar uma blusa e uma saia. *Uma emergência?*

Enquanto descia as escadas, ela pensava no que mais poderia dar errado naquele dia.

Em breve iria descobrir.

CAPÍTULO 2

Trinta mil pés acima das águas plácidas do oceano, David Becker fixava o olhar, abatido, através da pequena janela oval do Learjet 60. O telefone de bordo não estava funcionando, e ele não pôde ligar para Susan.

O que estou fazendo aqui?, resmungou para si mesmo. A resposta era simples: há pessoas para as quais não se diz “não”.

– Sr. Becker – disse uma voz pelo alto-falante –, chegaremos dentro de meia hora.

Becker balançou a cabeça melancolicamente ao ouvir a voz invisível. *Excelente*. Fechou a proteção da janela e tentou dormir. Mas só conseguia pensar em Susan.

CAPÍTULO 3

Susan parou seu Volvo logo abaixo da cerca de arame farpado de três metros de altura. Um jovem guarda apoiou as mãos no teto do carro.

– Sua identificação, por favor.

Susan lhe entregou o documento e olhou para o infinito, enquanto esperava o guarda passar seu cartão por um leitor computadorizado.

– Obrigado, senhorita Fletcher. – O guarda fez um sinal discreto, e o portão se abriu.

Quinhentos metros à frente, Susan repetiu o procedimento diante de outra cerca de arame farpado igualmente imponente. *Vamos, lá rapazes... Esta é só a milionésima vez que venho aqui.*

Ao se aproximar da última guarita, um sentinela musculoso, segurando dois cães de guarda e uma metralhadora, olhou para sua placa e fez sinal para que prosseguisse. Ela seguiu a Canine Road por mais alguns metros, depois estacionou na área C, reservada para funcionários. *Inacreditável*, pensou. *Eles têm 26 mil empregados e um orçamento de 12 bilhões de dólares – será que não conseguem passar um fim de semana sem mim?* Susan estacionou o carro na vaga e desligou o motor, contrariada.

Atravessou os impecáveis jardins, entrou no prédio, passou por mais duas verificações de segurança e finalmente chegou ao túnel sem janelas que levava à nova ala. Uma cabine com um sistema de reconhecimento de voz bloqueava sua passagem.

NATIONAL SECURITY AGENCY (NSA)
DEPARTAMENTO DE CRIPTOGRAFIA
SOMENTE PESSOAL AUTORIZADO

O guarda armado olhou para ela.

– Boa tarde, senhorita Fletcher.

Susan sorriu, cansada.

– Oi, John.

– Não esperava vê-la aqui hoje.

– É, nem eu. – Ela se aproximou do microfone parabólico e disse, em voz clara: "Susan Fletcher." O computador reconheceu o espectro de freqüências de sua voz e o portão se abriu. Ela entrou.

◆◆◆

O guarda observou Susan enquanto ela ia andando pelo corredor. Notou que seus vibrantes olhos castanhos pareciam meio distantes, mas seu rosto exibia um certo frescor, e os cabelos castanhos, na altura do ombro, ainda estavam úmidos. Ela deixava atrás de si um suave perfume de talco para bebês. O sentinela percorreu com os olhos suas costas bem torneadas, observando a blusa branca com a marca do sutiã quase invisível por baixo. Desceu o olhar pela saia até chegar às pernas – as famosas pernas de Susan Fletcher.

Difícil imaginar que elas sustentam um QI de 170, ele pensou.

Ficou olhando para ela por um bom tempo, até que sua silhueta sumiu ao longe.

◆◆◆

Quando Susan chegou ao final do túnel, uma porta circular, parecida com a de um cofre, bloqueava sua passagem. Havia uma placa com letras grandes que dizia: CRIPTOGRAFIA.

Com um suspiro resignado, colocou a mão sobre o teclado numérico embutido na parede e digitou seu código pessoal de cinco dígitos. Alguns segundos depois, a porta de 12 toneladas de aço começou a girar. Susan tentava se concentrar, mas seus pensamentos acabavam voltando para ele.

David Becker. O único homem que havia amado em toda a sua vida. O mais jovem professor titular da Universidade de Georgetown, brilhante especialista em línguas estrangeiras e praticamente uma celebridade no mundo acadêmico. Dotado de uma memória prodigiosa e profundo amante das línguas, dominava seis dialetos da Ásia, assim como espanhol, francês e italiano. Suas palestras na universidade sobre etimologia e lingüística eram concorridíssimas, e ele geralmente se estendia muito além do horário para poder responder à enxurrada de perguntas da platéia. Falava com autoridade e entusiasmo, aparentando indiferença em relação aos olhares de admiração das suas alunas, fascinadas com um professor famoso.

Becker era um homem de 35 anos, moreno e forte, cheio de vitalidade. Tinha olhos verdes e uma inteligência à altura de seu porte. Seu queixo quadrado e feições bem marcadas faziam com que Susan se lembrasse de uma estátua de mármore. Com mais de um metro e oitenta de altura, jogava squash com uma rapidez que surpreendia seus colegas. Depois de massacrar seu oponente na quadra, ele costumava se refrescar enfiando a cabeça embaixo de um bebedouro e deixando a água escorrer pelo cabelo espesso e preto. Então, ainda pingando, em geral tomava uma vitamina de frutas com um sanduíche em companhia do adversário.

O salário que a universidade lhe pagava era modesto como o de qualquer outro professor em início de carreira. Algumas vezes, quando precisava renovar sua anuidade no clube de squash ou colocar um novo encordoamento de tripas em sua velha raquete Dunlop, conseguia algum dinheiro extra fazendo trabalhos de tradução para agências do governo em Washington ou nos arredores. Foi num desses trabalhos que conheceu Susan.

Era uma manhã fresca durante as férias de outono, e Becker voltava de sua corrida matinal para o apartamento de três quartos cedido pela universidade.

Viu que havia recados na secretária eletrônica. Tomou um grande copo de suco de laranja enquanto ouvia o recado. A mensagem era parecida com muitas outras que já tinha recebido: uma agência do governo estava requisitando seus serviços de tradução naquela mesma manhã. A única coisa peculiar é que Becker nunca tinha ouvido falar dessa organização específica.

– É chamada de National Security Agency. Agência de Segurança Nacional – disse Becker, telefonando para alguns colegas em busca de informações.

A resposta era sempre a mesma:

– Você está falando do *Conselho* de Segurança Nacional?

Becker ouviu de novo a mensagem.

– Não. Eles disseram "agência". A sigla é NSA.

– Nunca ouvi falar.

Becker verificou a listagem oficial de agências e organizações governamentais, mas também não encontrou nada. Confuso, ligou para um de seus velhos companheiros de squash, um ex-analista político que trabalhava como assistente de pesquisa na Biblioteca do Congresso. David ficou um pouco chocado com a explicação.

Não apenas a NSA existia de fato, como era também considerada uma das organizações mais influentes do mundo. Coletava informações de inteligência de todo o planeta e protegia informações secretas norte-americanas há mais de 50 anos. Apenas 3% dos americanos tinham conhecimento de sua existência.

Seu amigo brincou com ele.

– NSA significa: Ninguém Sabe dessa Agência.

Preocupado e curioso ao mesmo tempo, Becker aceitou a oferta da agência misteriosa. Percorreu os 60 quilômetros até a central de operações da NSA, que ocupava 350 mil metros quadrados discretamente escondidos pelas verdejantes colinas de Fort Meade, em Maryland. Depois de ter passado por inúmeras verificações de segurança e ter recebido um passe de visitante com holograma, válido por seis horas, foi levado até um luxuoso laboratório onde lhe disseram que iria passar a tarde fornecendo "suporte cego" ao Departamento de Criptografia, um grupo de elite de gênios matemáticos responsáveis por decifrar todo tipo de códigos.

Durante uma hora, os criptógrafos pareciam não ter sequer notado que Becker estava presente. Iam e vinham em torno de uma enorme mesa e falavam usando termos que Becker nunca tinha ouvido antes. Falavam de cifras de fluxo, geradores autodecimados, variantes *knapsack*, protocolos de conhecimento zero, pontos de unicidade. Becker limitou-se a observar, completamente perdido. Rascunhavam símbolos em papel quadriculado, debruçavam-se sobre listagens de computadores e se referiam constantemente à massa ilegível de texto que estava sendo exibida no projetor.

JHdja3jKHDhmado/ertwtjlw+jgj328
5jhalsfnHKhhhfafOhhdfgaf/fj37we
ohi93450s9djfd2h/HHrtyFHLf89303
95jspjf2j0890Ihj98yhfi080ewrt03
jojr845h0roq+jt0eu4tqefqe//oujw
08UY0IH0934jtpwfiajer09qu4jr9gu
ivjP$duw4h95pe8rtugvjw3p4e/ikkc
mffuerhfgv0q394ikjrmg+unhvs9oer
irk/0956y7u0poikIOjp9f8760qwerqi

Após algum tempo, um deles aproximou-se e explicou a Becker aquilo que ele mesmo já havia deduzido. O texto todo bagunçado era um código – um texto cifrado, ou criptograma –, grupos de números e letras que representavam palavras encriptadas. O trabalho dos criptógrafos era estudar o código e extrair dali a mensagem original, ou *mensagem clara*. A NSA chamou Becker porque suspeitava que a mensagem tinha sido escrita no dialeto mandarim da língua chinesa. Ele deveria traduzir os símbolos assim que os criptógrafos os decifrassem.

Durante duas horas, Becker interpretou uma sucessão sem fim de símbolos em mandarim. Mas todas as vezes que fazia uma tradução, os criptógrafos sacudiam a cabeça, em completo desespero. Aparentemente, o código não fazia sentido. Tentando ajudar da melhor forma possível, Becker lhes disse que todos os caracteres traduzidos até então tinham uma particularidade: eram caracteres Kanji. No mesmo instante o burburinho que tomava conta da sala cessou. O chefe das operações, um fumante inveterado e magricela chamado Morante, virou-se para Becker, espantado:

– Você quer dizer que estes símbolos possuem múltiplos significados?

Becker disse que sim. Explicou que Kanji era um sistema de escrita japonesa baseado em caracteres chineses modificados. Até então, ele estava traduzindo-os como se fossem mandarim porque era isso que lhe tinham pedido.

– Meu Deus! – disse Morante, tossindo. – Vamos tentar o Kanji.

Como num passe de mágica, subitamente tudo fez sentido.

Os criptógrafos ficaram muito impressionados, mas, ainda assim, fizeram com que Becker trabalhasse nos caracteres fora de ordem.

– É para sua própria proteção – disse Morante. – Assim você não tem como saber o que está traduzindo.

Becker riu. Mas ninguém à sua volta estava rindo.

Quando o código finalmente foi quebrado, Becker não tinha idéia dos segredos sombrios que teria ajudado a revelar, mas uma coisa era certa: a NSA levava aquele assunto muito a sério. O cheque que lhe deram equivalia a mais de um mês de seu salário na universidade.

Quando estava saindo, passando pelos muitos postos de segurança ao longo do corredor principal, sua passagem foi bloqueada por um guarda que acabara de desligar o telefone.

– Sr. Becker, aguarde aqui, por favor.

– Algum problema? – Becker não esperava que o trabalho demorasse tanto e estava começando a se atrasar para sua partida de squash dos sábados à tarde.

– A chefe da Criptografia quer falar com você. Ela está vindo para cá – disse o guarda.

– *Ela?* – Becker riu. Não tinha visto nenhuma mulher desde que pisara na NSA.

– Há algo de errado nisso? – disse uma voz feminina atrás dele.

Becker virou-se e sentiu o rosto corar. Olhou para o crachá na blusa da mulher. A chefe do Departamento de Criptografia da NSA não era só uma mulher, era uma linda mulher.

– Não – ele disse, atrapalhando-se com as palavras. – Eu só...

– Susan Fletcher – disse ela, sorrindo e estendendo-lhe a mão delicada.

Becker cumprimentou-a.

– David Becker.

– Parabéns, Sr. Becker, soube que fez um bom trabalho hoje. Podemos conversar um pouco?

Ele hesitou.

– Na verdade, estou com um pouco de pressa. – Ficou pensando se era realmente sensato não dar atenção à agência de inteligência mais poderosa do mundo, mas sua partida de squash iria começar em pouco menos de uma hora e ele tinha uma reputação a manter: David Becker jamais se atrasava para o squash... Para as aulas, talvez, mas nunca para o squash.

– Serei breve – disse Susan Fletcher, sorridente. – Por aqui, por favor.

Dez minutos depois, Becker estava na cantina da NSA, comendo salgadinhos e tomando um suco de frutas com a adorável chefe da Criptografia. David percebeu rapidamente que aquela moça de 38 anos não estava ocupando um alto cargo na NSA por mero acaso: era uma das mulheres mais inteligentes que já havia encontrado. Enquanto conversavam sobre códigos e como decifrá-los, Becker teve que se esforçar para não se perder na conversa, o que era uma experiência nova e estimulante para ele.

CAPÍTULO 1

Estavam no seu hotel preferido nas Smoky Mountains. David olhava para ela, sorrindo.

– Então, querida, o que me diz? Vamos nos casar?

Deitada na cama, ela devolveu o olhar. Aquele era o homem certo. Para sempre. Enquanto admirava seus profundos olhos verdes, em algum lugar distante uma campainha começou a tocar. Ela tentou abraçá-lo, mas seus braços encontraram apenas o vazio.

O ruído do telefone acabou despertando Susan Fletcher do seu sonho. Ela suspirou, sentou-se na cama e tateou em volta, procurando o telefone.

– Alô?

– Oi, Susan, é o David. Eu te acordei?

Ela sorriu, rolando na cama.

– Estava sonhando com você. Vem pra cá ficar comigo...

Ele riu.

– Ainda está escuro lá fora.

– Humm – ela murmurou, sensualmente –, então você tem *mesmo* que vir pra cá. Vamos brincar. Podemos dormir um pouco antes de viajar.

David soltou um suspiro de frustração.

– É por isso que estou ligando. Vamos ter que adiar nossa viagem.

Susan acordou totalmente, como se tivesse levado um soco.

– O quê?

– Mil desculpas. Vou ter que viajar, mas volto amanhã. Podemos partir para as montanhas bem cedo e ainda teremos dois dias.

– Mas já fiz as reservas – disse Susan, contrariada. – Consegui nosso quarto predileto no Stone Manor.

– Eu sei, mas é que...

– Essa é uma data *especial*, íamos comemorar nossos seis meses. Você *ainda* lembra que estamos noivos, não é?

– Susan, não posso explicar os detalhes agora – ele suspirou. – Eles mandaram um carro que está me esperando lá fora. Ligo do avião e explico tudo depois.

– *Avião?* – perguntou, espantada. – O que está acontecendo? Por que a sua universidade...?

– Não é a universidade. Ligo depois e explico. Preciso ir agora, estão me chamando. Entro em contato assim que puder, prometo.

– David! – ela gritou. – O que está...

Ele já havia desligado.

Susan Fletcher ficou acordada durante horas, esperando que ele ligasse, mas o telefone não tocou.

◆◆◆

Mais tarde, naquela mesma manhã, Susan sentia-se abandonada. Resolveu tomar um banho. Entrou na banheira e afundou a cabeça na água, tentando esquecer o Stone Manor e as Smoky Mountains. *Onde será que ele está? Por que não ligou ainda?*

Aos poucos, a água quente foi ficando morna, depois fria, e ela estava se preparando para sair do banho quando o telefone deu sinal de vida. Levantou-se com pressa, espalhando água pelo chão enquanto agarrava o aparelho que havia deixado sobre a pia.

– David?

– Não, é Strathmore – respondeu a voz do outro lado.

Susan desmoronou.

– Ah... – Foi incapaz de esconder seu desapontamento. – Boa tarde, comandante.

– Você estava esperando alguém mais jovem, talvez? – ele respondeu, brincando.

– Não, senhor – disse Susan, desconcertada. – Não foi o que eu...

– Claro que sim! – ele disse, rindo. – David Becker é um bom sujeito. Não o deixe escapar.

– Obrigada, senhor.

O comandante mudou de tom e falou com uma voz grave:

– Susan, estou ligando porque preciso de você aqui. Imediatamente.

Ela tentou se concentrar.

– É sábado, senhor. Em geral nós não...

– Eu sei – ele disse calmamente. – Mas é uma emergência.

Susan sentou-se. *Emergência?* Era a primeira vez que ouvia o comandante Strathmore dizer isso. *Uma emergência? No Departamento de Criptografia?* Não conseguia imaginar o que poderia ser.

– S-sim, senhor. – Fez uma pausa. – Vou chegar aí o mais rápido possível.

– Não demore – disse Strathmore e desligou.

De pé, enrolada na toalha, Susan ficou olhando as gotas de água caírem sobre as roupas que havia cuidadosamente separado na noite anterior – shorts para usar em caminhadas, um suéter para as tardes frias da montanha e a nova lingerie que comprara para as noites tórridas. Deprimida, foi até o armário pegar uma blusa e uma saia. *Uma emergência?*

Enquanto descia as escadas, ela pensava no que mais poderia dar errado naquele dia.

Em breve iria descobrir.

CAPÍTULO 2

Trinta mil pés acima das águas plácidas do oceano, David Becker fixava o olhar, abatido, através da pequena janela oval do Learjet 60. O telefone de bordo não estava funcionando, e ele não pôde ligar para Susan.

O que estou fazendo aqui?, resmungou para si mesmo. A resposta era simples: há pessoas para as quais não se diz “não”.

– Sr. Becker – disse uma voz pelo alto-falante –, chegaremos dentro de meia hora.

Becker balançou a cabeça melancolicamente ao ouvir a voz invisível. *Excelente.* Fechou a protecão da janela e tentou dormir. Mas só conseguia pensar em Susan.

CAPÍTULO 3

Susan parou seu Volvo logo abaixo da cerca de arame farpado de três metros de altura. Um jovem guarda apoiou as mãos no teto do carro.

– Sua identificação, por favor.

Susan lhe entregou o documento e olhou para o infinito, enquanto esperava o guarda passar seu cartão por um leitor computadorizado.

– Obrigado, senhorita Fletcher. – O guarda fez um sinal discreto, e o portão se abriu.

Quinhentos metros à frente, Susan repetiu o procedimento diante de outra cerca de arame farpado igualmente imponente. *Vamos, lá rapazes... Esta é só a milionésima vez que venho aqui.*

Ao se aproximar da última guarita, um sentinela musculoso, segurando dois cães de guarda e uma metralhadora, olhou para sua placa e fez sinal para que prosseguisse. Ela seguiu a Canine Road por mais alguns metros, depois estacionou na área C, reservada para funcionários. *Inacreditável*, pensou. *Eles têm 26 mil empregados e um orçamento de 12 bilhões de dólares – será que não conseguem passar um fim de semana sem mim?* Susan estacionou o carro na vaga e desligou o motor, contrariada.

Atravessou os impecáveis jardins, entrou no prédio, passou por mais duas verificações de segurança e finalmente chegou ao túnel sem janelas que levava à nova ala. Uma cabine com um sistema de reconhecimento de voz bloqueava sua passagem.

NATIONAL SECURITY AGENCY (NSA)
DEPARTAMENTO DE CRIPTOGRAFIA
SOMENTE PESSOAL AUTORIZADO

O guarda armado olhou para ela.

– Boa tarde, senhorita Fletcher.

Susan sorriu, cansada.

– Oi, John.

– Não esperava vê-la aqui hoje.

– É, nem eu. – Ela se aproximou do microfone parabólico e disse, em voz clara: "Susan Fletcher." O computador reconheceu o espectro de freqüências de sua voz e o portão se abriu. Ela entrou.

◆◆◆

O guarda observou Susan enquanto ela ia andando pelo corredor. Notou que seus vibrantes olhos castanhos pareciam meio distantes, mas seu rosto exibia um certo frescor, e os cabelos castanhos, na altura do ombro, ainda estavam úmidos. Ela deixava atrás de si um suave perfume de talco para bebês. O sentinela percorreu com os olhos suas costas bem torneadas, observando a blusa branca com a marca do sutiã quase invisível por baixo. Desceu o olhar pela saia até chegar às pernas – as famosas pernas de Susan Fletcher.

Difícil imaginar que elas sustentam um QI de 170, ele pensou.

Ficou olhando para ela por um bom tempo, até que sua silhueta sumiu ao longe.

◆◆◆

Quando Susan chegou ao final do túnel, uma porta circular, parecida com a de um cofre, bloqueava sua passagem. Havia uma placa com letras grandes que dizia: CRIPTOGRAFIA.

Com um suspiro resignado, colocou a mão sobre o teclado numérico embutido na parede e digitou seu código pessoal de cinco dígitos. Alguns segundos depois, a porta de 12 toneladas de aço começou a girar. Susan tentava se concentrar, mas seus pensamentos acabavam voltando para ele.

David Becker. O único homem que havia amado em toda a sua vida. O mais jovem professor titular da Universidade de Georgetown, brilhante especialista em línguas estrangeiras e praticamente uma celebridade no mundo acadêmico. Dotado de uma memória prodigiosa e profundo amante das línguas, dominava seis dialetos da Ásia, assim como espanhol, francês e italiano. Suas palestras na universidade sobre etimologia e lingüística eram concorridíssimas, e ele geralmente se estendia muito além do horário para poder responder à enxurrada de perguntas da platéia. Falava com autoridade e entusiasmo, aparentando indiferença em relação aos olhares de admiração das suas alunas, fascinadas com um professor famoso.

Becker era um homem de 35 anos, moreno e forte, cheio de vitalidade. Tinha olhos verdes e uma inteligência à altura de seu porte. Seu queixo quadrado e feições bem marcadas faziam com que Susan se lembrasse de uma estátua de mármore. Com mais de um metro e oitenta de altura, jogava squash com uma rapidez que surpreendia seus colegas. Depois de massacrar seu oponente na quadra, ele costumava se refrescar enfiando a cabeça embaixo de um bebedouro e deixando a água escorrer pelo cabelo espesso e preto. Então, ainda pingando, em geral tomava uma vitamina de frutas com um sanduíche em companhia do adversário.

O salário que a universidade lhe pagava era modesto como o de qualquer outro professor em início de carreira. Algumas vezes, quando precisava renovar sua anuidade no clube de squash ou colocar um novo encordoamento de tripas em sua velha raquete Dunlop, conseguia algum dinheiro extra fazendo trabalhos de tradução para agências do governo em Washington ou nos arredores. Foi num desses trabalhos que conheceu Susan.

Era uma manhã fresca durante as férias de outono, e Becker voltava de sua corrida matinal para o apartamento de três quartos cedido pela universidade.

Viu que havia recados na secretária eletrônica. Tomou um grande copo de suco de laranja enquanto ouvia o recado. A mensagem era parecida com muitas outras que já tinha recebido: uma agência do governo estava requisitando seus serviços de tradução naquela mesma manhã. A única coisa peculiar é que Becker nunca tinha ouvido falar dessa organização específica.

– É chamada de National Security Agency. Agência de Segurança Nacional – disse Becker, telefonando para alguns colegas em busca de informações.

A resposta era sempre a mesma:

– Você está falando do *Conselho* de Segurança Nacional?

Becker ouviu de novo a mensagem.

– Não. Eles disseram "agência". A sigla é NSA.

– Nunca ouvi falar.

Becker verificou a listagem oficial de agências e organizações governamentais, mas também não encontrou nada. Confuso, ligou para um de seus velhos companheiros de squash, um ex-analista político que trabalhava como assistente de pesquisa na Biblioteca do Congresso. David ficou um pouco chocado com a explicação.

Não apenas a NSA existia de fato, como era também considerada uma das organizações mais influentes do mundo. Coletava informações de inteligência de todo o planeta e protegia informações secretas norte-americanas há mais de 50 anos. Apenas 3% dos americanos tinham conhecimento de sua existência.

Seu amigo brincou com ele.

– NSA significa: Ninguém Sabe dessa Agência.

Preocupado e curioso ao mesmo tempo, Becker aceitou a oferta da agência misteriosa. Percorreu os 60 quilômetros até a central de operações da NSA, que ocupava 350 mil metros quadrados discretamente escondidos pelas verdejantes colinas de Fort Meade, em Maryland. Depois de ter passado por inúmeras verificações de segurança e ter recebido um passe de visitante com holograma, válido por seis horas, foi levado até um luxuoso laboratório onde lhe disseram que iria passar a tarde fornecendo "suporte cego" ao Departamento de Criptografia, um grupo de elite de gênios matemáticos responsáveis por decifrar todo tipo de códigos.

Durante uma hora, os criptógrafos pareciam não ter sequer notado que Becker estava presente. Iam e vinham em torno de uma enorme mesa e falavam usando termos que Becker nunca tinha ouvido antes. Falavam de cifras de fluxo, geradores autodecimados, variantes *knapsack*, protocolos de conhecimento zero, pontos de unicidade. Becker limitou-se a observar, completamente perdido. Rascunhavam símbolos em papel quadriculado, debruçavam-se sobre listagens de computadores e se referiam constantemente à massa ilegível de texto que estava sendo exibida no projetor.

JHdja3jKHDhmado/ertwtjlw+jgj328
5jhalsfnHKhhhfafOhhdfgaf/fj37we
ohi93450s9djfd2h/HHrtyFHLf89303
95jspjf2j0890Ihj98yhfi080ewrt03
jojr845h0roq+jt0eu4tqefqe//oujw
08UY0IH0934jtpwfiajer09qu4jr9gu
ivjP$duw4h95pe8rtugvjw3p4e/ikkc
mffuerhfgv0q394ikjrmg+unhvs9oer
irk/0956y7u0poikIOjp9f8760qwerqi

Após algum tempo, um deles aproximou-se e explicou a Becker aquilo que ele mesmo já havia deduzido. O texto todo bagunçado era um código – um texto cifrado, ou criptograma –, grupos de números e letras que representavam palavras encriptadas. O trabalho dos criptógrafos era estudar o código e extrair dali a mensagem original, ou *mensagem clara*. A NSA chamou Becker porque suspeitava que a mensagem tinha sido escrita no dialeto mandarim da língua chinesa. Ele deveria traduzir os símbolos assim que os criptógrafos os decifrassem.

Durante duas horas, Becker interpretou uma sucessão sem fim de símbolos em mandarim. Mas todas as vezes que fazia uma tradução, os criptógrafos sacudiam a cabeça, em completo desespero. Aparentemente, o código não fazia sentido. Tentando ajudar da melhor forma possível, Becker lhes disse que todos os caracteres traduzidos até então tinham uma particularidade: eram caracteres Kanji. No mesmo instante o burburinho que tomava conta da sala cessou. O chefe das operações, um fumante inveterado e magricela chamado Morante, virou-se para Becker, espantado:

– Você quer dizer que estes símbolos possuem múltiplos significados?

Becker disse que sim. Explicou que Kanji era um sistema de escrita japonesa baseado em caracteres chineses modificados. Até então, ele estava traduzindo-os como se fossem mandarim porque era isso que lhe tinham pedido.

– Meu Deus! – disse Morante, tossindo. – Vamos tentar o Kanji.

Como num passe de mágica, subitamente tudo fez sentido.

Os criptógrafos ficaram muito impressionados, mas, ainda assim, fizeram com que Becker trabalhasse nos caracteres fora de ordem.

– É para sua própria proteção – disse Morante. – Assim você não tem como saber o que está traduzindo.

Becker riu. Mas ninguém à sua volta estava rindo.

Quando o código finalmente foi quebrado, Becker não tinha idéia dos segredos sombrios que teria ajudado a revelar, mas uma coisa era certa: a NSA levava aquele assunto muito a sério. O cheque que lhe deram equivalia a mais de um mês de seu salário na universidade.

Quando estava saindo, passando pelos muitos postos de segurança ao longo do corredor principal, sua passagem foi bloqueada por um guarda que acabara de desligar o telefone.

– Sr. Becker, aguarde aqui, por favor.

– Algum problema? – Becker não esperava que o trabalho demorasse tanto e estava começando a se atrasar para sua partida de squash dos sábados à tarde.

– A chefe da Criptografia quer falar com você. Ela está vindo para cá – disse o guarda.

– *Ela?* – Becker riu. Não tinha visto nenhuma mulher desde que pisara na NSA.

– Há algo de errado nisso? – disse uma voz feminina atrás dele.

Becker virou-se e sentiu o rosto corar. Olhou para o crachá na blusa da mulher. A chefe do Departamento de Criptografia da NSA não era só uma mulher, era uma linda mulher.

– Não – ele disse, atrapalhando-se com as palavras. – Eu só...

– Susan Fletcher – disse ela, sorrindo e estendendo-lhe a mão delicada.

Becker cumprimentou-a.

– David Becker.

– Parabéns, Sr. Becker, soube que fez um bom trabalho hoje. Podemos conversar um pouco?

Ele hesitou.

– Na verdade, estou com um pouco de pressa. – Ficou pensando se era realmente sensato não dar atenção à agência de inteligência mais poderosa do mundo, mas sua partida de squash iria começar em pouco menos de uma hora e ele tinha uma reputação a manter: David Becker jamais se atrasava para o squash... Para as aulas, talvez, mas nunca para o squash.

– Serei breve – disse Susan Fletcher, sorridente. – Por aqui, por favor.

Dez minutos depois, Becker estava na cantina da NSA, comendo salgadinhos e tomando um suco de frutas com a adorável chefe da Criptografia. David percebeu rapidamente que aquela moça de 38 anos não estava ocupando um alto cargo na NSA por mero acaso: era uma das mulheres mais inteligentes que já havia encontrado. Enquanto conversavam sobre códigos e como decifrá-los, Becker teve que se esforçar para não se perder na conversa, o que era uma experiência nova e estimulante para ele.

Uma hora depois, quando Becker já tinha deixado de lado sua partida de squash, e Susan, por sua vez, havia ignorado completamente três chamadas pelo sistema interno de comunicação, ambos estavam achando tudo aquilo muito engraçado. Lá estavam eles, duas mentes altamente racionais e analíticas, supostamente imunes a paixões súbitas, mas, enquanto discutiam morfologia, lingüística e geradores de números pseudo-aleatórios, sentiam-se como um casal de adolescentes, como se houvesse fogos estourando a seu redor.

Naquele dia, Susan não chegou a tocar no assunto pelo qual havia originalmente chamado David para aquela conversa: queria convidá-lo para trabalhar, durante um período de teste, na Divisão de Criptografia Asiática. Mas o jovem professor falava com tanta paixão de suas aulas que Susan percebeu que ele nunca deixaria a universidade. E não quis estragar o clima com assuntos de negócios. Sentia-se novamente como uma adolescente e não queria que nada atrapalhasse isso. E assim foi.

◆◆◆

A fase inicial do relacionamento foi lenta e romântica: momentos roubados sempre que as agendas de ambos permitiam, longos passeios pelo campus da Universidade de Georgetown, um café já tarde da noite no Merlutti, algumas palestras e concertos. Susan percebeu que nunca tinha rido tanto em sua vida. David conseguia fazer com que todas as coisas parecessem engraçadas. Era uma boa forma de relaxar da tensão do trabalho na NSA.

Ela adorava se lembrar de uma tarde fresca de outono em que os dois ficaram assistindo a uma partida de futebol e falando bobagem.

– Qual é mesmo o esporte que você disse que pratica? – perguntou Susan, zombeteira. – *Splash?* É na água?

Becker olhou torto para ela:

– Chama-se squash.

Ela lançou um olhar vago, como se não houvesse entendido.

– É *parecido* com tênis, mas a quadra é menor – ele continuou.

Susan encostou o ombro no dele, carinhosamente.

– E você? – perguntou Becker. – Pratica algum esporte?

– Sou faixa-preta em *spinning*.

Becker fez cara de total desprezo.

– Prefiro esportes onde se possa vencer.

Susan sorriu.

– Conheço alguém que é competitivo...

Susan chegou mais perto de Becker e sussurrou no ouvido dele:

– Doutor.

Ele virou-se e olhou para ela, sem entender.

– Doutor – ela repetiu. – Me diga a primeira coisa que lhe vier à cabeça.

Becker continuava olhando, meio desconfiado.

– Livre associação?

– Procedimento-padrão da NSA. Preciso saber com quem estou andando... – Ela olhou para ele muito seriamente e repetiu:

– Doutor.

Becker deu de ombros.

– Seuss, o dos livros infantis.

Susan olhou de volta com um sorriso torto.

– Tá bom, vamos tentar outra: cozinha.

Ele não hesitou:

– Quarto.

Susan levantou as sobrancelhas.

– Mais uma... gato.

– Tripas.

– Tripas?

– É. Tripas... Mais especificamente, tripa de gato. É o encordoamento de raquetes de squash usado por todos os campeões.

– Que simpático – ela resmungou.

– Seu diagnóstico? – perguntou Becker.

Susan refletiu e disse:

– Você é infantil, viciado em squash e sexualmente frustrado.

Becker deu de ombros.

– Acho que é mais ou menos isso.

◆◆◆

As coisas continuaram assim durante várias semanas. Becker lhe fazia milhares de perguntas quando se encontravam para jantar em restaurantes que funcionavam durante 24 horas. Onde ela tinha aprendido matemática? Como foi parar na NSA? Como tinha se tornado tão atraente?

Diante da última pergunta, Susan corou e admitiu que tinha custado a desabrochar. Fora uma adolescente magrela e esquisitona, com aparelho nos dentes. Contou que uma de suas tias lhe dissera uma vez que Deus tinha compensado sua total falta de graça com um cérebro privilegiado. Becker pensou que aquela tinha sido uma declaração muito prematura.

Susan explicou que seu interesse em criptografia começou no início do ensino médio. Um de seus amigos viciados em informática, um grandalhão chamado Frank Gutmann, digitou para ela uma poesia de amor e encriptou-a usando uma cifra de substituição numérica. Susan implorou-lhe que contasse o que estava escrito, mas Frank, sedutor, se recusara a falar. Susan levou o código para casa e passou a noite trancada no quarto até descobrir o segredo – cada número representava uma letra. Ela o decifrou cuidadosamente e ficou olhando, maravilhada, quando aqueles dígitos aparentemente aleatórios se transformaram magicamente em uma poesia. Naquele instante soube que estava apaixonada: códigos e criptografia iriam se tornar o centro de sua vida.

Quase 20 anos mais tarde, depois de completar seu mestrado em Matemática pela Johns Hopkins e de obter uma bolsa integral para estudar Teoria dos Números no MIT, ela defendeu sua tese de doutorado: *Métodos, Protocolos e Algoritmos Criptográficos para Aplicações Manuais*. Aparentemente, seu orientador não foi o único a ler a tese: pouco tempo depois, ela recebeu um telefonema e uma passagem de avião da NSA.

Todos os que trabalhavam com criptografia conheciam a NSA. Era lá que estavam os maiores cérebros do planeta nessa área. No final de cada semestre, enquanto as empresas do setor privado cortejavam os alunos mais brilhantes recém-chegados ao mercado de trabalho, oferecendo-lhes salários ultrajantes e vários benefícios adicionais, a NSA observava cuidadosamente, selecionava seus alvos e então entrava em cena, oferecendo o dobro. O que a NSA queria, a NSA pegava. Trêmula com a expectativa, Susan pegou o vôo até o Aeroporto Internacional de Dulles, em Washington, onde um motorista da NSA estava à sua espera, pronto para levá-la a Fort Meade.

Havia outros 41 candidatos que tinham recebido o mesmo telefonema naquela vez. Com 28 anos, Susan era a mais jovem. Era também a única mulher. A visita acabou sendo mais uma sessão de relações públicas com uma bateria de testes de inteligência do que propriamente uma apresentação formal da NSA.

Na semana seguinte, Susan e seis outros foram convidados a retornar. Apesar de indecisa, ela acabou voltando. O grupo foi imediatamente separado. Os participantes foram submetidos individualmente a testes no polígrafo, investigações sobre seus antecedentes, análise de caligrafia e muitas horas de entrevistas, inclusive a respeito de suas orientações e práticas sexuais. Quando o entrevistador perguntou a Susan se já tinha praticado sexo com animais, ela quase se retirou, mas, de alguma forma, todo o mistério envolvido fez com que continuasse. Havia a perspectiva de trabalhar com o que existia de mais avançado dentro da teoria de códigos, entrar no "Palácio dos Quebra-Cabeças" e tornar-se membro de um dos mais secretos grupos do planeta: a Agência de Segurança Nacional.

Becker ouvia, fascinado, suas histórias.

– Então realmente perguntaram se você já tinha feito sexo com animais?

Susan deu de ombros:

– Faz parte da rotina de testes.

– Bem... – Becker tentou suprimir um sorriso malicioso. – O que você respondeu?

Ela chutou-o por baixo da mesa.

– Disse que não! – E acrescentou: – Até a noite passada, era verdade.

◆◆◆

Aos olhos de Susan, David era a encarnação da perfeição. Só tinha uma qualidade lamentável: toda vez que saíam, ele insistia em pagar a conta. Ela odiava vê-lo gastar o dinheiro de um dia inteiro de trabalho para pagar um jantar a dois, mas Becker não cedia. Susan acabou desistindo de protestar, mas ainda assim isso a incomodava. *Ganho mais dinheiro do que preciso*, pensava ela. *Era eu quem deveria estar pagando.*

Ela decidiu que, apesar desse cavalheirismo um pouco exagerado e deslocado, David era o homem ideal. Sabia ser solícito, cuidadoso, interessante, engraçado e, o que era melhor, interessava-se de fato pelo trabalho dela. Durante as idas ao Smithsonian, os passeios de bicicleta ou enquanto deixavam o macarrão passar do ponto na cozinha de Susan, ele estava sempre curioso. Susan respondia a todas as perguntas que podia e lhe fornecia a visão geral e pública da Agência de Segurança Nacional. David ficava fascinado com aquilo que ouvia.

Fundada pelo presidente Truman no primeiro minuto do dia 4 de novembro de 1952, a NSA foi a agência de inteligência mais clandestina do mundo durante quase 50 anos. A doutrina de sua fundação, descrita em sete páginas, especificava um objetivo muito bem definido: proteger as comunicações do governo dos Estados Unidos e interceptar as comunicações de forças estrangeiras.

O teto do principal prédio de operações da NSA estava repleto com quase 500 antenas, incluindo dois grandes domos de captação de radiofreqüências, semelhantes a grandes bolas de golfe. O prédio em si era gigantesco – mais de 185 mil metros quadrados, o dobro do tamanho do centro de operações da CIA. Dentro do prédio havia quase 2.500 quilômetros de cabos telefônicos e 7.500 metros quadrados de janelas vedadas.

Susan contou a David sobre o COMINT (Communications Intelligence), a divisão global de reconhecimento da agência – uma rede admirável de postos de escuta, satélites, espiões e grampos telefônicos ao redor do planeta. Milhares de comunicados e conversas eram interceptados diariamente e enviados para que os analistas da NSA os decodificassem. O FBI, a CIA e os consultores de política externa dos EUA, todos dependiam do trabalho de inteligência feito pela NSA para tomarem suas decisões.

Becker ficava hipnotizado pela conversa.

– E quanto ao trabalho de decriptação, onde é que *você* se encaixa nisso tudo?

Susan explicou-lhe como as transmissões interceptadas muitas vezes vinham de governos potencialmente perigosos, facções hostis e grupos terroristas, muitos dos quais operavam dentro dos EUA. Suas comunicações em geral eram codificadas para impedir a quebra de sigilo, caso caíssem em mãos erradas. É claro que, graças ao COMINT, isso acontecia freqüentemente. Susan contou que seu trabalho era estudar os códigos, quebrá-los manualmente e fornecer à NSA as mensagens decodificadas. Contudo, essa não era toda a verdade.

Susan sentia-se mal por ter que mentir ao seu novo amor, mas não tinha escolha. Até poucos anos antes, isso seria verdade, mas as coisas haviam mudado na NSA. Todo o universo da criptografia tinha mudado. O novo trabalho de Susan era secreto, até mesmo para muitos dos que se encontravam nos altos escalões do poder.

– Códigos – disse Becker. – Como você sabe por onde começar? Quero dizer... como você os quebra?

Susan sorriu.

– Você, mais que ninguém, deveria saber. É como estudar uma língua estrangeira. No início, o texto parece incompreensível, mas aos poucos você aprende as regras que definem sua estrutura e começa a extrair o sentido.

Becker concordou, encantado. Queria saber mais.

Rabiscando suas lições em guardanapos e programas de concertos, Susan lançou-se à tarefa de dar a seu novo e charmoso aluno um minicurso de criptografia. Ela começou com a caixa de cifras, o "quadrado perfeito" de Júlio César.

– Historicamente – ela explicou – César foi o primeiro a usar códigos escritos. Como seus mensageiros eram algumas vezes capturados em emboscadas e seus comunicados secretos podiam ser roubados, ele criou uma forma rudimentar de codificar suas ordens. Reorganizou o texto de suas mensagens de uma maneira que o texto parecia não ter sentido. Obviamente isso não era verdade. Cada mensagem sempre possuía uma contagem de letras cujo total equivalia a um quadrado perfeito, dependendo de quanto César tivesse que escrever. Assim, uma mensagem com 16 caracteres usava um quadrado de quatro por quatro; se fossem 25 caracteres, seria cinco por cinco; 100 caracteres requeriam um quadrado de dez por dez, etc. Seus oficiais sabiam que deviam transcrever o texto preenchendo as casas do quadrado sempre que uma mensagem aleatória chegasse. Ao fazerem isso, podiam ler a mensagem na vertical e seu sentido se tornaria claro.

Ao longo do tempo, a idéia de César de reorganizar o texto para codificá-lo foi sendo adotada por outros e alterada para que o código se tornasse mais difícil de ser quebrado. O ápice da codificação sem uso de computadores foi durante a Segunda Guerra Mundial. Os nazistas criaram uma impressionante máquina de criptografia chamada Enigma. O dispositivo mecânico se parecia com uma antiga máquina de escrever. Possuía engrenagens rotatórias de metal que se encaixavam de formas complexas e transformavam uma mensagem clara em cadeias confusas de caracteres, agrupados de maneira incompreensível. Apenas através de outra máquina Enigma, calibrada exatamente da mesma forma, o destinatário poderia quebrar o código.

Becker ouvia, compenetrado. O professor havia se tornado um aprendiz.

Uma noite, durante uma apresentação do *Quebra-nozes* na universidade, Susan escreveu para Becker sua primeira mensagem encriptada, usando um código básico. Ele ficou sentado durante todo o intervalo refletindo sobre a mensagem de 20 letras:

ENH ANL SDQ SD BNMGDBHCN

Finalmente, pouco antes de as luzes se apagarem para a segunda parte, ele compreendeu. Para codificar a mensagem, Susan havia simplesmente substituído cada letra do texto pela letra anterior do alfabeto. Para decifrar o código, tudo que Becker tinha a fazer era trocar cada uma das letras pela seguinte: A virava B, B virava C e assim por diante. Ele rapidamente fez isso com as outras letras. Nunca imaginou que cinco breves palavras pudessem deixá-lo tão feliz:

FOI BOM TER TE CONHECIDO

Ele rabiscou rapidamente sua resposta e deu o papel para Susan:

SZLADL ZBGDH

Susan leu e corou.

Becker riu. Tinha 35 anos e seu coração batia loucamente. Nunca havia se sentido tão atraído por uma mulher em toda a sua vida. Susan tinha feições delicadas e olhos castanhos brilhantes. Era um tipo de beleza européia, clássica, que lhe lembrava os belos anúncios de cosméticos da Estée Lauder. Talvez ela tivesse sido magrela e esquisitona quando adolescente, mas certamente havia mudado muito. Ao longo dos anos, ganhou belas e graciosas curvas, um corpo torneado, com peitos firmes e um abdômen perfeito. David muitas vezes brincava com ela, dizendo que era a primeira modelo que ele conhecera que tinha doutorado em Matemática Aplicada. Conforme os meses se passaram, os dois começaram a suspeitar que aquela poderia ser uma relação para toda a vida.

Já estavam saindo há uns dois anos quando, do nada, David lhe propôs casamento. Foi durante uma viagem de fim de semana para as Smoky Mountains. Estavam deitados em uma grande e confortável cama no Stone Manor. Ele sequer tinha comprado um anel – apenas disse o que tinha em mente, do nada. Essa espontaneidade era uma das características que ela admirava. Beijou-o longa e amorosamente. Ele tomou-a em seus braços e tirou a camisola dela com um gesto suave.

– Vou considerar isso como um sim – disse ele.

Fizeram amor durante toda a noite ao lado da lareira.

Passaram-se seis meses desde aquela tarde mágica. Fora antes da inesperada promoção de David a diretor do Departamento de Línguas Modernas. Desde então, o relacionamento dos dois se tornou cada vez pior.

CAPÍTULO 4

A porta da Criptografia emitiu um bipe, tirando Susan de seus devaneios. A maciça porta giratória estava aberta e iria se fechar de novo em cinco segundos, completando uma rotação de 180 graus. Susan deixou de lado seus pensamentos. Um computador registrou automaticamente sua entrada.

Apesar de ter praticamente morado na Criptografia desde que fora inaugurada, havia três anos, a visão da sala ainda a impressionava. A parte principal era uma câmara circular com a altura de cinco andares. O ponto mais alto do domo transparente que lhe servia de teto ficava a 35 metros de altura do chão. A cúpula de plexiglas fora revestida com uma rede de policarbonatos, capaz de resistir a uma explosão de dois megatons. A tela filtrava a luz do sol, tecendo delicados padrões de luz nas paredes. Pequenas partículas de poeira descreviam largas espirais para cima, capturadas pelo poderoso sistema de desionização do domo.

As laterais inclinadas da sala formavam um amplo arco na parte superior e ficavam quase verticais conforme se aproximavam do nível de visão. Tornavam-se então sutilmente translúcidas e esmaeciam até atingir um preto opaco quando se encontravam com o chão – uma ampla área cintilante de cerâmica preta polida, que emanava um brilho surreal, causando no observador a estranha sensação de que o chão era transparente. Gelo negro.

No centro da câmara, atravessando o chão como a ponta de um enorme torpedo, encontrava-se a máquina para a qual o domo havia sido construído. Seus reluzentes contornos negros arqueavam-se quase dez metros acima, para depois mergulhar novamente no chão. Curvada e lisa, parecia uma gigantesca baleia assassina que houvesse sido congelada no meio de um salto em um mar frígido.

Esse era o TRANSLTR, o mais caro computador do planeta, único em seu gênero. Uma máquina que o NSA jurava não existir.

Como um iceberg, 90% de sua massa e poder computacional se ocultavam sob a superfície. Seus segredos estavam trancados em um silo de cerâmica que ocupava os seis andares abaixo. Assemelhava-se a uma cápsula de foguete, circundada por uma trama de plataformas, cabos e válvulas de exaustão do sistema de resfriamento a gás fréon. Os geradores de energia na parte mais baixa emitiam um zumbido grave e contínuo que dava à Criptografia uma sonoridade abafada, quase fantasmagórica.

◆◆◆

O TRANSLTR, como todos os grandes avanços tecnológicos, era produto da necessidade. Durante os anos 1980, a NSA presenciou uma revolução nas telecomunicações que mudaria o mundo da espionagem para sempre: o acesso público à Internet. Mais especificamente, a chegada do e-mail.

Criminosos, terroristas e espiões, fartos de ter que lidar com linhas telefônicas grampeadas, voltaram-se imediatamente para essa nova forma de comunicação global. O e-mail combinava a segurança do correio convencional com a velocidade do telefone. Como as transferências eram feitas através de cabos de fibra óptica e nunca transmitidas por ondas de rádio, era impossível interceptar e-mails – ou, ao menos, era o que parecia.

Na verdade, interceptar e-mails enquanto eles viajavam pela Internet era trivial para os tecnogurus do NSA. A Internet não era uma nova revelação originada dos computadores pessoais, como muitos acreditavam. Havia sido criada pelo Departamento de Defesa dos EUA três décadas antes – uma gigantesca rede de computadores projetada para assegurar as comunicações do governo em caso de uma guerra nuclear. Os olhos e ouvidos da NSA eram profissionais veteranos da Internet. Aqueles que estavam conduzindo negócios ilícitos através de e-mails rapidamente descobriram que seus segredos não eram tão secretos assim. Órgãos do governo americano, como o FBI, a DEA (Drug Enforcement Administration) e outros, auxiliados pela hábil equipe de hackers da NSA, tiraram proveito disso para realizar uma leva de prisões e condenações muito útil.

É claro que, tão logo os usuários de computadores ao redor do mundo descobriram que o governo americano tinha livre acesso a suas comunicações por e-mail, houve uma onda de protestos. Até mesmo amigos que usavam e-mail apenas para correspondências pessoais acharam a falta de privacidade perturbadora. Por todo o planeta, programadores independentes se lançaram à tarefa de tornar os e-mails mais seguros. Rapidamente encontraram uma forma de fazê-lo, e foi assim que nasceu a codificação por chave pública.

A codificação por chave pública era um conceito ao mesmo tempo simples e brilhante. Consistia no uso de um programa simples, para computadores pessoais, que alterava as mensagens de e-mail de tal forma que estas se tornavam impossíveis de ler. Os usuários passaram a poder escrever suas mensagens e codificá-las usando um programa desse tipo. O texto resultante parecia um bloco de caracteres aleatórios e sem sentido: um código. Qualquer um que interceptasse a mensagem iria ver apenas lixo em sua tela.

A única maneira de decifrar o código era digitar a senha do remetente – uma série secreta de caracteres que funcionava basicamente como a senha de um cartão de crédito. Geralmente, as senhas eram longas e complexas e transportavam as informações para transmitir ao algoritmo de decodificação as operações matemáticas necessárias para recriar a mensagem original.

Os usuários desses programas voltaram a poder, então, enviar e-mails com total confiança. Mesmo se a transmissão fosse interceptada, apenas aqueles que tivessem a chave poderiam decifrá-la.

A NSA sentiu o peso dessa nova forma de criptografia imediatamente. Os códigos com os quais se deparava não eram mais simples cifras de substituição que podiam ser decifradas com lápis e papel quadriculado. Eram agora funções de *hash* geradas por computadores que usavam a teoria do caos e múltiplos conjuntos de símbolos para codificar as mensagens de forma que parecessem absolutamente aleatórias.

No início, as chaves geradas eram pequenas o suficiente para que os computadores da NSA fossem capazes de decifrá-las. Se a chave desejada tivesse dez dígitos, um computador era programado para testar todas as possibilidades entre 0000000000 e 9999999999. Mais cedo ou mais tarde, o computador iria encontrar a seqüência correta. Esse método de tentativa e erro era conhecido como "ataque de força bruta". Era demorado, mas também matematicamente garantido que iria funcionar.

À medida que o mundo foi compreendendo o poder da abordagem por força bruta para a quebra de códigos, as chaves foram se tornando cada vez maiores. O tempo necessário para que os computadores descobrissem a chave correta passou de semanas para meses e, finalmente, para anos.

Na década de 1990, as chaves já tinham mais de 50 caracteres e empregavam todos os 256 caracteres do código ASCII usado pelos computadores pessoais – letras, números e símbolos. O número de possíveis combinações para uma chave era próximo de 10^{120} – ou seja, 1 com 120 zeros depois. Adivinhar uma chave de tamanha complexidade era mais ou menos tão improvável quanto escolher o grão de areia correto em uma praia de cinco quilômetros. Estimava-se que, para obter sucesso na descoberta de uma chave-padrão de 64 bits usando um ataque de força bruta, o supercomputador mais poderoso da NSA levaria 19 anos. Quando o computador finalmente conseguisse encontrar a chave e quebrar o código, o conteúdo da mensagem certamente já seria irrelevante.

Paralisada em um vazio virtual de inteligência, a NSA traçou uma diretriz ultra-secreta que foi endossada pelo presidente dos Estados Unidos. Munida de financiamento governamental e com carta-branca para fazer o que fosse preciso para resolver o problema, a NSA decidiu construir algo considerado impossível: a primeira máquina do planeta capaz de decifrar qualquer código.

Apesar de muitos engenheiros considerarem a proposta de criação do novo computador inviável, a NSA persistia em seu lema: "Tudo é possível. O impossível apenas demora mais."

Cinco anos, 500 mil homens-horas e 1,9 bilhão de dólares depois, a NSA provou mais uma vez do que era capaz. O último dos três milhões de microprocessadores, cada um do tamanho de um selo postal, foi soldado em seu lugar, a programação interna do computador foi finalizada e o revestimento de cerâmica, fechado. O TRANSLTR havia nascido.

Ainda que os segredos do funcionamento interno do TRANSLTR fossem produto de muitas mentes e não houvesse um único indivíduo que compreendesse todos esses segredos simultaneamente, seu princípio básico era simples: muitas mãos tornam o trabalho mais leve.

Seus três milhões de processadores iriam trabalhar em paralelo, executando cálculos a uma velocidade impressionante, experimentando cada uma das permutações possíveis no processo. A esperança era de que mesmo códigos que possuíssem chaves fabulosamente grandes não estariam a salvo da tenacidade do TRANSLTR. Essa obra-prima de quase dois bilhões de dólares usaria o poder do processamento paralelo, assim como alguns avanços altamente secretos em análise de mensagens claras, para descobrir chaves e códigos de quebra. Seu poder viria não apenas do número colossal de processadores, mas também dos avanços obtidos em computação quântica, uma tecnologia em desenvolvimento que permitia que a informação fosse armazenada como estados quânticos em nível atômico, em vez de meros dados binários.

O momento da verdade veio em uma manhã tempestuosa de outubro. O primeiro teste real. Apesar das dúvidas quanto à velocidade final da máquina, os engenheiros concordavam quanto a uma coisa: se todos os processadores funcionassem em paralelo corretamente, o TRANSLTR seria um computador poderoso. A questão era saber o *quão poderoso* ele seria.

A resposta chegou 12 minutos mais tarde. Em silêncio, admirados, os poucos privilegiados que estavam presentes observaram quando o computador mostrou o resultado: a mensagem clara, o código decifrado. O TRANSLTR havia descoberto uma chave de 64 caracteres em pouco mais de 10 minutos, cerca de um milhão de vezes mais rápido do que as duas décadas que o segundo computador mais veloz da NSA teria levado.

Conduzido pelo vice-diretor de operações, comandante Trevor J. Strathmore, o Departamento de Produção da NSA havia triunfado. O TRANSLTR era um sucesso e, para manter esse sucesso absolutamente secreto, o comandante Strathmore deixou vazar prontamente informações de que o projeto havia sido um fracasso total. Todas as atividades na Criptografia eram, supostamente, uma tentativa de salvar o fiasco de dois bilhões de dólares. Apenas a elite da NSA conhecia a verdade: o TRANSLTR estava funcionando a pleno vapor, quebrando centenas de códigos todos os dias.

Com a divulgação de que nem mesmo a todo-poderosa NSA era capaz de decodificar as mensagens encriptadas pelos computadores, os segredos começaram a ser revelados. Chefões do mundo das drogas, terroristas e criminosos em geral, preocupados com a possibilidade de interceptação de suas transmissões por celular, voltaram-se para o fantástico mundo dos e-mails codificados a fim de se comunicarem instantaneamente através do planeta. Nunca mais teriam que encarar um júri no tribunal e ouvir suas vozes saindo de uma fita, prova de alguma ligação por celular há muito esquecida, mas captada por um dos satélites da NSA.

O trabalho de inteligência nunca foi tão fácil. Os códigos interceptados pela NSA entravam no TRANSLTR como cifras absolutamente ilegíveis e saíam, minutos depois, como mensagens perfeitamente claras. Não havia mais segredos.

Para tornar o mistério em torno de sua incompetência completo, a NSA mantinha um forte lobby contra qualquer novo programa de computador para encriptação de dados, insistindo que isso atrapalharia seu trabalho e tornaria impossível que os agentes da lei perseguissem e prendessem os criminosos. Os grupos de direitos civis ficaram felizes, defendendo que, de qualquer forma, a NSA não deveria estar lendo os e-mails das pessoas. Programas de encriptação continuavam a ser criados e vendidos. A NSA havia perdido a batalha, exatamente como havia sido planejado. Toda a comunidade eletrônica mundial fora enganada... Ao menos, era o que parecia.

CAPÍTULO 5

***Onde estão todos?*, pensou Susan**, enquanto atravessava a sala deserta da Criptografia. *Que grande emergência essa...*

Apesar de muitos departamentos da NSA funcionarem durante os sete dias da semana, a Criptografia normalmente ficava vazia aos sábados. Os matemáticos que trabalhavam nesse ramo eram, por natureza, viciados em trabalho e bastante tensos, e existia uma regra informal de que nunca trabalhariam aos sábados, exceto em casos de emergência. Especialistas em quebrar códigos eram um recurso valioso demais para que a NSA se arriscasse a perdê-los por conta da estafa.

Susan atravessou a sala, tendo à sua direita a imponente figura do TRANSLTR. O ruído difuso dos geradores seis andares abaixo parecia estranhamente ameaçador naquele dia. Susan não gostava de ficar na Criptografia fora do horário de trabalho. Era como estar trancada em uma cela com uma gigantesca besta futurística. Ela apressou o passo, dirigindo-se ao escritório do comandante lá no fundo.

A sala de Strathmore era toda de vidro e tinha recebido o apelido de "aquário" devido à sua aparência quando as cortinas estavam abertas. Ficava acima do salão principal, ligada por um conjunto de escadarias e passarelas. Enquanto subia os degraus, Susan olhou para cima, na direção da porta de carvalho maciço do escritório de Strathmore. Podia ver o símbolo da NSA – uma águia americana, de asas invertidas, segurando ferozmente uma chave de prata. Atrás da porta estava um dos homens mais impressionantes que ela já conhecera.

O comandante Strathmore, vice-diretor de operações, tinha 56 anos e era como um pai para Susan. Foi ele quem a contratou, transformando a NSA em sua casa. Quando Susan foi trabalhar na agência, há mais de 10 anos, Strathmore era o chefe do Departamento de Desenvolvimento em Criptografia, que servia como local de treinamento para novos talentos – ou melhor, novos *homens* – para a criptografia. Strathmore nunca tolerou qualquer tipo de discriminação, mas era especialmente protetor em relação à única mulher em seu grupo. Quando era acusado de favoritismo, respondia com a verdade: Susan Fletcher era uma das aprendizes mais inteligentes que já tinha visto e ele não tinha a menor intenção de perdê-la por conta de assédio sexual. Um dos criptógrafos teve a má idéia de testar a resolução de Strathmore.

Em uma manhã, durante seu primeiro ano, Susan passou pela nova sala de lazer dos criptógrafos para preencher alguns formulários. Quando estava saindo, notou que havia uma foto sua no quadro de avisos. Quase desmaiou de tanta vergonha. Na foto, ela aparecia de calcinha, deitada em uma cama.

Mais tarde descobriram que um dos criptógrafos havia digitalizado uma foto de uma revista erótica e editado a imagem, colando a cabeça de Susan no corpo da modelo original. O resultado ficou bem convincente.

Infelizmente para o autor da brincadeira, Strathmore não achou a menor graça. Duas horas depois, um memorando significativo foi emitido:

FUNCIONÁRIO CARL AUSTIN EXPULSO
POR CONDUTA INADEQUADA.

A partir desse dia, ninguém mais ousou mexer com ela. Susan Fletcher era a menina-dos-olhos do comandante.

Os jovens criptógrafos de Strathmore não foram os únicos que aprenderam a respeitá-lo. Logo no início da carreira, ele chamou a atenção de seus superiores ao propor diversas operações de inteligência pouco ortodoxas e altamente bem-sucedidas. À medida que foi subindo na carreira, Trevor Strathmore ficou conhecido por suas análises coesas e sucintas de situações altamente complexas. Parecia ter uma habilidade única de enxergar além das complexidades morais que sempre envolviam as difíceis decisões da NSA e depois agir sem remorsos no interesse do bem comum.

Ninguém tinha dúvidas de que Strathmore amava seu país. Era conhecido entre seus colegas como um patriota e um visionário, um homem decente em um mundo de mentiras.

Desde que Susan começou a trabalhar na NSA, Strathmore subiu rapidamente de seu posto de chefe do Desenvolvimento em Criptografia para o posto de segundo em comando de toda a NSA. Agora havia apenas um homem hierarquicamente superior ao comandante Strathmore na agência: o diretor Leland Fontaine, o lendário senhor supremo do Palácio dos Quebra-Cabeças – nunca visto, raramente ouvido e eternamente temido. Ele e Strathmore dificilmente se encontravam, e, quando isso acontecia, era como uma batalha de titãs. Fontaine era um gigante entre os gigantes, mas Strathmore não parecia se intimidar. Argumentava com o diretor a favor de suas idéias com o mesmo fervor de um boxeador apaixonado. Nem mesmo o presidente dos Estados Unidos ousava desafiar Fontaine como Strathmore fazia. Para isso, era preciso imunidade política ou, no caso do comandante, indiferença política.

◆◆◆

Susan subiu as escadas. Antes mesmo que batesse, a tranca eletrônica da porta de Strathmore soou. A porta se abriu, e o comandante fez sinal para que entrasse.

– Obrigado por ter vindo, Susan. Fico te devendo essa.

– Sem problemas. – Ela sorriu, enquanto sentava-se do outro lado da mesa.

Strathmore era um homem grande, bruto, cujas feições inexpressivas ajudavam a disfarçar a eficiência obstinada e o perfeccionismo. Seus olhos acinzentados geralmente transmitiam uma impressão de confiança e circunspecção resultantes da experiência, mas naquele dia pareciam irrequietos e perturbados.

– Você parece cansado – disse Susan.

– Já estive melhor – Strathmore suspirou.

Eu diria que sim, ela pensou.

Susan nunca tinha visto Strathmore tão mal. Seus cabelos grisalhos e ralos estavam despenteados e, mesmo com o ar-condicionado no máximo, sua testa suava. Parecia que havia dormido usando aquele terno. Estava sentado em uma mesa de design moderno, com dois teclados embutidos e um monitor de computador em um dos cantos. Havia várias listagens de computador impressas jogadas pela mesa, fazendo com que esta parecesse uma espécie de cabine de comando alienígena colocada ali no centro de sua sala acortinada.

– A semana foi difícil? – perguntou Susan.

Strathmore sacudiu os ombros e respondeu:

– O de sempre. A EFF está novamente infernizando minha vida com a questão dos direitos civis.

Susan sorriu. A EFF – Electronic Frontier Foundation – era uma entidade mundial formada por usuários de computadores que haviam criado uma poderosa organização para a manutenção dos direitos civis, destinada a apoiar a liberdade de expressão e instruir outras pessoas sobre os fatos e os perigos de se viver num mundo eletrônico. Faziam um forte lobby contra aquilo que chamavam de "capacidade orweliana de vigilância por parte das agências governamentais", em particular a NSA. A EFF era uma eterna pedra no sapato de Strathmore.

– Nada de novo, então – disse ela. – Qual é a grande emergência que fez com que você me tirasse do banho?

Strathmore sentou-se por um instante, brincando distraidamente com a *trackball* embutida em sua mesa. Após uma longa pausa, olhou para Susan fixamente e disse:

– Qual foi o tempo mais longo que o TRANSLTR já levou para quebrar um código?

A pergunta pegou Susan completamente desprevenida. Parecia sem sentido. *Foi por isso que ele me chamou?*

– Bem... – ela pensou um pouco. – Teve uma mensagem interceptada pelo COMINT alguns meses atrás que levou cerca de uma hora, mas a chave era absurdamente longa – algo como dez mil bits, se não me engano.

Strathmore resmungou.

– Uma hora, certo? O que você me diz dos testes de capacidade máxima que já executamos?

Susan respondeu:

– Se você incluir os diagnósticos, obviamente temos um tempo mais longo.

– *Quanto* tempo?

Susan não estava entendendo aonde Strathmore queria chegar com aquela conversa.

– Senhor, eu me lembro de ter executado um algoritmo, em março deste ano, com uma chave segmentada de um milhão de bits. Usei funções de loop ilegais, autômatas celulares, tudo junto. Ainda assim o TRANSLTR conseguiu quebrá-la.

– Em quanto tempo?

– Três horas.

Strathmore se surpreendeu.

– Três horas? Levou esse tempo todo?

Susan fez uma cara feia, ligeiramente ofendida. Seu trabalho durante os últimos três anos havia sido o de aperfeiçoar o desempenho do computador mais secreto do mundo. Boa parte da programação que tornava o TRANSLTR tão rápido fora escrita por ela. Uma chave de um milhão de bits era, obviamente, uma situação pouco realista.

– Muito bem – disse Strathmore. – Então, mesmo em condições extremas, o tempo mais longo que um código já sobreviveu dentro do TRANSLTR foi de cerca de três horas?

Susan concordou.

– É. Mais ou menos isso.

Strathmore fez uma nova pausa, como se estivesse com medo do que tinha a dizer. Então olhou novamente para ela e disse:

– O TRANSLTR encontrou algo...

Susan esperou.

– Mais do que três horas?

Strathmore assentiu, mas ela não pareceu preocupada.

– Um novo diagnóstico? Algo que o Departamento de Segurança de Sistemas nos enviou?

– Não, é um arquivo externo.

Susan ficou esperando para ver qual era o final da piada.

– Um arquivo externo? Você está brincando, não é?

– Bem que eu queria. Eu o coloquei na fila de processamento ontem à noite, por volta das 23h30. Ainda não foi quebrado.

Susan ficou boquiaberta. Olhou para o relógio, depois para Strathmore.

– *Ainda* está sendo processado? Mais de 15 horas?

Strathmore inclinou-se um pouco para a frente e virou seu monitor para Susan. A tela estava toda preta, exceto por uma pequena caixa de texto amarela no meio, com números piscando.

TEMPO DECORRIDO: 15:09:33
AGUARDANDO CHAVE: ___________

Susan olhou, impressionada. Parecia que o TRANSLTR estava tentando quebrar um único código há mais de 15 horas. Ela sabia que os processadores do computador eram capazes de verificar 30 milhões de chaves por segundo – 100 bilhões por hora. Se o TRANSLTR ainda estava calculando, significava que a chave deveria ser algo monstruoso – mais de dez bilhões de dígitos. Aquilo não fazia o menor sentido.

– É impossível! – declarou ela. – Você verificou se há algum indicador de erro? Talvez o TRANSLTR tenha ficado preso em um erro de programação e...

– Não há nada de errado.

– Mas essa chave deve ser enorme!

– É um algoritmo comercial padrão. Meu palpite é de que a chave seja de 64 bits.

Perplexa, Susan olhou pela janela na direção do TRANSLTR, um pouco abaixo deles. Por experiência própria, ela sabia que uma chave de 64 bits geralmente levava menos de dez minutos para ser encontrada.

– Deve haver uma explicação.

Strathmore assentiu.

– Há, sim. Mas você não vai gostar dela.

Susan olhou para ele com uma sensação ruim.

– O TRANSLTR está funcionando mal?

– Não há nada de errado com ele.

– Temos um vírus?

Strathmore balançou a cabeça.

– Nenhum vírus. Apenas me escute.

Susan estava estupefata. O TRANSLTR nunca tinha encontrado um código que não pudesse quebrar em menos de uma hora. Em geral a mensagem clara era enviada ao módulo de impressão de Strathmore em poucos minutos. Ela olhou rapidamente para a impressora laser atrás de sua mesa. Estava vazia.

– Susan – disse Strathmore, em um tom de voz abafado. – Vai ser difícil aceitar isso de cara, mas ouça o que tenho a dizer. – Ele mordeu o lábio. – Esse código em que o TRANSLTR está trabalhando é único. Não é nada parecido com o que já encontramos até agora. – Strathmore fez uma pausa, como se fosse difícil completar a frase. – Esse código é inquebrável.

Susan olhou para ele e quase riu. *Inquebrável? Como assim?* Não fazia sentido pensar em um código inquebrável. Alguns códigos podiam requerer mais tempo, mas todo código podia ser quebrado. Era matematicamente certo que, mais cedo ou mais tarde, o TRANSLTR iria descobrir a chave certa.

– Você disse *inquebrável?*

– Sim, é isso mesmo – ele respondeu secamente.

Inquebrável? Susan não podia acreditar que aquilo havia sido dito por alguém com 27 anos de experiência em análise de códigos.

– Inquebrável, senhor? – disse ela, constrangida. – E o Princípio de Bergofsky?

Susan havia aprendido a respeito do Princípio de Bergofsky logo no início de sua carreira. Era um dos fundamentos da técnica de força bruta. Havia sido também a inspiração de Strathmore ao construir o TRANSLTR. O princípio dizia claramente que, se um computador testasse um número suficiente de chaves, era matematicamente garantido que iria encontrar a correta. A segurança de um código não dependia de sua chave não poder ser encontrada, mas do fato de que a maioria das pessoas não tinha nem tempo nem equipamento suficientes para fazê-lo.

Strathmore sacudiu a cabeça.

– Esse código é diferente.

– Diferente? – Susan lançou-lhe um olhar suspeito. *Um código inquebrável é uma impossibilidade matemática! Ele sabe disso!*

Strathmore enxugou com a mão sua testa suada.

– Esse código é produto de um algoritmo de encriptação completamente novo, que jamais encontramos antes.

As dúvidas internas de Susan aumentavam. Os algoritmos de encriptação eram apenas fórmulas matemáticas, "receitas de bolo" para misturar o texto e transformá-lo em código. Matemáticos e programadores criavam novos algoritmos todos os dias. Havia centenas deles no mercado: PGP, Diffie-Hellman, ZIP, IDEA, El Gamal. O TRANSLTR quebrava todos esses diariamente, sem problemas. Para o supercomputador, todos os códigos eram iguais, não importando qual fosse o algoritmo usado.

– Não entendo – disse ela. – Não estamos discutindo como fazer a engenharia reversa de uma função complexa, estamos falando sobre a abordagem de força bruta. PGP, Lucifer, DSA, não importa. O algoritmo gera uma pequena chave que ele considera segura, e o TRANSLTR continua fazendo novas tentativas até encontrá-la.

A resposta de Strathmore demonstrava a paciência e o controle de um bom professor.

– Sim, Susan, o TRANSLTR *sempre* irá encontrar a chave, mesmo se for gigantesca. – Fez uma longa pausa. – A menos que...

Ela quis falar, mas estava claro que Strathmore ia finalmente soltar a bomba. *A menos quê?*

– A menos que o computador não saiba quando tiver quebrado o código.

Susan quase caiu da cadeira.

– O quê?

– A menos que o computador já tenha encontrado a chave correta, mas continue tentando porque não percebeu que a encontrou. – Strathmore parecia estar profundamente cansado. – Acho que esse algoritmo possui uma mensagem clara circular.

Susan engoliu em seco. A noção de uma função de mensagem clara circular foi enunciada, pela primeira vez, por um matemático húngaro, Josef Harne, em um obscuro artigo acadêmico de 1987. Uma vez que os computadores usando o método de força bruta quebravam códigos examinando a mensagem clara a fim de encontrar padrões identificáveis de palavras, Harne propôs um algoritmo de encriptação que, além de encriptar, deslocasse a mensagem clara de acordo com uma variável temporal. Teoricamente, a mutação contínua iria assegurar que um computador que tentasse quebrar o código jamais encontraria padrões de palavras identificáveis e, assim, nunca saberia que tinha encontrado a chave correta.

– Onde você conseguiu isso? – perguntou ela.

A resposta do comandante veio lentamente:

– Um programador do setor privado escreveu isso.

– O quê? – Susan caiu de volta na cadeira. – Temos os melhores programadores do mundo aqui! Todos nós, trabalhando em conjunto, jamais chegamos sequer *perto* de escrever uma função de mensagem clara circular. E agora você está me dizendo que um cara qualquer, sentado em casa com um PC, descobriu como resolver o problema?

Strathmore diminuiu um pouco o tom de voz, aparentemente tentando acalmá-la.

– Não diria que esse programador é um "cara qualquer".

Susan não estava mais ouvindo. Estava convencida de que devia haver alguma outra explicação: um erro. Um vírus. Qualquer coisa era mais provável do que um código indecifrável.

Strathmore olhou para ela friamente.

– Uma das mais brilhantes mentes criptográficas de todos os tempos escreveu esse algoritmo.

Susan pareceu ainda mais descrente. As mais brilhantes mentes da Criptografia estavam em seu departamento e ela certamente estaria a par de um algoritmo como esse.

– Quem?

– Acho que você é capaz de adivinhar – disse Strathmore. – Digamos que é alguém que não gosta muito da NSA.

– Assim fica fácil! – devolveu ela, com sarcasmo.

– Ele trabalhou no projeto TRANSLTR. Quebrou as regras. Provocou um alvoroço no meio da inteligência. Eu o deportei.

Susan estava com uma expressão distante, mas em seguida ficou branca.

– Meu Deus...

Strathmore acenou positivamente.

– Ele passou o ano todo se vangloriando a respeito de seu trabalho em um algoritmo capaz de resistir à abordagem de força bruta.

– M-mas... – Susan balbuciava. – Achei que ele estava blefando. Ele *realmente* conseguiu?

– Sim. O encriptador definitivo e inquebrável.

Susan ficou em silêncio.

– Mas... isso quer dizer que...

Strathmore olhou-a no fundo dos olhos.

– Ensei Tankado acabou de tornar o TRANSLTR obsoleto.

CAPÍTULO 6

Ensei Tankado ainda não tinha nascido quando a Segunda Guerra terminou, mas ele estudou cuidadosamente tudo o que pôde a respeito dela. Em particular, estudou tudo a respeito de seu ponto culminante, a explosão em que 100 mil de seus compatriotas morreram, incinerados por uma bomba atômica.

Hiroshima, 8h15 da manhã. Dia 6 de agosto de 1945 – um ato desprezível de destruição. Uma demonstração de poder sem sentido por parte de um país que já havia vencido a guerra. Tankado aceitou tudo isso. A única coisa que ele não podia aceitar era que a bomba tinha tirado dele a possibilidade de conhecer sua mãe. Ela morreu durante seu parto, devido a complicações decorrentes do envenenamento por radiação sofrido muitos anos antes.

Em 1945, antes que Ensei nascesse, sua mãe, assim como muitos de seus amigos, viajou para Hiroshima para trabalhar como voluntária nos centros de tratamento de pessoas queimadas. Foi lá que ela se tornou uma das *hibakusha* – as vítimas da radiação. Dezenove anos mais tarde, quando tinha 36 anos, deitada na enfermaria com uma hemorragia interna, ela sabia que iria morrer. O que não sabia era que a morte a livraria do último dos horrores: seu único filho iria nascer deformado.

O pai de Ensei nem mesmo chegou a ver o filho. Abalado pela perda da mulher e envergonhado pela chegada de um filho, que, segundo as enfermeiras, era uma criança com má-formação e que provavelmente não sobreviveria até o dia seguinte, desapareceu do hospital e nunca mais voltou. Ensei Tankado foi para a casa de pais adotivos.

Ao entrar na adolescência, todas as noites o jovem Tankado olhava para seus dedos deformados, segurando sua boneca-talismã daruma, e jurava que iria vingar-se do país que havia lhe tirado sua mãe e envergonhado tanto seu pai que ele o abandonara. O que ele não sabia é que o destino estava prestes a entrar em cena.

No mês de fevereiro do ano em que Tankado completou 12 anos, um fabricante de computadores de Tóquio ligou para seus pais adotivos e perguntou se seu filho gostaria de participar de um grupo de usuários para testar um novo teclado que estava sendo desenvolvido para crianças deficientes. Sua família concordou.

Ensei Tankado nunca havia visto um computador, mas parecia saber usá-lo instintivamente. Os computadores lhe abriram possibilidades com as quais sequer havia sonhado. Em pouco tempo, aquelas máquinas tornaram-se o centro de sua vida. Tankado cresceu, deu aulas, ganhou dinheiro e eventualmente obteve uma bolsa para a Universidade de Doshisha. Logo ficou conhecido em Tóquio como *fugusha kisai*, o gênio aleijado.

Em algum momento Tankado leu sobre Pearl Harbor e sobre os crimes de guerra japoneses. Seu ódio pela América se dissolveu lentamente. Tornou-se um budista devoto e esqueceu a promessa de vingança que havia feito na infância. O perdão era o único caminho para a iluminação.

Quando completou 20 anos, Ensei Tankado já era uma figura cult no meio underground dos programadores. A IBM ofereceu-lhe um visto de trabalho e um emprego no Texas. Tankado aproveitou a oportunidade. Três anos depois havia deixado a IBM, estava vivendo em Nova York e programando por conta própria. Pegou a nova onda de encriptação com chave pública. Escreveu alguns algoritmos e fez fortuna.

Como muitos dos melhores programadores de algoritmos de encriptação, Tankado foi sondado pela NSA. Ele não deixou, é claro, de perceber a ironia: a oportunidade de trabalhar no coração do governo de um país que uma vez ele havia jurado odiar. Decidiu ir em frente e comparecer à entrevista. Qualquer dúvida que ainda possuísse se desfez quando conheceu o comandante Strathmore. Conversaram francamente sobre o passado de Tankado, a hostilidade em potencial que poderia sentir contra os Estados Unidos, seus planos para o futuro. Ele fez um teste com o polígrafo e se submeteu a cinco semanas de rigorosas entrevistas com psicólogos. Passou por tudo isso. Sua raiva havia sido substituída pela devoção a Buda. Quatro meses depois, Ensei Tankado foi trabalhar no Departamento de Criptografia da Agência de Segurança Nacional.

Apesar de seu alto salário, Tankado ia trabalhar numa moto antiga e comia sanduíches sozinho em sua mesa, em vez de se juntar ao resto do pessoal para desfrutar de um bom almoço no refeitório da NSA. Os outros criptógrafos o admiravam. Ele era brilhante: um dos programadores mais criativos que todos já haviam conhecido. Era gentil, honesto, tranqüilo e tinha uma ética impecável. A integridade moral era da maior importância para ele. Por isso, sua dispensa da agência e subseqüente deportação foram um choque para todos.

◆◆◆

Tankado, assim como o restante da equipe de criptógrafos, estava trabalhando no projeto do TRANSLTR com a idéia de que, se tivessem sucesso, o computador seria usado para decifrar e-mails apenas em casos em que isso fosse previamente autorizado pelo Departamento de Justiça dos Estados Unidos. O uso que a NSA faria do TRANSLTR seria regulamentado, mais ou menos do mesmo modo como o FBI precisava da ordem de uma corte federal para instalar um grampo telefônico. O supercomputador deveria incluir uma programação que precisasse de senhas – que estariam sob controle do Banco Central americano e do Departamento de Justiça – para decifrar um arquivo. Isso impediria que a NSA bisbilhotasse indiscriminadamente as comunicações pessoais de cidadãos inofensivos ao redor do mundo.

Contudo, quando chegou a hora de programar essa parte, a equipe do TRANSLTR foi avisada de que houvera uma mudança de planos. Por conta da urgência associada ao trabalho antiterrorismo da NSA, o TRANSLTR passaria a ser um dispositivo de decodificação independente, cuja operação no dia-a-dia seria regulada apenas pela própria agência.

Tankado ficou indignado. Na prática, isso significava que a NSA poderia abrir os e-mails de qualquer um sem que o usuário jamais ficasse sabendo. Era como ter um grampo em cada telefone do planeta. Strathmore tentou fazer com que o rapaz visse o TRANSLTR como um dispositivo para assegurar a aplicação das leis, mas não houve jeito. Ele foi inflexível e insistiu que aquilo constituía uma enorme violação dos direitos humanos. Pediu demissão no ato e, poucas horas depois, violou a norma de sigilo da agência ao tentar entrar em contato com a Electronic Frontier Foundation. Tankado estava determinado a chocar o mundo com sua história sobre uma máquina secreta capaz de expor todos os usuários de computadores do planeta a tramóias secretas do governo. A NSA não teve outra alternativa senão impedi-lo.

A captura e a deportação de Tankado, amplamente divulgadas em listas de discussão na Internet, foram para ele uma enorme humilhação pública. Contra os desejos de Strathmore, os especialistas em contenção de danos da NSA – temendo que Tankado continuasse tentando convencer as pessoas de que o TRANSLTR de fato existia – espalharam rumores que destruíram sua credibilidade. Assim, Ensei Tankado foi deserdado pela comunidade internacional de informática. Ninguém mais iria acreditar em um aleijado acusado de espionagem – sobretudo quando ele estava tentando comprar sua liberdade com alegações absurdas a respeito de uma máquina americana capaz de quebrar qualquer código.

A coisa mais estranha é que Tankado parecia entender que tudo fazia parte do jogo da inteligência. Não aparentava guardar rancor, mas apenas mantinha-se firme em sua decisão. Enquanto estava sendo levado pela segurança, ele pronunciou sua última frase para Strathmore, com uma calma assustadora.

– Todos temos o direito de guardar segredos – disse. – Um dia eu farei com que isso volte a ser possível.

CAPÍTULO 7

A mente de Susan estava em turbilhão. *Ensei Tankado escreveu um programa que cria códigos indecifráveis!* Era algo tão incrível que ela mal podia compreender.

– Fortaleza Digital – disse Strathmore. – Foi o nome que ele escolheu. É a arma definitiva de contra-inteligência. Se esse programa chegar ao mercado, qualquer moleque com um modem será capaz de enviar códigos que a NSA não poderá quebrar. Nossos serviços de inteligência terão problemas.

Mas os pensamentos de Susan estavam longe das implicações políticas do Fortaleza Digital. Ela ainda estava tentando entender a existência daquele programa. Havia passado toda a sua vida quebrando códigos, negando com convicção a existência de um código definitivo, indecifrável. *Todo código pode ser decifrado, é o Princípio de Bergofsky!* Ela se sentia como um ateu que subitamente tivesse dado de cara com Deus.

– Se esse código se espalhar – murmurou –, a Criptografia irá se tornar uma ciência morta.

– Esse é o menor de nossos problemas.

– Podemos comprar Tankado?? Sei que ele nos odeia, mas não podemos lhe oferecer alguns milhões de dólares? Convencê-lo a não distribuir o código?

Strathmore riu.

– Alguns milhões? Você tem idéia de quanto vale essa coisa? Cada um dos governos do planeta irá oferecer rios de dinheiro. Você pode imaginar como seria dizer ao presidente que continuamos interceptando as comunicações iraquianas, mas não conseguimos mais ler as mensagens interceptadas? Não é algo que diga respeito apenas à NSA, é um problema para toda a comunidade de inteligência. Nós damos suporte a todos eles, o FBI, a CIA, a DEA, e subitamente estariam todos no escuro. Seria impossível rastrear as remessas dos cartéis de drogas; as grandes corporações poderiam transferir dinheiro sem deixar vestígios, burlando o fisco, e os terroristas poderiam conversar em total segredo – em suma, seria o caos.

– A EFF vai se divertir com a notícia – disse Susan, pálida.

– A EFF não tem a menor noção do que fazemos aqui – emendou Strathmore, irritado. – Se soubessem quantos ataques terroristas já conseguimos impedir porque decodificamos suas comunicações, eles iriam mudar de tom.

Susan concordou, mas estava claro que a EFF jamais entenderia o quanto o TRANSLTR era importante. O supercomputador já havia ajudado a frustrar dezenas de ataques, mas essas informações eram altamente secretas e nunca seriam reveladas. A lógica por trás da manutenção desse segredo era simples: o governo americano não poderia permitir uma histeria em massa causada pela revelação da verdade. A reação do público às notícias era uma incógnita. Somente no último ano, grupos fundamentalistas tinham feito duas tentativas de ataques com armas nucleares em solo americano. Ambas foram evitadas por pouco.

E os ataques nucleares não eram a única ameaça. No mês anterior, por exemplo, o TRANSLTR havia impedido um dos ataques terroristas mais engenhosamente concebidos que a NSA já vira. Uma organização de oposição ao governo tinha elaborado um plano cujo codinome era Floresta de Sherwood. O alvo era a Bolsa de Nova York, e o objetivo, a "redistribuição da riqueza". Durante seis dias, membros do grupo colocaram 27 dispositivos de fluxo EMI não-explosivos nos prédios ao redor da Bolsa. Quando acionados, eles iriam gerar uma poderosa onda eletromagnética. A descarga simultânea iria criar um campo magnético tão poderoso que qualquer mídia magnética dentro da Bolsa seria apagada – incluindo discos rígidos de computadores, bancos de armazenamento em memória ROM, backups de fita, disquetes, etc. Todos os registros de "quem possuía o quê" seriam permanentemente desintegrados.

Como era necessária uma precisão absoluta para a detonação simultânea dos dispositivos, eles foram interconectados via Internet através de linhas telefônicas. Durante a contagem regressiva de dois dias os relógios internos dos dispositivos trocaram infindáveis cadeias de dados de sincronização codificados. A NSA interpretou os pulsos como alguma anomalia na rede, mas ignorou-os porque pareciam ser uma troca inofensiva de bobagens. Mas depois que o TRANSLTR decodificou as cadeias de dados, os analistas da agência reconheceram a seqüência como uma contagem regressiva sincronizada através da rede. Os dispositivos foram localizados e removidos apenas três horas antes do momento em que deveriam disparar.

Susan sabia que, sem o TRANSLTR, a NSA não tinha como fazer frente ao avançado terrorismo eletrônico. Ela olhou novamente para o monitor. Continuava mostrando pouco mais do que 15 horas. Ainda que o arquivo de Tankado fosse decodificado naquele exato momento, a NSA estava acabada. A Criptografia estaria relegada a quebrar menos de dois códigos por dia. Mesmo com a taxa atual de 150 códigos por dia, já havia uma fila de arquivos em espera para serem decodificados.

◆◆◆

– Tankado entrou em contato comigo mês passado – disse Strathmore, interrompendo os pensamentos de Susan.

Susan olhou para ele.

– Tankado falou com *você?*

– Sim, para prevenir-me.

– *Preveni-lo?* Mas ele o odeia!

– Ele ligou para me dizer que estava aperfeiçoando um algoritmo que gerava códigos indecifráveis. Não acreditei nele.

– Mas por que ele iria contar a você? – perguntou Susan. – Ele queria que a NSA comprasse o código?

– Não. Era chantagem.

As coisas começavam a fazer sentido para Susan.

– É claro. Ele queria que você limpasse o nome dele.

– Não – disse Strathmore. – Tankado queria o TRANSLTR.

– O TRANSLTR?

– Isso. Me ordenou que fosse a público e dissesse ao mundo todo que temos o TRANSLTR. Disse que, se admitíssemos que podíamos ler qualquer e-mail, ele destruiria o Fortaleza Digital.

Susan olhou para ele, pensativa. Strathmore continuou:

– De qualquer forma, é tarde demais agora. Ele colocou uma cópia gratuita do Fortaleza Digital em seu site na Internet. Todas as pessoas do planeta podem fazer o download.

– Ele *fez o quê?* – perguntou Susan, branca.

– É uma jogada de marketing, não há com o que se preocupar. A cópia que ele deixou no site está encriptada. As pessoas podem fazer o download, mas ninguém pode abri-la. Foi realmente bem pensado. O código-fonte do Fortaleza Digital foi encriptado, completamente trancado.

Susan estava impressionada.

– É claro! Dessa forma todos podem *ter* uma cópia, mas ninguém pode abri-la!

– Exatamente. Tankado está balançando uma cenoura.

– Você já viu o algoritmo?

O comandante pareceu confuso.

– Não. Acabei de lhe dizer que está codificado.

Quando viu a cara de Strathmore, Susan lembrou-se de que as regras haviam mudado.

– Deus! – disse ela. – O Fortaleza Digital foi codificado usando *seu próprio algoritmo?*

– Exato – assentiu Strathmore.

Susan estava chocada. A fórmula para o Fortaleza Digital havia sido codificada usando o próprio Fortaleza Digital. Tankado colocou no site uma receita matemática de valor inimaginável, mas o texto da receita – o algoritmo de encriptação – havia sido embaralhado, usando a *si mesmo* para fazer a encriptação.

– É um Cofre de Biggleman – disse Susan, profundamente admirada.

Strathmore concordou. O Cofre de Biggleman era um cenário hipotético em criptografia, no qual um fabricante de cofres teria projetado um cofre inviolável. Querendo manter seu projeto secreto, decidiu construir o cofre e trancar o projeto dentro dele. Tankado havia feito a mesma coisa com o Fortaleza Digital. Havia protegido seu algoritmo encriptando-o com a fórmula descrita por este algoritmo.

– E o arquivo que está no TRANSLTR? – perguntou Susan.

– Eu fiz o download do site de Tankado na Internet, como todo mundo. A NSA é agora a orgulhosa detentora do algoritmo Fortaleza Digital. Infelizmente não podemos abri-lo.

Susan estava perplexa com a engenhosidade de Ensei Tankado. Sem ter que revelar seu algoritmo, havia provado à NSA que ele era de fato inquebrável.

Strathmore lhe passou um *clipping* de jornais japoneses. Era uma tradução do *Nikkei Shimbun*, o equivalente japonês do *Wall Street Journal*. Uma matéria dizia que o programador japonês Ensei Tankado havia criado uma fórmula matemática que ele afirmava ser capaz de criar códigos indecifráveis. Chamava-se Fortaleza Digital e estava disponível para quem quisesse avaliá-la na Internet. O programador iria vendê-la em leilão para quem fizesse a melhor oferta. A coluna prosseguia dizendo que, apesar do grande interesse que o assunto despertou no Japão, as poucas empresas de software americanas que ouviram falar do Fortaleza Digital comentaram que a alegação era sem sentido, algo como dizer que era possível transformar chumbo em ouro. A fórmula, segundo essas empresas, era uma farsa e não devia ser levada a sério.

– Um leilão? – Susan olhou para Strathmore.

– Sim – disse ele. – Neste exato momento todas as empresas de software do Japão já fizeram download do Fortaleza Digital e estão tentando quebrá-lo. E, a cada segundo que não conseguem fazê-lo, as ofertas sobem.

– Isso é absurdo! – argumentou Susan. – Qualquer arquivo encriptado com um novo algoritmo é indecifrável, a menos que alguém possua o TRANSLTR. O Fortaleza Digital poderia não ser nada além de um algoritmo genérico, e ainda assim essas empresas não conseguiriam quebrá-lo.

– Mas você deve concordar que é uma jogada de marketing brilhante – disse Strathmore. – Pense bem: todas as marcas de vidro à prova de balas supostamente param as balas. Contudo, se uma companhia desafiar os clientes a fazerem uma bala passar pelo *seu* vidro, todos irão tentar.

– E os japoneses realmente *acreditam* que o Fortaleza Digital é diferente? Melhor do que qualquer outra coisa no mercado?

– Tankado pode ter sido afastado da comunidade de informática, mas todos sabem que é um gênio. É praticamente um ícone cult entre os hackers. Se Tankado diz que um algoritmo é indecifrável, as pessoas acreditam nisso.

– Mas, até onde o público em geral sabe, eles são *todos* indecifráveis.

– Sim... – disse Strathmore, pensativo. – Por enquanto.

– O que você quer dizer com *isso?*

Strathmore respirou fundo.

– Vinte anos atrás, ninguém imaginava que seríamos capazes de quebrar cifras de fluxo de 12 bits. Contudo, a tecnologia progrediu, como sempre. Os fabricantes de software estão presumindo que, em algum momento, computadores como o TRANSLTR estarão disponíveis. A tecnologia está avançando exponencialmente – em algum momento os algoritmos atuais que usam chaves públicas deixarão de ser seguros. É necessário encontrar algoritmos melhores para ficar à frente dos computadores do futuro.

– E o Fortaleza Digital seria a solução?

– Exatamente. Um algoritmo capaz de resistir a um ataque de força bruta jamais se tornaria obsoleto, não importa o quanto os computadores fiquem mais potentes. Ele se tornaria um padrão mundial da noite para o dia.

Susan deu um suspiro.

– Que Deus nos ajude – disse, em voz baixa. – Podemos fazer uma oferta?

Strathmore balançou a cabeça.

– Tankado já nos deu uma chance. Ele deixou isso bem claro. De qualquer forma, seria arriscado demais: se descobrissem, seria basicamente uma admissão de que estamos com medo desse algoritmo. Não apenas estaríamos admitindo publicamente que realmente temos o TRANSLTR, mas também que o Fortaleza Digital é imune a ele.

– Quanto tempo ainda nos resta?

– Tankado planejava anunciar quem ganhou o leilão amanhã ao meio-dia.

Susan sentiu seu estômago embrulhar.

– E depois?

– O acordo é que ele daria a chave ao vencedor.

– A *chave?*

– Faz parte do jogo. Todos já têm o algoritmo, então Tankado está leiloando a chave que poderá decifrá-lo.

– É claro – resmungou Susan.

Era um plano perfeito: simples e claro. Tankado havia encriptado o Fortaleza Digital e apenas ele tinha a chave capaz de decifrá-lo. Susan estava pensando que, em algum lugar do mundo, provavelmente anotada em um pedaço de papel no bolso de Tankado, estava uma chave de 64 caracteres que iria arruinar o trabalho de inteligência dos Estados Unidos para sempre.

Sua mente girava, estonteada por esse cenário improvável. Tankado entregaria a chave ao vencedor do leilão e essa empresa iria decodificar o arquivo do Fortaleza Digital. Depois, provavelmente, iria embutir o algoritmo em um chip à prova de engenharia reversa, e, cinco anos mais tarde, todos os computadores sairiam de fábrica com um chip do Fortaleza Digital.

Nenhum fabricante havia tentado criar um chip de encriptação porque os algoritmos de encriptação normais se tornavam obsoletos após algum tempo. Mas o Fortaleza Digital jamais ficaria obsoleto: com uma função de mensagem clara circular, nenhum ataque de força bruta seria capaz de encontrar a chave correta. Seria um novo padrão em encriptação. De agora até o final dos tempos. Todos os códigos se tornariam indecifráveis. Bancos, traficantes, terroristas, espiões. Um só mundo – um só algoritmo.

Anarquia completa.

– Quais são as nossas opções? – indagou Susan. Ela estava ciente de que em tempos extremos eram necessárias medidas extremas, mesmo na NSA.

– Não podemos simplesmente dar sumiço nele, se é isso que você está perguntando.

Era exatamente o que Susan queria saber. Desde que começara a trabalhar para a NSA, ela ouvia rumores de conexões vagas com os melhores assassinos profissionais do mundo – uma elite de mercenários chamada para fazer o trabalho sujo da comunidade de inteligência.

Strathmore sacudiu a cabeça.

– Tankado é demasiado inteligente para nos deixar uma opção tão simples.

Susan achou a resposta estranhamente tranqüilizadora.

– Ele está sob proteção?

– Não exatamente.

– Escondido?

– Tankado deixou o Japão. Ele planejava verificar os lances por telefone. Mas sabemos onde está.

– E vocês não vão agir?

– Não. Ele tem um seguro. Tankado deu uma cópia de sua chave para uma outra pessoa, de identidade desconhecida... caso algo lhe acontecesse.

É claro, pensou Susan, maravilhada. *Um anjo da guarda.*

– E suponho que, se algo acontecer a Tankado, esse homem misterioso venderá a chave?

– Pior. Se qualquer um atacar Tankado, seu parceiro irá publicá-la na web.

Susan parecia confusa.

– Ele irá torná-la *pública?*

– Sim. Será colocada na Internet, em sites, em grupos de discussão, em jornais. Na prática, irá distribuí-la para quem quiser.

– Downloads gratuitos? – perguntou Susan, arregalando os olhos.

– Isso mesmo. Tankado concluiu que, se estivesse morto, não precisaria do dinheiro. Então, por que não deixar um pequeno presente de despedida para o mundo?

Houve um longo silêncio. Susan respirava profundamente, tentando absorver o impacto daquela situação. *Ensei Tankado criou um algoritmo indecifrável. Ele está nos mantendo como reféns.*

Subitamente levantou-se. Sua voz estava cheia de determinação.

– Temos que entrar em contato com Tankado! Deve haver uma forma de convencê-lo a não divulgar o algoritmo! Podemos triplicar a oferta mais alta! Podemos limpar o seu nome! Qualquer coisa!

– Tarde demais – disse Strathmore, engolindo em seco. – Ensei Tankado foi encontrado morto em Sevilha, na Espanha.

CAPÍTULO 8

O Learjet 60 aterrissou no asfalto escaldante da pista de pouso. Olhando para fora da janela, a paisagem borrada das terras secas da Espanha aos poucos foi desacelerando, até se fixar.

– Sr. Becker? – chamou uma voz pelo rádio. – Chegamos.

Becker levantou-se e alongou-se. Ao abrir o compartimento de bagagens, lembrou-se de que não tinha bagagem alguma. Não teve tempo sequer para fazer uma mala. Não que isso importasse, pois haviam lhe prometido que seria uma viagem breve: entrar e sair.

Enquanto as turbinas paravam, o avião saiu do sol e foi para um hangar deserto do outro lado do terminal principal. Poucos instantes depois, o piloto apareceu e abriu a porta de segurança. Becker tomou o último gole de seu suco de frutas, colocou o copo sobre o bar e pegou seu blazer.

O piloto tirou um grosso envelope pardo do bolso de seu uniforme.

– Tenho ordens para lhe dar isto. – Entregou o envelope a Becker. Na frente, rabiscadas em caneta azul, estavam as palavras:

FIQUE COM O TROCO.

Becker passou o dedo pela grossa pilha de notas avermelhadas.

– Mas o quê...?

– Moeda local – retrucou o piloto, secamente.

– Essa parte eu sei – respondeu Becker. – Mas é muito dinheiro. Só preciso de uma pequena quantia para o táxi. – Becker fez uma rápida conversão mental. – Há *milhares* de dólares aqui!

– Apenas cumpro ordens, senhor. – O piloto se virou e trancou-se de volta na cabine de comando.

Becker olhou para o avião, depois para o dinheiro em suas mãos. Ficou em pé por alguns instantes no hangar vazio, depois colocou o envelope no bolso do blazer e seguiu em direção à saída. Era uma forma estranha de começar.

Procurou clarear seus pensamentos. Com um pouco de sorte, estaria de volta a tempo de viajar com Susan para o hotel nas montanhas.

Entrar e sair, pensou consigo mesmo. *Entrar e sair.*

CAPÍTULO 9

O técnico em segurança de sistemas Phil Chartrukian tinha decidido passar rapidamente pela Criptografia, pois precisava pegar uma papelada que havia deixado por lá no dia anterior. Seus planos iriam mudar em breve.

Atravessou o salão da Criptografia e entrou no laboratório de Segurança de Sistemas (SegSis). Percebeu que havia algo errado quando viu que não tinha ninguém sentado em frente ao terminal que controlava continuamente o funcionamento do TRANSLTR e que seu monitor estava desligado. Chartrukian chamou em voz alta:

– Tem alguém aí?

Ninguém respondeu. O laboratório estava absolutamente limpo, dando a impressão de que nenhum funcionário pisara lá nas últimas horas. Chartrukian tinha apenas 23 anos e era relativamente novo no esquadrão de SegSis, mas havia sido bem treinado e conhecia os procedimentos: deveria *sempre* haver alguém de SegSis de plantão na Criptografia, sobretudo aos sábados, quando os criptógrafos ficavam em casa. Ele ligou imediatamente o monitor e virou-se para o quadro de escalas afixado na parede.

Quem deveria estar aqui?, perguntou a si mesmo, percorrendo a lista de nomes. De acordo com a escala, um novato chamado Seidenberg deveria ter começado um turno duplo à meia-noite. Pensativo, Chartrukian correu os olhos pelo laboratório vazio. *Por onde anda esse cara?*

Olhando para o quadro, ele pensou se Strathmore já sabia que o laboratório de SegSis estava deserto. Ele havia reparado, ao entrar, que as cortinas do escritório do comandante estavam fechadas, o que era relativamente normal em se tratando de um sábado. Ainda que Strathmore pedisse aos seus criptógrafos que tirassem sempre folga aos sábados, ele mesmo parecia trabalhar 365 dias por ano.

De uma coisa Chartrukian estava certo: se Strathmore descobrisse que não tinha ninguém no laboratório de SegSis, o novato que havia faltado seria demitido no ato. Chartrukian olhou para o telefone, pensando se deveria ligar para o técnico e dizer que ficaria no plantão em seu lugar. Existia uma regra informal entre o pessoal de SegSis de que cuidariam uns dos outros. Dentro da hierarquia da Criptografia, os SegSis eram cidadãos de segunda classe, constantemente envolvidos em disputas com os senhores do castelo. Ninguém tinha dúvida de que os criptógrafos dominavam esse palácio de alguns bilhões de dólares. Os SegSis eram tolerados apenas porque mantinham seus "brinquedos" funcionando corretamente.

Chartrukian tomou uma decisão. Pegou o telefone e começou a discar, mas interrompeu o gesto no meio. Seus olhos fitavam, hipnotizados, o monitor à sua frente. Como numa filmagem em câmara lenta, colocou o telefone de volta no lugar e ficou olhando para a tela, boquiaberto.

Em oito meses de trabalho, Phil Chartrukian jamais vira o ExeMon, o monitor de execução de tarefas do TRANSLTR, exibir nada além de zero no campo referente às horas. Essa era a primeira vez.

TEMPO DECORRIDO: 15:17:21

– Quinze horas e dezessete minutos? – Ele tremia. – Impossível!

Pediu uma atualização de tela, torcendo para alguma coisa boba ter dado errado. Quando a tela foi novamente exibida, continuava mostrando o mesmo número de horas.

Chartrukian sentiu um calafrio. Os SegSis da Criptografia tinham uma única responsabilidade: manter o TRANSLTR "limpo", ou seja, sem vírus.

Ele sabia que um tempo de execução de 15 horas só podia significar uma coisa: vírus. Um arquivo contaminado havia entrado no TRANSLTR e estava corrompendo sua programação. Chartrukian entrou automaticamente em ação: não importava mais se o laboratório de SegSis tinha ficado vazio ou se o monitor estivera desligado. Ele se concentrou no problema principal: o TRANSLTR. Pediu uma listagem de todos os arquivos enviados para o TRANSLTR nas últimas 48 horas. Começou a ler a lista.

Será que passou algum arquivo infectado?, pensava ele. *Será que os filtros de segurança deixaram de perceber alguma coisa?*

Como medida de segurança, todos os arquivos que eram enviados para o TRANSLTR deviam passar por aquilo que era conhecido como Gauntlet – uma série de poderosos portais codificados nos próprios circuitos, filtros de pacotes e programas de limpeza que analisavam cada um dos arquivos que chegavam à procura de vírus e sub-rotinas potencialmente perigosas. Qualquer arquivo que contivesse uma programação desconhecida para o Gauntlet era rejeitado e tinha que ser verificado manualmente. Ocasionalmente, o Gauntlet rejeitava arquivos absolutamente inócuos apenas porque continham alguma programação que os filtros nunca haviam encontrado. Nesses casos, o pessoal de SegSis fazia uma inspeção manual cuidadosa e, apenas depois disso, com a garantia de que o arquivo estivesse limpo, podiam passá-lo por fora do Gauntlet e enviá-lo diretamente para o TRANSLTR. Os vírus de computador eram tão variados quanto os vírus orgânicos. Assim como seus congêneres, os vírus de computador tinham um objetivo: agregar-se a um sistema hospedeiro e replicar-se. No caso, o hóspede era o TRANSLTR.

Chartrukian ficava impressionado que a NSA ainda não tivesse tido nenhum problema com vírus. Gauntlet era um sentinela poderoso, mas, ainda assim, a NSA digeria, indistintamente, enormes quantidades de informação digital de sistemas de todas as partes do planeta. Espionar dados era, de certa forma, como fazer sexo com centenas de pessoas: com ou sem proteção, mais cedo ou mais tarde você iria pegar alguma coisa.

Ele terminou de examinar a lista de arquivos que estava na tela. Ficou mais confuso do que antes. Todos os arquivos pareciam estar perfeitos. Gauntlet não havia encontrado nada de diferente, o que significava que o arquivo sendo processado pelo TRANSLTR estava limpo.

Por que diabos está levando tanto tempo?, perguntou em voz alta, na sala vazia. Sentiu que estava começando a suar. Ficou pensando se deveria perturbar Strathmore com essas notícias.

Uma verificação antivírus, disse Chartrukian, com voz firme, tentando se acalmar. *Tenho que fazer uma varredura completa contra vírus.*

De qualquer maneira, ele sabia que essa seria a primeira coisa que Strathmore iria pedir. Olhando para a sala deserta, decidiu que aquilo era o melhor a fazer. Carregou e mandou executar o software de varredura contra vírus. Iria levar cerca de 15 minutos.

Por favor, me diga que não há nada, murmurou para si mesmo. *Absolutamente nada. Diga para o papai aqui que não é nada demais.*

Mas Chartrukian sentia que *não podia* ser nada. Seus instintos lhe diziam que algo muito estranho estava acontecendo dentro do gigante decodificador.

CAPÍTULO 10

– Ensei Tankado está morto? – Susan sentiu-se nauseada. – Você o matou? Achei que tinha dito que...

– Não encostamos um dedo nele – Strathmore respondeu num tom de voz calmo. – Ele morreu devido a um ataque cardíaco. O COMINT ligou hoje cedo, pela manhã. O computador deles encontrou o nome de Tankado num registro policial de Sevilha através da Interpol.

– Ataque cardíaco? – Susan parecia desconfiada. – Mas ele tinha só 30 anos.

– Trinta e dois – corrigiu Strathmore. – Tankado tinha um defeito congênito no coração.

– Nunca soube disso.

– Descobrimos durante os exames físicos, quando ele ingressou na NSA. Ele não gostava muito de ficar espalhando isso por aí.

Susan achava difícil aceitar a incrível coincidência de eventos.

– Um defeito congênito podia causar uma morte súbita, sem nenhuma indicação prévia? – Aquilo lhe parecia um pouco conveniente demais.

Strathmore suspirou.

– Um coração fraco, combinado com o calor da Espanha... Sem esquecer o estresse de estar chantageando a NSA.

Susan ficou em silêncio por alguns instantes. Mesmo considerando a situação, ela sentia uma pontada de dor pela perda de um brilhante colega. A voz grave de Strathmore interrompeu seus pensamentos.

– A única coisa boa em toda essa sucessão de problemas é que Tankado estava viajando sozinho. Há boas chances de que seu parceiro ainda não saiba que ele morreu. Recebemos o chamado porque o COMINT estava atento. As autoridades espanholas disseram que iriam reter a informação o máximo possível. – Strathmore olhou profundamente para Susan. – Temos que encontrar o parceiro de Tankado antes que ele descubra que Tankado morreu. Foi por isso que chamei você. Preciso de sua ajuda.

Agora Susan estava realmente confusa. Ela tinha a impressão de que a morte súbita e conveniente de Tankado havia resolvido todo o problema.

– Comandante, se as autoridades disseram que ele morreu de um ataque cardíaco, estamos limpos. O parceiro dele saberá que não fomos responsáveis – argumentou.

– Você realmente acha isso? Tankado chantageia a NSA e aparece morto alguns dias depois. Você acreditaria que *não fomos responsáveis?* Aposto como o parceiro dele não vai ver as coisas desta forma. O que quer que tenha acontecido, vamos parecer *muito* culpados. Poderia facilmente ter sido veneno, uma autópsia falsificada, muitas coisas. – Strathmore fez uma pausa e perguntou: – Qual foi mesmo a sua primeira reação quando eu disse que Tankado havia morrido?

Ela olhou para baixo, pensativa.

– Achei que a NSA tivesse assassinado ele.

– Exatamente. Se a NSA consegue colocar cinco satélites Rhyolite em órbita geossíncrona sobre o Oriente Médio, acho razoável presumir que temos dinheiro suficiente para comprar alguns policiais espanhóis. – O comandante deixou seu ponto bem claro.

Susan suspirou. *Ensei Tankado está morto. A NSA será responsabilizada.*

– Podemos encontrar seu parceiro a tempo?

– Acho que sim. Temos uma boa pista. Tankado disse diversas vezes, em público, que estava trabalhando com um parceiro. Creio que sua intenção era desencorajar as empresas de software de tentar impedi-lo, matá-lo ou então roubar sua chave. Ele avisou que, se alguém jogasse sujo, seu parceiro publicaria a chave na rede, e todas as empresas passariam a competir por um software gratuito.

– Bem pensado – assentiu Susan.

Strathmore prosseguiu.

– Algumas vezes, também em público, Tankado se referiu a seu parceiro nominalmente. Ele o chamou de North Dakota.

– North Dakota? Deve ser um apelido, não?

– Provavelmente. Por via das dúvidas, entrei num site de buscas e pesquisei por North Dakota. Acabei me deparando com uma conta de e-mail. Inicialmente assumi que não fosse o North Dakota que estava procurando, mas ainda assim fui investigar, só para ter certeza. Fiquei muito surpreso ao descobrir que a conta estava cheia de e-mails de Ensei Tankado. E as mensagens faziam referência ao Fortaleza Digital e aos planos de Tankado de chantagear a NSA.

Susan olhou para Strathmore, cética. Ela achava estranho que o comandante pudesse se deixar enganar tão facilmente.

– Mas, comandante, Tankado sabe perfeitamente bem que a NSA pode ler as mensagens transmitidas pela Internet. Ele *jamais* usaria e-mail para enviar informações secretas. É uma armadilha. Ensei Tankado lhe *deu* a pista para North Dakota. Ele *sabia* que você iria fazer uma pesquisa e, sejam quais forem as informações que ele andou enviando, certamente *queria* que você as encontrasse. É uma pista falsa – argumentou Susan.

– Bons instintos, exceto por alguns detalhes – retorquiu Strathmore. – Não achei nada quando pesquisei por North Dakota, então comecei a fazer outras buscas. A conta que eu encontrei estava sob uma variante do nome, NDAKOTA.

Susan mais uma vez sacudiu a cabeça.

– Trabalhar com variações é nosso procedimento-padrão. Tankado sabia que você iria tentar todas as possibilidades até encontrar algo. NDAKOTA é uma variante muito óbvia.

– Pode ser – disse Strathmore, enquanto escrevia algumas palavras num papel e o passava para Susan. – Mas veja isso.

Susan olhou para o papel, e então a linha de raciocínio do comandante ficou clara. Ele havia escrito o endereço de e-mail de North Dakota:

NDAKOTA@ara.anon.org

Foram as letras ARA, no endereço, que chamaram a atenção de Susan. ARA significava American Remailers Anonymous (Remailers Anônimos da América), um servidor de e-mails anônimos bem conhecido.

Os servidores de e-mails anônimos eram populares entre os usuários da Internet que gostavam de manter suas identidades secretas. Mediante o pagamento de uma pequena taxa, as empresas protegiam a privacidade dos usuários, agindo como um intermediário eletrônico para os e-mails. Era como ter uma caixa postal numerada: um usuário podia enviar e receber mensagens sem nunca revelar seu verdadeiro endereço ou nome. A empresa recebia e-mails endereçados para a conta anônima e então os redirecionava para a verdadeira conta do cliente. A empresa de e-mails anônimos possuía um contrato que a impedia de revelar a identidade ou localização de seus verdadeiros usuários.

– Isso não é uma prova – disse Strathmore. – Mas me parece bastante suspeito.

Susan concordou, um pouco menos cética.

– Você acha, então, que Tankado não se importava se alguém estivesse procurando por North Dakota porque sua identidade e localização estariam protegidas pela ARA.

– Isso mesmo.

Susan analisou a questão.

– Em geral os usuários da ARA são americanos. Você acha que North Dakota poderia estar aqui, em algum lugar?

– Talvez. Usando um parceiro americano, Tankado teria mantido as duas chaves geograficamente separadas. Poderia ser uma boa estratégia.

Susan continuou pensativa. Não acreditava que Tankado fosse compartilhar sua chave com ninguém, a não ser um amigo íntimo. E, pelo que se lembrava, Tankado não tinha muitos amigos nos Estados Unidos.

– North Dakota – murmurou, enquanto sua mente criptográfica analisava possíveis significados para este nome. – Qual o conteúdo dos e-mails que ele retornou para Tankado?

– Não tenho idéia. Tudo o que temos são as mensagens que Tankado enviou. Por enquanto, a única coisa que conseguimos sobre North Dakota é um endereço anônimo.

– Alguma chance de ser apenas um disfarce? – questionou Susan.

– Em que sentido? – perguntou Strathmore.

– Bem, Tankado poderia estar mandando e-mails falsos para uma conta morta, esperando que nos déssemos ao trabalho de espioná-la. Desta forma, iríamos acreditar que ele estava protegido, e ele jamais teria que se arriscar a compartilhar sua chave. Assim, poderia muito bem estar trabalhando sozinho.

Strathmore sorriu, impressionado.

– Bela linha de pensamento, mas há um porém. Ele não estava usando nenhum de seus endereços habituais, nem os pessoais nem os profissionais. Ele se dava ao trabalho de ir até a Universidade de Doshisha e conectar-se ao mainframe da universidade. Tudo indica que ele tinha uma conta lá e conseguiu mantê-la em segredo. É uma conta bem protegida, e só consegui encontrá-la por acaso. – Strathmore parou por alguns instantes. – Então, se ele de fato queria que espionássemos seu e-mail, por que estaria usando uma conta secreta?

Susan franziu a testa.

– Você acredita que North Dakota exista de fato?

– Infelizmente, sim. E temos que encontrá-lo; mas é preciso agir *discretamente*. Se ele perceber que estamos tentando localizá-lo, está tudo acabado.

Agora Susan sabia por que havia sido chamada.

– Deixe-me adivinhar: você quer que eu entre no banco de dados protegido da ARA para descobrir a identidade real de North Dakota?

Strathmore respondeu com um discreto sorriso.

– Susan, você acaba de ler meus pensamentos.

Susan era a melhor pessoa a chamar quando era necessário fazer "pesquisas discretas" na Internet. Há cerca de um ano, um oficial sênior da Casa Branca estava recebendo mensagens contendo ameaças de um endereço de e-mail anônimo. Pediram à NSA que localizasse o responsável. Ainda que a agência tivesse o poder de ordenar à empresa de envio de e-mails anônimos que revelasse a identidade do usuário, decidiu optar por um método mais sutil – um *tracer*.

Susan criou um programa que era, na prática, um localizador unidirecional disfarçado como um e-mail comum. Ela podia enviá-lo para o endereço falso do usuário, e a empresa de e-mails anônimos, ao executar o serviço para o qual fora contratada, iria encaminhar a mensagem para o endereço real do usuário. Assim que chegasse ao destino, o programa registraria sua localização na Internet e enviaria uma mensagem de volta para a NSA. Em seguida, o programa sumiria sem deixar qualquer vestígio. A partir do dia em que o *tracer* foi criado, do ponto de vista da NSA, os e-mails anônimos se tornaram apenas um ligeiro incômodo.

– Você pode encontrá-lo? – perguntou Strathmore.

– Claro. Por que você demorou tanto para me chamar?

– Na verdade, não havia pensado em chamá-la. Não queria que ninguém mais soubesse disso. Eu mesmo tentei enviar uma cópia de seu *tracer*, mas você escreveu aquela coisa em uma dessas novas linguagens híbridas, de forma que não consegui fazê-lo funcionar. Ele não parava de enviar dados sem sentido! Então tive que engolir o orgulho e pedir que você viesse.

Susan riu. Strathmore era um programador brilhante na área da Criptografia, mas seu repertório estava limitado, basicamente, a algoritmos. Muitas vezes ele não estava a par de detalhes sutis da programação mais corriqueira. Além disso, Susan escrevera seu *tracer* em uma nova linguagem de programação híbrida, chamada LIMBO. Era compreensível que o comandante tivesse encontrado alguns problemas.

– Deixe que eu resolvo. – Virou-se, preparando-se para sair. – Estarei em meu terminal.

– Alguma idéia de quanto tempo isto pode levar?

– Bem, depende de quão eficiente a ARA é ao encaminhar suas mensagens. Se ele estiver aqui nos EUA e usar um dos grandes provedores públicos, como a AOL ou a Compuserve, terei sua conta de cartão de crédito e um endereço de correspondência em menos de uma hora. Se estiver em uma universidade ou grande corporação, levará um pouco mais de tempo. – Ela forçou um sorriso, sentindo-se desconfortável. – O resto é com você.

Susan sabia que "o resto" seria uma equipe tática em ação, cortando a energia da casa do suspeito e entrando pelas janelas com armas paralisantes. Provavelmente seus superiores diriam à equipe que se tratava de apreensão de drogas. Strathmore iria vasculhar os escombros pessoalmente para encontrar a chave de 64 caracteres e depois destruí-la. O Fortaleza Digital ficaria vagando para sempre pela Internet, trancado por toda a eternidade.

– Envie o *tracer* com todo o cuidado possível – acrescentou Strathmore, visivelmente preocupado. – Se North Dakota perceber que estamos atrás dele, entrará em pânico e sumirá do mapa com a chave.

– Atacar e fugir – disse Susan, tranqüilamente. Assim que o *tracer* chegar à conta de destino, irá desaparecer. Ele nunca saberá que estivemos por lá.

O comandante assentiu, deixando transparecer seu cansaço por trás do olhar contido.

– Obrigado.

Susan acenou levemente de volta. Sempre ficava impressionada como Strathmore, mesmo frente a um possível desastre, conseguia se manter impassível. Ela estava convencida de que essa habilidade havia definido os rumos da carreira dele, fazendo com que chegasse a um dos mais altos escalões do poder.

Enquanto caminhava até a porta, olhava fixamente para o TRANSLTR, lá embaixo. A existência de um algoritmo inquebrável ainda era um conceito difícil de digerir. Ela rezou para que pudessem encontrar North Dakota a tempo.

– Seja rápida e você poderá estar nas Smoky Mountains no início da noite – acrescentou Strathmore, em voz alta.

Susan congelou. Ela sabia que não havia mencionado sua viagem ao comandante. Sentiu algo estranho. *A NSA está grampeando o meu telefone?*

Strathmore levantou os braços, pedindo desculpas.

– David me disse, pela manhã, que vocês pretendiam viajar hoje. Ele comentou que você ficaria muito chateada se a viagem tivesse que ser adiada.

Susan se sentiu desnorteada.

– Você falou com David hoje *pela manhã?*

– Claro. – Strathmore mostrou-se surpreso com a reação dela. – Eu tinha que passar os detalhes para ele.

– Detalhes? Do quê?

– Da viagem dele. Eu enviei David à Espanha.

CAPÍTULO 11

Espanha. Eu enviei David *à Espanha.* As palavras do comandante quase doíam.

– David está na Espanha? – Susan não podia acreditar. – Você o mandou para a Espanha? – disse, irritada, quase gritando. – *Por quê?*

Strathmore estava perplexo. Não era comum que alguém se dirigisse assim a ele, muito menos sua principal criptógrafa. Olhou para Susan. Ela estava encrespada, como uma leoa defendendo sua cria.

– Susan, você falou com ele, não? David *não lhe explicou nada?*

Ela aparentemente estava em choque e mal conseguia pensar. *Espanha? Foi por isso que David adiou nossa viagem para Stone Manor?*

– Enviei um carro para pegá-lo hoje cedo. Ele disse que iria ligar pra você antes de sair. Lamento, mas achei que...

– Por que você mandaria alguém como David à Espanha?

Strathmore parou, olhou fixamente para ela e respondeu, como se fosse óbvio:

– Para pegar a outra chave.

– Que outra chave?

– A que estava com Tankado.

Susan se sentiu completamente perdida.

– Do que você está falando?

Strathmore respirou fundo e prosseguiu.

– Tankado certamente estava carregando sua cópia da chave ao morrer. A última coisa que eu queria era que ela ficasse vagando pelo necrotério de Sevilha.

– Então você mandou o David? – O chão sumia sob seus pés. Nada daquilo fazia o menor sentido. – Ele nem mesmo trabalha para você!

Strathmore não sabia como reagir. Definitivamente não estava acostumado a ser tratado daquela forma.

– Susan – disse ele, procurando manter a calma –, a idéia era exatamente esta. Eu precisava de...

A leoa soltou suas garras.

– Você tem 20 mil empregados sob seu comando! O que lhe dá o direito de mandar meu noivo?

– Precisava de um civil, alguém que estivesse desligado do governo. Se eu passasse pelos canais normais e alguém ouvisse falar a respeito...

– E David Becker é o único civil que você conhece?

– Não, claro que David não é o único! Mas, às seis da manhã, as coisas estavam acontecendo bem rápido e eu tinha pouco tempo. David fala espanhol, é inteligente, eu confio nele e achei que estaria lhe fazendo um favor!

– Um *favor?* – dardejou Susan. – Mandá-lo para a Espanha é considerado um favor?

– Sim! Estou lhe pagando dez mil dólares por um único dia de trabalho. Ele só vai pegar as coisas de Tankado e voltar para casa. Isso é um favor!

Susan ficou em silêncio. Então era isso. A coisa toda se resumia a dinheiro. Voltou no tempo, lembrando-se da promoção de David cinco meses atrás, quando o reitor da Universidade de Georgetown o convidara para ser diretor do Departamento de Idiomas. Ele explicou que as horas de aula seriam reduzidas e que haveria um aumento na papelada, mas também um substancial aumento de salário. Susan quis gritar: *David, não aceite! Você vai se sentir péssimo. Já temos dinheiro demais, não importa qual de nós está ganhando mais!* Mas aquele não era seu estilo. No final, acabou concordando com a decisão dele de aceitar o cargo. Quando dormiram, naquela noite, ela tentou se sentir feliz por ele, mas alguma coisa lhe dizia que aquilo seria um desastre. O tempo iria mostrar que estava certa – só não esperava estar *tão* certa assim.

– Você pagou dez mil dólares? Isso é um truque baixo!

Strathmore ficou furioso.

– Truque? Não foi truque algum! Eu nem mesmo contei a ele sobre o dinheiro. Pedi-lhe um favor pessoal, foi tudo, e ele consentiu em ir.

– É claro que consentiu! Você é meu chefe! É o vice-diretor da NSA! Ele não podia simplesmente dizer não!

– Você está certa – retrucou Strathmore. – E foi exatamente por isso que eu liguei para ele. Não podia me dar ao luxo de...

– O diretor por acaso sabe que você mandou um civil?

– Susan – Strathmore estava claramente medindo suas palavras, beirando o limite de sua paciência. – O diretor não está envolvido. Ele não sabe de nada a respeito disso.

Susan olhou para o comandante, perplexa. Como se aquela pessoa que estava ali, falando com ela, subitamente fosse um completo estranho. Ele havia mandado seu noivo – um professor universitário – em uma missão da NSA e, ainda por cima, não havia notificado o diretor sobre a maior crise na história da organização.

– Leland Fontaine *não foi* notificado?

O pavio de Strathmore havia chegado ao fim. Ele explodiu.

– Susan, chega. Agora ouça aqui! Eu chamei você porque precisava de uma aliada e não de um inquérito! Tive uma manhã infernal. Fiz o download do arquivo de Tankado na noite passada e fiquei sentado, ao lado da impressora, durante horas, esperando e rezando para que o TRANSLTR pudesse quebrar o código. Pela manhã tive que engolir minha honra e liguei para o diretor. Não preciso dizer o quão agradável esta ligação seria para mim: "Bom dia, senhor. Perdoe-me por tê-lo acordado. Ah, sim, estou ligando só para dizer que o TRANSLTR acaba de ficar obsoleto. É por conta de um algoritmo que minha equipe de criptógrafos altamente treinada e bem paga jamais chegou perto de programar." – Strathmore terminou a frase com um soco na mesa.

Susan ficou congelada, em completo silêncio. Em dez anos, vira o chefe perder a calma pouquíssimas vezes, mas nunca com ela.

Dez segundos depois, os dois continuavam em silêncio. Finalmente Strathmore sentou-se, e Susan ouviu sua respiração pesada voltar gradualmente ao normal. Quando ele finalmente falou, sua voz tinha um tom frio, calmo e controlado.

– Infelizmente – disse Strathmore, em voz baixa –, o diretor se encontra na América do Sul, em um encontro com o presidente da Colômbia. Como não haveria absolutamente nada que ele pudesse fazer de lá, eu tinha duas opções: pedir que cancelasse seu encontro e voltasse ou então lidar com isso por conta própria. – Seguiu-se outro longo silêncio. Strathmore finalmente olhou para Susan, visivelmente esgotado. Seu rosto se descontraiu, suavizando-se. – Susan, desculpe. Estou exausto. Tenho vivido um pesadelo desde ontem. Sei que você está irritada por causa do David. Não pretendia que você descobrisse desta forma, realmente achei que ele já houvesse lhe contado.

Susan sentiu-se culpada.

– Acho que também exagerei um pouco e peço desculpas. David foi uma boa escolha.

Strathmore concordou, distante.

– Ele estará de volta esta noite.

Susan pensou em todas as coisas pelas quais o comandante estava passando: a pressão de supervisionar o trabalho com o TRANSLTR, as longas jornadas sem nunca descansar e as infindáveis reuniões. Diziam que sua mulher, com quem era casado há 30 anos, estava querendo se separar. Além disso, agora surgia o Fortaleza Digital, a maior ameaça aos serviços de inteligência que a NSA já havia encontrado em sua história, e ele tinha que resolver tudo sozinho. Era razoável que parecesse estar prestes a ter um colapso nervoso.

– Considerando-se as circunstâncias, eu acho que você deveria chamar o diretor – disse Susan.

Strathmore sacudiu a cabeça, o suor escorrendo pela testa.

– Não estou disposto a colocar a segurança do diretor em perigo ou correr o risco de um vazamento de informações se tentar contactá-lo. É uma grande crise, mas não há nada que ele possa fazer.

Susan sabia que ele estava certo. Mesmo em momentos como aquele, Strathmore mantinha total clareza de pensamentos.

– Você já pensou em falar com o presidente?

– Sim, mas também concluí que não era uma boa idéia.

Susan havia chegado à mesma conclusão. Os oficiais seniores da NSA tinham o direito de lidar com emergências comprovadas no setor de inteligência sem conhecimento do executivo. A NSA era a única organização de inteligência dos Estados Unidos que tinha carta branca para agir e completa independência em relação à esfera federal. Strathmore muitas vezes se valia desse direito, pois preferia fazer suas "mágicas" sem a interferência de outros.

– Comandante – argumentou ela –, essa crise é grande demais para que você lide com ela sozinho. Você deveria colocar mais alguém a par do que está acontecendo.

– Susan, a existência do Fortaleza Digital tem enormes implicações em relação ao futuro de nossa organização. Não tenho a intenção de falar diretamente com o presidente, passando por cima do diretor. Temos uma crise e estou lidando com ela. Olhou fundo para Susan. – Eu *sou* o vice-diretor de operações. – Um sorriso apagado surgiu em sua face. – E, além disso, não estou sozinho. Conto com Susan Fletcher em minha equipe.

Susan lembrou-se por que respeitava tanto Strathmore. Durante 10 anos, nos momentos calmos ou nos difíceis, ele sempre havia traçado o caminho para ela. Com firmeza, sem hesitar. Era a sua dedicação que mais a impressionava, sua inabalável lealdade a seus princípios, seu país e seus ideais. O comandante Trevor Strathmore era um porto seguro em um mundo de decisões impossíveis.

– Você *está* no meu time, não está? – perguntou ele.

Susan sorriu.

– Sim, senhor, estou 100% ao seu lado!

– Ótimo. Agora podemos voltar a trabalhar?

CAPÍTULO 12

David Becker já tinha estado em funerais antes e visto defuntos, mas havia algo de particularmente incômodo em relação a este. Não era um cadáver imaculadamente limpo e penteado deitado em um caixão revestido. Esse corpo havia sido despido e jogado, sem a menor cerimônia, em uma mesa de alumínio. Os olhos ainda não possuíam aquela expressão vazia, sem vida. Em vez disso, estavam virados para cima, olhando para o teto, congelados em uma expressão sinistra de terror e arrependimento.

–*¿Dónde están sus efectos?* – perguntou Becker, em castelhano fluente. – Onde estão seus pertences?

– *Allí* – respondeu o tenente de dentes amarelados, apontando para um balcão onde estavam as roupas e outros objetos pessoais do morto.

– *¿Es todo?* Isso é tudo?

– *Sí.*

Becker pediu uma caixa de papelão para colocar as coisas. O tenente saiu rapidamente para procurar uma.

Era sábado à tarde e, oficialmente, o necrotério de Sevilha estava fechado. O jovem tenente havia deixado Becker entrar por ordens diretas do chefe da Guardia de Sevilha – aparentemente o visitante americano tinha amigos influentes.

Becker vasculhou a pilha de roupas. Havia um passaporte, uma carteira e os óculos, que estavam enfiados em um dos sapatos. Também encontrou uma pequena mochila que a Guardia tinha recolhido no hotel onde o homem estava hospedado. As ordens de Becker eram claras: *Não toque em nada. Não leia nada. Traga tudo de volta. Tudo. Não deixe nada de lado.*

Ele olhou para a pilha e ficou imaginando o que a NSA queria com aquele monte de lixo.

O tenente voltou com uma pequena caixa, e Becker começou a colocar as roupas dentro dela.

O policial bateu na perna do cadáver.

– *¿Quien es?* Quem é ele?

– Não faço idéia.

– Parece chinês.

Japonês, pensou Becker.

– Pobre coitado. Ataque cardíaco, não foi?

Becker assentiu, sem prestar atenção.

– Foi o que me disseram.

– O sol de Sevilha pode ser cruel. Tenha cuidado ao andar por aí amanhã.

– Obrigado pelo conselho, mas voltarei para casa ainda hoje – disse Becker.

O policial ficou surpreso.

– Mas você acabou de chegar!

– Eu sei, mas o sujeito que está pagando minha viagem tem pressa de receber essas coisas.

O tenente ficou ofendido de uma forma que só um espanhol poderia ficar.

– Você quer dizer que não vai conhecer Sevilha?

– Estive aqui alguns anos atrás e gosto da cidade. Adoraria ficar.

– Você já viu La Giralda?

Becker acenou que sim. Ele não chegara a subir na antiga torre moura, mas a visitara.

– E o Alcazar?

Becker balançou a cabeça outra vez, lembrando-se da noite estrelada em que tinha ouvido Paco de Lucia tocar seu violão flamenco nos jardins da fortaleza do século XV. Gostaria de já ter conhecido Susan naquela época.

– E, claro, há Cristóvão Colombo – gabou-se o policial. – Ele está enterrado em nossa catedral.

Becker olhou para ele.

– Mesmo? Achei que estivesse enterrado na República Dominicana.

– Ora, claro que não! Quem espalha essas besteiras por aí? O corpo de Colombo está aqui, na Espanha! Pensei ter ouvido você dizer que estudou na universidade.

Becker não lhe deu atenção.

– Devo ter perdido essa aula.

– A Igreja espanhola tem grande orgulho de suas relíquias!

A Igreja espanhola. Becker sabia que havia apenas uma Igreja na Espanha, a Igreja Católica Apostólica Romana. O catolicismo era mais forte lá do que no próprio Vaticano.

– É claro que não temos todo o seu corpo – acrescentou o tenente. – *Solo el escroto.*

Becker parou de empacotar as coisas e olhou com curiosidade para o homem. *Solo el escroto?* Procurou não fazer uma careta.

– Apenas o seu *testículo?*

– Sim. Quando a Igreja obtém os restos mortais de um grande homem, eles o consagram e depois distribuem as relíquias por diversas catedrais para que todos possam admirar seu esplendor – contou, orgulhoso.

– E vocês ficaram com o... – Becker reprimiu um riso.

– *Oye!* É uma parte muito importante! – retrucou o oficial. – Não é como se tivéssemos uma costela ou um dedo, como aquelas igrejas da Galícia! Você realmente deveria ficar em Sevilha e ver as relíquias.

Becker assentiu, por polidez.

– Talvez eu passe por lá quando estiver de partida.

– *Mala suerte* – respondeu o policial. – Que azar. A catedral estará fechada até a primeira missa de amanhã cedo.

– Então vou deixar para a próxima – Becker sorriu, pegando a caixa. – É melhor eu ir andando. Meu vôo está me esperando. – Deu uma última olhada ao redor.

– Você quer uma carona até o aeroporto? – perguntou o tenente. – Tenho uma moto Guzzi parada aí em frente.

– Não, obrigado, posso pegar um táxi.

Na época da faculdade, Becker quase morreu dirigindo uma motocicleta. Por isso, não tinha a menor intenção de subir em outra moto, não importava quem estivesse ao volante.

– Como quiser – disse o outro, caminhando até a porta. – Vou apagar as luzes.

Becker colocou a caixa sob o braço. *Peguei tudo mesmo?* Olhou uma última vez para o corpo. Estava completamente nu, de costas sobre a mesa, sob uma luz fluorescente. Nada podia estar escondido. Becker se pegou olhando novamente para a estranha deformação nas mãos. Observou por alguns instantes, prestando atenção.

O policial apagou as luzes e a sala ficou escura.

– Espere um pouco – disse Becker. – Acenda as luzes de novo.

As luzes piscaram e se acenderam.

Ele deixou a caixa no chão e caminhou até o corpo. Agachou-se e apertou os olhos, fitando a mão esquerda do homem.

O policial também olhou.

– Bem feio, não?

Mas não era a deformidade que Becker olhava. Ele havia visto outra coisa. Virou-se para o tenente e perguntou:

– Você tem certeza de que todos os pertences estão nesta caixa?

– Sim, só recolhemos isso – ele confirmou.

Becker ficou parado algum tempo, com as mãos nos quadris. Depois pegou a caixa no chão, levou-a de volta ao balcão e tirou que estava dentro. Examinou tudo cuidadosamente, revirando cada peça de roupa. Esvaziou os sapatos e bateu neles, como se tentasse remover uma pedrinha. Depois de repetir sua busca uma segunda vez, deu um passo para trás e ergueu as sobrancelhas.

– Algum problema? – perguntou o tenente.

– Sim, algo está faltando.

CAPÍTULO 13

Tokugen Numataka estava em seu luxuoso escritório de cobertura e olhava Tóquio estender-se a seu redor. Seus empregados e competidores o conheciam como *akuta same* – o "tubarão assassino". Durante três décadas foi o melhor na hora de prever os movimentos do mercado, fez as melhores ofertas e investiu mais pesado em propaganda e marketing do que todos os seus competidores japoneses. Agora estava prestes a se tornar um gigante também no mercado internacional.

Estava quase fechando o maior negócio de sua vida, algo que faria da Numatech Corp. uma Microsoft do futuro. Seu sangue fervia com a adrenalina. Negócios eram guerra, e guerra era excitante.

Apesar das suspeitas iniciais, quando recebera o telefonema três dias atrás, ele agora sabia que era para valer. Havia sido abençoado com *myouri* – boa sorte. Era o escolhido dos deuses.

◆◆◆

– Tenho uma cópia da chave do Fortaleza Digital – disse seu interlocutor, com sotaque americano. – Quer comprá-la?

Numataka quase caiu na gargalhada. Sabia que aquilo era alguma artimanha. A Numatech Corp. havia feito ofertas generosas para obter o novo algoritmo de Ensei Tankado. Agora, um de seus competidores estava armando alguma jogada, tentando descobrir o valor da oferta.

– Você tem a chave? – disse Numataka, fazendo de conta que estava interessado.

– Sim. Meu nome é North Dakota.

Numataka segurou outra risada. Todos sabiam a respeito de North Dakota, pois Ensei Tankado havia falado à imprensa sobre seu parceiro secreto. Ter escolhido um parceiro foi um movimento inteligente da sua parte. Mesmo no Japão, as práticas de negócios haviam se tornado desonrosas. Tankado não estava seguro. Mas, da forma como ele preparara tudo, qualquer movimento em falso de alguma empresa excessivamente ambiciosa faria com que a chave fosse publicada na web, prejudicando todo o mercado.

Numataka olhou a fumaça de seu charuto Umami subindo no ar e resolveu levar adiante aquela charada patética.

– Então você quer vender sua chave? Mas que interessante. Posso saber o que Ensei Tankado pensa a respeito?

– Não tenho nenhuma lealdade ao Sr. Tankado. Ele foi tolo ao confiar em mim. Essa chave vale centenas de vezes mais do que ele está me pagando para mantê-la comigo.

– Lamento – disse Numataka. – A sua chave sozinha não vale nada. Quando Tankado descobrir o que você fez, ele irá publicar a cópia dele, e todo o mercado terá livre acesso ao código.

– Você irá receber as duas chaves – disse a voz. – Tanto a de Tankado quanto a minha.

Numataka cobriu o telefone e riu. Àquela altura não podia deixar de perguntar...

– Quanto você está pedindo pelas duas chaves?

– Vinte milhões de dólares americanos.

Vinte milhões era quase exatamente o valor que Numataka havia oferecido.

– Vinte milhões? – Ele engoliu em seco. – Isso é um ultraje!

– Eu vi o algoritmo. Posso assegurá-lo de que vale mais do que isso.

Não me diga, pensou Numataka. *Vale dez vezes mais do que isso.*

– Infelizmente – disse ele, cansando-se do jogo –, nós dois sabemos que Tankado jamais concordaria com isso. Pense nas repercussões legais que teria.

Houve um silêncio profundo do outro lado da linha.

– E se Tankado não estivesse mais na jogada?

Numataka quis rir, mas notou uma estranha determinação naquela voz.

– Se Tankado não estivesse mais na jogada? – Numataka pensou um pouco. – Então eu e você fecharíamos negócio.

– Tornarei a ligar – disse a voz. A linha ficou muda.

CAPÍTULO 14

Becker olhou para o cadáver. Mesmo já tendo morrido há algumas horas, o japonês continuava com um tom avermelhado em seu rosto pelo excesso de sol. O resto do corpo era de um amarelo pálido, exceto uma pequena área onde havia um hematoma de uma tonalidade mais escura, exatamente sobre seu coração.

Provavelmente por conta de uma tentativa de ressuscitação ou massagem cardíaca, pensou Becker. *Pena que não tenha funcionado.*

Voltou a examinar as mãos do cadáver. Nunca vira nada igual antes. Cada uma tinha apenas três dedos, todos eles retorcidos. Mas Becker estava olhando uma outra coisa.

– Ora, ora, quem diria... – disse o tenente do outro lado da sala. – Ele é japonês, e não chinês.

Becker olhou para ele. O policial estava folheando o passaporte do defunto.

– Preferia que você não mexesse nisso – pediu Becker. *Não toque em nada. Não leia nada.*

– Ensei Tankado... nascido em janeiro...

– Por favor – disse Becker, com polidez –, coloque-o de volta.

O policial olhou para o passaporte por mais alguns instantes e depois jogou-o de volta na pilha de pertences.

– Esse cara tem um visto classe 3. Ele poderia ficar por aqui durante alguns anos.

Becker bateu na mão da vítima com uma caneta.

– Talvez vivesse aqui.

– Não pode ser. A chegada foi semana passada.

– Talvez estivesse *de mudança* para cá – sugeriu Becker secamente.

– É, pode ser. Foi um mau começo. Insolação e ataque cardíaco. Pobre coitado.

Becker ignorou o policial e continuou estudando a mão.

– Você tem certeza de que ele não estava usando nenhuma jóia quando morreu?

– Jóias? – O policial olhou para ele, espantado.

– É, venha ver isso.

O tenente atravessou o quarto. A pele da mão esquerda de Tankado estava queimada de sol, exceto em uma pequena faixa em torno do dedo menor. Becker apontou para aquela faixa.

– Você vê como a pele não está bronzeada aqui? É como se ele estivesse usando um anel.

O tenente parecia surpreso.

– Um *anel?* – Ficou confuso. Examinou o dedo do cadáver. – Meu Deus – ele disse, rindo. – Então a história era *verdadeira?*

Becker teve um mau pressentimento.

– Como assim?

– O senhor que ligou para a emergência. Era um turista canadense, acho eu. Ficava balbuciando coisas no pior espanhol que já ouvi.

– E ele disse que o Sr. Tankado estava usando um *anel?*

– Isso. – Puxou do bolso um cigarro, olhou para o cartaz de PROIBIDO

FUMAR, mas acendeu-o assim mesmo. – Talvez eu devesse ter falado a respeito antes, mas o sujeito parecia ser um louco completo.

Becker continuou olhando para ele, pensativo. As palavras de Strathmore ecoavam em seus ouvidos: *Quero tudo que estava com Ensei Tankado. Tudo. Não deixe nada para trás, nem mesmo um pequeno pedaço de papel.*

– E onde está o tal anel agora? – perguntou Becker.

O oficial deu um tragada profunda no cigarro.

– É uma longa história.

Algo dizia a Becker que aquilo não era uma boa notícia.

– Vamos lá, sou todo ouvidos.

CAPÍTULO 15

Susan Fletcher sentou-se em frente a seu terminal de computador dentro do Nodo 3. O Nodo 3 era a sala privada dos criptógrafos, acusticamente vedada e um pouco acima do salão principal. Uma ampla divisória de vidro espelhado de cinco centímetros de espessura dava aos criptógrafos um panorama do Departamento de Criptografia, ao mesmo tempo que impedia a visão de quem estivesse de fora.

Nos fundos da vasta sala do Nodo 3 havia 12 terminais dispostos em um círculo perfeito. A disposição circular era para encorajar o intercâmbio intelectual entre os criptógrafos e para lembrá-los de que faziam parte de uma equipe maior. Algo como os Cavaleiros da Távola Redonda da Criptografia. Ironicamente, muitos segredos eram mantidos dentro do Nodo 3.

Apelidado de "Sala de Jogos", o Nodo 3 não tinha nada do ar ascético do restante da Criptografia. A sala foi projetada para fazer com que todos se sentissem em casa. Tinha carpetes macios, sistema de som de alta qualidade, uma geladeira sempre cheia, uma pequena cozinha e uma cesta de basquete em miniatura. A NSA tinha uma filosofia clara em relação à Criptografia: não invista bilhões de dólares em um computador para quebrar códigos se você não puder atrair os melhores cérebros para usá-lo.

Susan tirou seus sapatos Salvatore Ferragamo e afundou os pés no carpete macio. Os funcionários do governo que recebiam altos salários eram encorajados a manter certa discrição quanto às suas posses. Em geral, isso não era problema para Susan, que estava feliz com seu modesto duplex, seu sedan Volvo e suas roupas clássicas. Sapatos, contudo, eram outra história. Mesmo na época da faculdade ela economizava para comprar os melhores.

Sua tia uma vez lhe dissera: "Você nunca irá alcançar as estrelas se seus pés estiverem doendo. E, quando você chegar aonde quer, é melhor que esteja com uma boa aparência."

Susan alongou-se confortavelmente e então se concentrou na tarefa que tinha em mãos. Colocou na tela o seu *tracer* e preparou-se para configurá-lo. Deu uma olhada rápida no endereço de e-mail que Strathmore havia lhe dado:

NDAKOTA@ara.anon.org

O homem que se intitulava North Dakota tinha uma conta secreta, mas seu anonimato não iria durar muito. O *tracer* passaria pelo ARA, seria remetido para North Dakota e então mandaria de volta informações contendo o verdadeiro endereço desse homem na Internet.

Se tudo corresse bem, o programa iria localizar North Dakota rapidamente, e Strathmore poderia confiscar a chave. Bastaria então esperar por David. Quando ele encontrasse a chave de Tankado, ambas seriam destruídas. Assim, a pequena bomba-relógio de Tankado se tornaria inócua – um explosivo mortífero, mas sem detonador.

Susan conferiu novamente o endereço na folha de papel e digitou os dados necessários. Ela riu consigo mesma ao pensar que Strathmore tivera dificuldades para enviar o *tracer*. Aparentemente ele enviou o programa duas vezes e, nos dois casos, recebeu de volta o endereço de Tankado, em vez do endereço de North Dakota. Era um engano simples, pensou Susan: Strathmore provavelmente confundiu os campos de dados, e o *tracer* foi procurar a conta errada.

Susan terminou de configurar seu programa e apertou ENTER. O computador emitiu um bipe:

TRACER ENVIADO

Agora começava o jogo de espera.

Susan expirou longamente. Sentia-se culpada por ter sido dura com o comandante. Se havia alguém realmente preparado para cuidar dessa ameaça por conta própria, era Strathmore. De alguma forma ele sempre se saía bem quando desafiado.

Seis meses atrás, quando a EFF divulgou uma notícia de que um submarino da NSA estava espionando cabos telefônicos, Strathmore deixou vazar, com toda a tranqüilidade, uma história conflitante de que o submarino estava, na verdade, enterrando ilegalmente lixo radioativo. A EFF e os ambientalistas passaram tanto tempo discutindo qual das versões era verdadeira que a mídia acabou se cansando da história e esqueceu o assunto.

Todas as jogadas de Strathmore eram cuidadosamente planejadas. Ele contava com a ajuda de seu computador quando estava criando e revisando seus planos. Assim como muitos outros que trabalhavam na NSA, ele usava um software desenvolvido pela própria agência chamado BrainStorm – uma forma sem riscos de desenvolver cenários hipotéticos dentro do ambiente seguro de um computador.

BrainStorm era um programa experimental que usava inteligência artificial para fazer aquilo que seus criadores descreviam como "simulação de causa e efeito". Ele foi idealizado originalmente para ser usado em campanhas políticas como uma forma de gerar modelagens, em tempo real, de um determinado ambiente político. Alimentado por enormes quantidades de dados, o programa criava uma rede de relacionamentos. Essa rede era um modelo hipotético de interações entre as variáveis políticas, incluindo as figuras públicas de relevância naquele momento, suas equipes, seus vínculos pessoais umas com as outras, tópicos polêmicos e motivações dos indivíduos, com diferentes pesos atribuídos a variáveis como sexo, etnia, dinheiro e poder. O usuário poderia, então, especificar qualquer evento imaginário, e o BrainStorm iria predizer como este evento afetaria "o ambiente".

O comandante trabalhava sempre com o BrainStorm, mas não por motivos políticos. Usava-o como um dispositivo de TFM: Tempo, Fluxograma e Mapeamento. Nesse contexto, era um software preciso para delinear estratégias complexas e prever fraquezas. Susan suspeitava que, no computador de Strathmore, havia alguns estratagemas escondidos que poderiam mudar o mundo.

Sim, fui dura demais com ele. Seus pensamentos foram cortados pelo ruído suave das portas do Nodo 3 se abrindo. Strathmore entrou apressadamente.

– Susan, David acabou de ligar. Houve um imprevisto.

CAPÍTULO 16

– Um anel? – Susan parecia desconfiada. – Tankado estava usando um anel?

– Sim. Tivemos sorte por David ter notado. Ele foi realmente competente.

– Mas você está atrás de uma chave e não de jóias.

– Claro, mas acho que são a mesma coisa – disse Strathmore.

Susan olhou para ele, sem entender.

– É uma longa história.

Ela apontou para o *tracer* que estava em sua tela.

– Bem, não vou a lugar algum.

Strathmore suspirou profundamente e começou a andar de um lado para o outro, enquanto explicava.

– Parece que havia testemunhas quando Tankado morreu. De acordo com o policial que estava no necrotério, um turista canadense ligou para a Guardia esta manhã, em pânico. Disse que um japonês estava tendo um ataque cardíaco no parque. Quando o policial chegou, chamou os paramédicos pelo rádio, mas Tankado já estava morto. Depois que o corpo foi levado para o necrotério, o policial tentou fazer com que o turista lhe contasse o que havia acontecido. Tudo o que o velho fez foi repetir algo sobre um anel que Tankado tinha lhe dado pouco antes de morrer.

Susan olhou para ele, cética.

– Tankado deu *um* anel?

– Sim. Na verdade, parece que ele quase enfiou o anel na cara desse senhor, como se estivesse implorando a ele que o guardasse. Creio que o velho pôde ver o anel bem de perto. – Strathmore parou de andar e se virou. – Ele disse que o anel era entalhado, que continha algum tipo de inscrição.

– Uma inscrição?

– De acordo com ele, não era inglês.

Strathmore fez uma pausa e olhou para ela.

– Japonês?

Ele sacudiu a cabeça.

– Também foi a primeira coisa em que pensei. Mas, preste atenção nisso, o canadense disse que as *letras* não faziam sentido. Claro que os caracteres japoneses jamais seriam confundidos com nosso alfabeto latino. Ele disse que o que estava gravado se parecia com um gato se divertindo em uma máquina de escrever.

– Comandante, você não acredita realmente que...

Strathmore interrompeu-a.

– Susan, está na cara. Tankado gravou a chave do Fortaleza Digital em seu anel. O ouro é durável. Não importa se ele estivesse dormindo, tomando banho ou comendo, a chave estaria sempre com ele, pronta para ser divulgada a qualquer instante.

Susan continuava em dúvida.

– No dedo dele? Tão abertamente assim?

– E por que não? A Espanha não é exatamente um centro mundial de criptografia. Ninguém teria a menor idéia do que aquelas letras significavam. Além disso, se for uma chave-padrão de 64 bits, mesmo em plena luz do dia ninguém poderia ler e memorizar todos os caracteres.

Susan parecia perplexa.

– E Tankado deu esse anel a um completo estranho, pouco antes de morrer? Por quê?

– O que você acha? – Strathmore olhou fundo para ela.

Levou apenas um instante para que Susan compreendesse. Seus olhos se arregalaram.

– Faz sentido, não? – disse o comandante. – Tankado estava tentando se livrar do anel. Achou que nós o havíamos assassinado. Sentiu que estava morrendo e, logicamente, acreditou que fôssemos os responsáveis. O timing era muito perfeito para ser mera coincidência. Achou que tínhamos conseguido atingi-lo usando veneno ou alguma substância de ação lenta que provocasse uma parada cardíaca. Ele também sabia que só ousaríamos matá-lo se já tivéssemos encontrado North Dakota.

Susan sentiu um frio na espinha.

– Naturalmente – disse em voz baixa. – Tankado achou que havíamos neutralizado seu "seguro de vida", para que pudéssemos matá-lo também.

As coisas estavam perfeitamente claras para Susan. A morte de Tankado era tão conveniente para a NSA que, ao sofrer o ataque cardíaco, ele presumiu que a agência tinha tramado algo contra ele. Seu último instinto foi o de vingança. Ensei deu seu anel como um último esforço desesperado para tornar a chave pública. Agora, inacreditavelmente, algum turista canadense possuía, sem suspeitar, a chave para o mais poderoso algoritmo de encriptação da história.

Susan respirou fundo, depois perguntou:

– E onde está o canadense agora?

– Este é o problema – Strathmore franziu o rosto.

– O policial não sabe onde ele está?

– Não sabemos ao certo. A história do canadense era tão absurda que o policial pensou que ele estivesse em estado de choque ou fosse meio maluco. Então colocou o turista na carona de sua motocicleta para levá-lo de volta ao hotel. Mas o canadense devia estar meio tonto porque não se segurou na moto e caiu assim que eles partiram. Pelo relatório, bateu com a cabeça no chão e quebrou o pulso.

– O quê? – espantou-se Susan.

– O policial queria levá-lo para um hospital, mas o turista estava furioso e disse que preferia andar de volta até o Canadá a subir de novo naquela motocicleta. Então tudo que o policial fez foi andar com ele até uma pequena clínica pública que ficava perto do parque e deixá-lo lá para ser tratado.

Susan mordeu os lábios.

– Suponho que não seja necessário perguntar para onde David está indo agora.

CAPÍTULO 17

David Becker atravessou o calçamento escaldante de tijolos da Plaza de España. À sua frente, El Ayuntamiento – o antigo prédio da Câmara – erguia-se por entre as árvores em uma área de 12 mil metros quadrados de azulejos azuis e brancos. Sua fachada trabalhada em espirais e entalhes mouriscos dava a impressão de que ele havia sido projetado com a intenção de ser um palácio, mais do que um prédio público. Apesar de seu histórico de golpes militares, incêndios e enforcamentos públicos, a maioria dos turistas ia até lá porque os panfletos locais indicavam que era ali que tinha sido filmado o quartel-general dos ingleses em *Lawrence da Arábia*. Tinha sido bem mais barato para a Columbia Pictures filmar na Espanha do que no Egito, e a influência moura na arquitetura de Sevilha era forte o suficiente para convencer os espectadores de que estavam vendo um prédio situado no Cairo.

Becker ajustou seu Seiko para o horário local: 21h10. Ainda era fim de tarde pelos padrões locais: um espanhol que se preze jamais iria jantar antes do pôr-do-sol, o que na Andaluzia dificilmente acontecia antes das 22h.

Mesmo no calor do início da noite, Becker atravessou o parque a passos largos e rápidos. Strathmore parecera ainda mais preocupado desta vez do que pela manhã. Suas novas ordens não deixavam nenhum espaço para interrogações: encontre o canadense, pegue o anel. Faça o que for necessário, mas pegue aquele anel.

Becker tentou imaginar o que poderia haver de tão importante em um anel entalhado. Mas Strathmore não deu nenhuma pista, e ele achou melhor não perguntar.

◆◆◆

Era fácil encontrar a clínica. Ficava do outro lado da Avenida Isabela Católica, com o símbolo universal de uma cruz vermelha dentro de um círculo branco pintado no teto. O policial da Guardia havia deixado o canadense lá, horas atrás. Um pulso quebrado e uma batida na cabeça. Com certeza àquela altura o paciente já teria recebido alta. Becker estava torcendo para que a clínica tivesse guardado os dados de internação – alguma informação sobre onde o paciente poderia ser encontrado, um telefone ou algo assim. Com um pouco de sorte, Becker pensou que poderia achar o canadense, pegar o anel e retornar para casa sem maiores complicações. Strathmore lhe dissera para usar o dinheiro que havia recebido para comprar o anel, se fosse preciso.

– Depois, eu irei reembolsá-lo – garantiu o comandante.

– Não é preciso – respondeu Becker.

Ele pretendia devolver tudo, de qualquer forma. Não tinha ido à Espanha por dinheiro, mas por Susan. O comandante Trevor Strathmore era o mentor e guardião de Susan, e ela lhe devia muito. Um passeio de um dia era o mínimo que Becker podia fazer.

Infelizmente, as coisas naquela manhã não haviam saído exatamente como David planejara. Ele achou que conseguiria falar com Susan pelo telefone para explicar-lhe tudo. Chegou a pensar em pedir ao piloto que chamasse Strathmore pelo rádio para que pudesse mandar uma mensagem para a namorada, mas não achou uma boa idéia envolver o vice-diretor em seus problemas amorosos.

Becker já havia tentado falar com Susan três vezes. Primeiro, enquanto estava no jato, usando seu celular, que infelizmente estava fora de área. Depois, de um telefone público no aeroporto, e, finalmente, do necrotério. Susan não estava em casa, e David não sabia onde ela poderia estar. A secretária eletrônica atendeu, mas ele não deixou mensagem. Não dava para dizer o que queria para uma máquina.

Quando se aproximou da avenida, viu uma cabine perto da entrada do parque. Correu até lá, pegou o fone e usou seu cartão para fazer a chamada. Houve uma longa pausa enquanto a chamada internacional se completava. Finalmente o telefone começou a tocar.

Vamos Susan, atenda.

Depois de cinco toques, a chamada foi atendida: "Oi. Você ligou para Susan Fletcher. Não estou em casa agora, mas se você deixar seu nome..."

Becker ficou ouvindo a mensagem. *Onde é que ela está? A esta altura, Susan já entrou em pânico. Ela teria ido a Stone Manor sem mim?*, pensou. Ouviu o bipe do outro lado.

"Oi. Sou eu, David." Parou, sem saber muito bem o que dizer. Uma das coisas que mais detestava em secretárias eletrônicas era que, se você parasse muito tempo para pensar, elas cortavam sua chamada. "Desculpe por não ter ligado antes", disse, bem a tempo. Pensou se deveria contar o que estava acontecendo, mas concluiu que não seria seguro. "Ligue para o comandante Strathmore. Ele irá lhe explicar tudo." O coração de Becker batia acelerado. *Isso é absurdo*, ele pensou. "Eu te amo", disse rapidamente e depois desligou.

Becker esperou que alguns carros passassem. Pensou que Susan provavelmente teria imaginado as piores coisas possíveis, porque ele raramente deixava de ligar quando prometia. Atravessou a avenida de quatro pistas. *Entrar e sair*, falou baixinho para si mesmo. *Entrar e sair*. Estava preocupado demais para notar um homem usando óculos de armação de metal que o observava do outro lado da rua.

CAPÍTULO 18

De pé em frente à enorme janela de blindex de seu escritório em Tóquio, Numataka admirava a vista enquanto dava longas baforadas em seu charuto, sorrindo para si mesmo. Quase não acreditava em sua sorte. Havia falado com o americano novamente, e, se tudo estivesse correndo de acordo com o cronograma, Ensei Tankado já teria sido eliminado e sua cópia da chave recuperada.

Era irônico, pensou Numataka, que ele fosse ficar com a chave de Ensei Tankado. Tokugen Numataka havia encontrado Tankado uma vez, há muitos anos. Recém-saído da universidade, o jovem programador foi procurar emprego na Numatech Corp. Mas Numataka não quis contratá-lo. Ele não duvidara de que Tankado era de fato brilhante, porém, na época, havia outras questões. Apesar das mudanças pelas quais o Japão estava passando, Numataka havia sido treinado segundo as regras da velha escola: vivia de acordo com o código de *menboku* – honra e aparências. Imperfeições não deveriam ser toleradas. Se ele contratasse um deformado, cobriria sua empresa de vergonha. Colocou de lado o currículo de Tankado sem pestanejar.

Numataka consultou novamente o relógio. O americano North Dakota já deveria ter ligado. Sentiu uma ponta de nervosismo. Esperava que nada tivesse saído errado.

Se as chaves fossem verdadeiras, conforme o prometido, iriam abrir o produto mais desejado da era da informática – um algoritmo de encriptação digital totalmente invulnerável. Numataka poderia embutir o algoritmo em chips VLSI à prova de engenharia reversa, selados com spray, e depois comercializá-los em massa para todo o mundo: fabricantes de computadores, governos, indústrias e, talvez, até os mercados mais sombrios...

Numataka sorriu. Parece que ele havia mais uma vez caído nas graças das *shichigosan* – as sete divindades da boa sorte. A Numatech Corp. estava prestes a controlar a única cópia da chave do Fortaleza Digital. Vinte milhões de dólares era muito dinheiro, mas, considerando-se o produto, era a barganha do século.

CAPÍTULO 19

– **E se houver mais alguém** atrás do anel? – perguntou Susan, aflita. – David pode estar correndo perigo?

Strathmore sacudiu a cabeça.

– Ninguém mais sabe que o anel existe. É por isso que eu mandei David. Queria que as coisas permanecessem secretas. Espiões curiosos não costumam ficar seguindo pessoas que dão aulas de espanhol.

– Ele é professor universitário – corrigiu Susan, mas logo em seguida se arrependeu do comentário. Algumas vezes ela tinha a sensação de que, para o comandante, David parecia não ser bom o suficiente, e que ele pensava, no fundo, que Susan poderia conseguir alguém melhor do que um mero professor.

– Comandante – ela disse, continuando o assunto –, se você deu instruções a David esta manhã usando o telefone do carro, alguém poderia ter interceptado a...

– Uma chance em um milhão – interrompeu Strathmore, com um tom de voz tranqüilizador. – Qualquer um que quisesse espionar a conversa precisaria estar bem próximo e saber exatamente o que estava procurando ouvir. – Colocou a mão no ombro dela. – Jamais teria enviado David se eu acreditasse que seria arriscado. – Ele sorriu. – Acredite em mim. Se houver qualquer sinal de perigo, envio uma equipe profissional.

As palavras de Strathmore foram pontuadas pelo som súbito de alguém batendo no vidro do Nodo 3. Ambos se viraram.

Phil Chartrukian, o técnico de SegSis, havia colado o rosto contra o vidro e estava batendo vigorosamente, enquanto fazia força para enxergar através do vidro espelhado. Estava muito agitado e dizia algo que não podia ser ouvido em razão do isolamento acústico. Parecia ter visto um fantasma.

– Que diabos Chartrukian está fazendo aqui? – Strathmore rosnou. – Ele deveria estar de folga hoje.

– Acho que temos um problema – disse Susan. – Ele provavelmente viu a tela do ExeMon.

– Mas que droga! – disse o comandante, exasperado. – Eu dei ordens diretas ontem à noite para que o SegSis de plantão não viesse!

Susan não estava surpresa. Cancelar o plantão de um SegSis era completamente irregular, mas com certeza Strathmore queria privacidade total no domo. A última coisa de que ele precisava era um SegSis paranóico revirando as entranhas do Fortaleza Digital.

– Melhor abortarmos o TRANSLTR – disse Susan. – Podemos dar reset no ExeMon e dizer a Phil que ele está vendo coisas.

Strathmore cogitou a possibilidade, depois balançou negativamente a cabeça.

– Ainda não. O TRANSLTR está lidando com o código há 15 horas. Quero deixá-lo rodando pelo menos durante 24 horas.

Isso fazia sentido para Susan. O Fortaleza Digital era a primeira implementação já feita de uma função de mensagem clara circular. Talvez Tankado tivesse deixado escapar alguma coisa. Talvez o TRANSLTR pudesse quebrar o código em 24 horas. Ainda assim, Susan tinha suas dúvidas.

Chartrukian continuava a bater no vidro.

– Vamos inventar uma desculpa – disse ele em voz baixa. – Me dê cobertura.

O comandante respirou fundo e então se dirigiu para as portas deslizantes de vidro. O mecanismo de abertura foi ativado e elas se abriram.

Chartrukian quase caiu dentro da sala.

– Comandante, senhor, eu... Desculpe interrompê-lo, mas o ExeMon... Eu executei uma varredura contra vírus e...

– Phil, acalme-se – disse o comandante, enquanto pousava a mão sobre o ombro de Chartrukian de forma tranqüilizadora. – Mais devagar. Qual o problema?

Ouvindo o tom de voz calmo de Strathmore, ninguém seria capaz de pensar que o mundo estava desabando ao seu redor. Ele deu um passo para o lado e fez sinal para que Chartrukian entrasse no santuário do Nodo 3. O SegSis entrou, hesitante, como um cão bem treinado que conhece seus limites.

Pela cara espantada de Chartrukian, era óbvio que ele nunca tinha visto a sala por dentro. Fosse qual fosse o motivo de seu pânico, este ficou momentaneamente esquecido. Ele observou, impressionado, o interior luxuoso, os terminais privativos, os sofás, as estantes, a iluminação indireta. Quando deu de cara com a rainha suprema da Criptografia, Susan Fletcher, rapidamente desviou seus olhos. Susan o deixava absolutamente intimidado. A mente dela funcionava em outro plano. Ela era fantasticamente bela, e tudo que ele dizia soava confuso quando ela estava por perto. A aparente displicência de Susan só tornava as coisas mais difíceis.

– Então, Phil, me diga, qual o problema? – repetiu Strathmore, abrindo a geladeira. – Quer beber algo?

– Não, é... não, obrigado, senhor. – Sua língua parecia estar grudada, e ele não tinha muita certeza se era bem-vindo ali ou não. – Senhor, creio que há um problema com o TRANSLTR.

Strathmore fechou a porta da geladeira e olhou para Chartrukian casualmente.

– Ah, você está falando do ExeMon?

Chartrukian ficou atônito.

– Quer dizer que o senhor *já viu?*

– Claro. Está rodando há cerca de 16 horas, se não me engano.

Chartrukian não sabia bem o que dizer.

– Sim, senhor, 16 horas. Mas isso não é tudo, senhor. Eu executei uma varredura contra vírus e estou obtendo alguns resultados bem estranhos.

– É? – Strathmore parecia despreocupado. – Que tipo de resultados?

Susan observava, impressionada com a habilidade do comandante.

Chartrukian continuou, incerto.

– O TRANSLTR está processando algo muito avançado. Os filtros nunca encontraram nada parecido. Estou preocupado imaginando que o TRANSLTR tenha encontrado um novo tipo de vírus.

– Um novo vírus? – Strathmore riu, de forma quase condescendente. – Phil, realmente admiro sua preocupação. Mas Susan e eu estamos executando um novo tipo de diagnóstico, uma função de loop, coisa bem avançada. Eu teria alertado você, mas não sabia que estava no plantão de hoje.

O SegSis tentou encobrir o que havia acontecido da melhor forma possível.

– Eu troquei com o novo técnico. Fiquei com o plantão de fim de semana dele.

Strathmore olhou para ele, irônico.

– Curioso. Eu falei com ele ontem à noite. Eu lhe disse que não precisava vir hoje, mas ele não me contou nada sobre mudanças no plantão.

Chartrukian sentiu um nó na garganta. Houve um silêncio tenso.

– Bem – prosseguiu Strathmore com um leve suspiro. – Parece que, lamentavelmente, houve algum engano. – Colocou novamente a mão no ombro do SegSis e levou-o em direção à porta. – A boa notícia é que você pode voltar para casa. Eu e Susan ficaremos aqui durante todo o dia. Fique tranqüilo, vamos tomar conta da casa. Vá e aproveite seu fim de semana.

Chartrukian não sabia como reagir.

– Comandante, eu realmente acredito que deveríamos checar o...

– Phil – repetiu Strathmore de forma um pouco mais enfática –, o TRANSLTR está o.k. Se sua varredura encontrou algo estranho, é porque *nós* colocamos algo lá. Agora, se você nos dá licença... – Strathmore afastou-se, e o SegSis entendeu o recado: seu tempo havia terminado.

◆◆◆

Diagnóstico, que nada!, murmurou Chartrukian enquanto voltava, furioso, para o laboratório de SegSis. *Que diabos de função de loop é capaz de manter três milhões de processadores ocupados durante 16 horas?* Ele estava indeciso sobre se deveria ou não chamar o supervisor de SegSis. *Malditos criptógrafos*, pensou. *São simplesmente incapazes de entender o que é segurança!*

O juramento que havia feito quando se juntou à equipe de Segurança de Sistemas estava passando em sua mente. Tinha se comprometido a usar seus conhecimentos, seu treinamento e seu instinto para proteger o investimento bilionário da NSA.

– Instinto – disse ele, em tom de desafio. *Não é preciso ser adivinho para saber que isso não é diagnóstico algum!*

Decidido, Chartrukian dirigiu-se a seu terminal e ativou o conjunto completo de software de diagnóstico de sistema do TRANSLTR.

– Seu filhote está com problemas, comandante – resmungou ele. – Você não confia em instintos? Pois então vou encontrar uma prova.

CAPÍTULO 20

La Clínica de Salud Pública na verdade era uma antiga escola primária que havia sido reformada, mas não lembrava em nada um hospital. Era um prédio longo, com apenas um andar, grandes janelas e brinquedos de playground enferrujados na parte de trás. Becker subiu pelas velhas escadarias.

Lá dentro estava escuro e barulhento. A sala de espera se resumia a uma linha de cadeiras dobráveis de metal dispostas ao longo da parede de um corredor comprido e estreito. Um cartaz de papelão, apoiado num cavalete, indicava *OFICINA*, com uma seta apontando para o fim do corredor.

Becker foi andando pelo corredor pouco iluminado. Parecia um cenário fantasmagórico que havia sido montado para um filme de terror de Hollywood. Sentiu um cheiro de urina no ar. As luzes no final do corredor estavam queimadas, e tudo que se podia ver nos últimos 10 ou 15 metros eram vultos indistintos: uma mulher sangrando, um casal de jovens chorando, uma pequena menina rezando. Becker chegou ao final do corredor. A porta à sua esquerda estava entreaberta, e ele entrou. A outra sala estava totalmente vazia.

Que ótimo, resmungou Becker, fechando a porta. *Onde está a maldita recepção?*

Ele ouviu vozes que vinham do corredor. Seguiu o som e chegou a uma porta de vidro translúcido, atrás da qual parecia estar havendo uma discussão. Relutantemente, Becker abriu a porta. Era a recepção. Um caos completo, como ele temia.

A fila tinha cerca de dez pessoas, todas empurrando e gritando. Becker sabia que poderia passar a noite inteira ali, esperando pela ficha do canadense. Havia apenas uma secretária atrás da mesa, ouvindo as reclamações dos pacientes irritados. Ele ficou parado algum tempo na entrada, avaliando as opções. Tinha uma idéia melhor.

– *Con permiso!* – gritou um atendente. Uma maca passou rapidamente.

Becker abriu passagem e lhe perguntou:

– *¿Dónde está el teléfono?*

Sem diminuir o passo, o homem apontou para uma porta dupla e sumiu. Becker caminhou na direção indicada e empurrou as portas. Entrou numa sala enorme – um antigo ginásio. O chão tinha uma cor verde desbotada e parecia entrar e sair de foco sob as luzes fluorescentes. Na parede, uma cesta de basquete pendia precariamente de seu suporte. Havia umas poucas dezenas de pacientes espalhados pelo chão em leitos baixos. No canto mais distante, logo abaixo de um placar queimado, havia um velho telefone público. Becker torceu para que funcionasse.

Enquanto andava até o telefone, procurou uma moeda em seus bolsos. Encontrou 75 pesetas em moedas de cinco. Era o troco do táxi, o suficiente para duas chamadas locais. Ele sorriu educadamente para uma enfermeira que estava de saída e finalmente chegou ao telefone. Pegou o fone e discou para Informações. Poucos segundos depois, tinha obtido o número da recepção da clínica.

Fosse qual fosse o país, parecia haver uma verdade absoluta no que dizia respeito a recepcionistas: não podiam suportar o som de um telefone tocando sem que alguém atendesse. Nunca importava quantas pessoas estavam esperando para serem atendidas, a secretária sempre iria deixar de lado o que estivesse fazendo para responder à chamada.

Becker digitou o número. Em breve seria atendido e, com toda a certeza, não seria difícil localizar a ficha de um canadense com um pulso quebrado e uma concussão. Só deveria haver um caso assim naquele dia. Becker supunha que a secretária não fosse querer dar o nome e o endereço do canadense para um estranho ao telefone, mas ele tinha um plano.

O telefone começou a tocar. Ele calculou que cinco toques seriam o suficiente, mas foram necessários 19.

– Clínica de Salud Pública – disse, esbaforida, a secretária.

Becker falou em espanhol, com um forte sotaque franco-americano.

– Aqui é David Becker. Trabalho na embaixada do Canadá. Um cidadão canadense foi atendido por vocês hoje. Gostaria de obter suas informações pessoais para que a embaixada possa resolver as questões de pagamento.

– Ótimo – disse a mulher. – Enviarei as informações para a embaixada nesta segunda.

– Na verdade – insistiu Becker –, eu preciso delas neste instante.

– Impossível, estamos muito ocupados – retrucou a mulher.

Becker tentou falar da forma mais oficial possível.

– É um assunto urgente. Creio que o homem quebrou o pulso e machucou a cabeça. Ele foi tratado hoje pela manhã. Deve ser fácil encontrar sua ficha.

Becker acentuou seu sotaque: suficientemente claro para transmitir o que precisava, suficientemente confuso para ser irritante. As pessoas em geral se dispunham a quebrar as regras quando ficavam irritadas.

Contudo, em vez de quebrar as regras, a mulher amaldiçoou a arrogância dos canadenses e bateu o telefone em sua cara.

Becker fechou a cara e desligou. Bola fora. A perspectiva de esperar durante horas na fila não era nada animadora. O tempo continuava passando, e o canadense poderia estar em qualquer lugar. Talvez tivesse decidido voltar para o Canadá. Ou talvez tivesse vendido o anel. Becker não podia ficar esperando horas e horas na fila. Com uma determinação renovada, ele pegou o fone e discou o mesmo número outra vez. Encostou-se na parede, enquanto a chamada era completada, e olhou para o ginásio onde estava. O telefone tocou uma vez, duas, três...

Uma descarga de adrenalina percorreu seu corpo.

Colocando o fone de volta no gancho, olhou estupefato para o leito bem à sua frente. Ajeitado em uma pilha de velhos travesseiros, havia um senhor com o pulso direito recém-engessado.

CAPÍTULO 21

O americano que estava na linha privativa de Tokugen Numataka parecia muito ansioso.

– Sr. Numataka, tenho pouco tempo.

– Certo. Suponho que você tenha conseguido as duas chaves.

– Houve um pequeno atraso – respondeu o americano.

– Isso não é aceitável – bradou Numataka. – Você disse que elas estariam em meu poder até o fim do dia!

– Ainda tenho que resolver um problema.

– Tankado está morto?

– Sim – disse a voz. – O agente que enviei matou o Sr. Tankado, mas não conseguiu pegar a chave. Tankado conseguiu passá-la para outra pessoa pouco antes de morrer. Um turista.

– Vergonhoso! – gritou Numataka. – Então como você pode me prometer acesso exclusivo a...

– Fique calmo – o americano tranqüilizou-o. – Você terá os direitos exclusivos, eu lhe dou essa garantia. Assim que a chave que está faltando for encontrada, o Fortaleza Digital será seu.

– Mas a chave pode ter sido copiada!

– Qualquer um que tiver visto a chave será eliminado.

Houve um longo silêncio. Depois Numataka voltou a falar.

– Onde a chave está agora?

– Tudo que você precisa saber é que ela *será encontrada.*

– Como você pode estar tão certo?

– Porque não sou o único que está procurando por ela. A inteligência americana também ouviu falar dessa chave. Por motivos óbvios, eles não querem que o Fortaleza Digital venha a público. Enviaram um homem para procurá-la. Seu nome é David Becker.

– Como você sabe de tudo isso?

– Não importa.

Numataka fez outra pausa.

– E se o Sr. Becker encontrar a chave?

– Meu agente irá tomá-la dele.

– E depois?

– Você não precisa se preocupar com isso – disse o americano, frio. – Quando o Sr. Becker encontrar a chave, receberá a recompensa que merece.

CAPÍTULO 22

David Becker aproximou-se do leito e inclinou-se para observar o senhor que estava dormindo. O pulso direito do homem, que tinha entre 60 e 70 anos, havia sido engessado. Seus cabelos brancos estavam repartidos cuidadosamente para o lado e, no centro de sua fronte, via-se um grande machucado que descia até o olho direito.

Uma pequena batida na cabeça?, pensou, lembrando-se das palavras do tenente. Becker examinou os dedos do homem. Não havia nenhum anel. Então encostou no braço dele, sacudindo-o levemente para acordá-lo.

– Senhor? Com licença... senhor?

O homem não se moveu. Becker tentou de novo, um pouco mais alto desta vez.

– Senhor?

O homem se assustou.

– *Qu'est-ce... quelle heure est...* – Abriu os olhos lentamente, focalizando o rosto de Becker. Estava irritado por ter sido perturbado. – *Qu'est-ce que vous voulez?*

Ótimo, pensou Becker, *um franco-canadense!* Becker sorriu para ele e disse:

– Posso falar com o senhor por um instante?

Apesar de Becker falar francês perfeitamente, ele preferiu se dirigir ao velho em inglês, o idioma que esperava que fosse menos familiar para ele. Convencer um estranho completo a entregar-lhe um anel de ouro podia ser complicado. Becker achou que deveria usar qualquer vantagem que tivesse.

Houve um longo silêncio enquanto o homem tentava se situar. Ele olhou em volta e levantou um dedo alongado para ajeitar o bigode branco e desalinhado. Finalmente falou.

– O que você quer? – Seu inglês possuía um sotaque anasalado.

– Senhor – disse Becker, pronunciando exageradamente as palavras, como se estivesse falando com um surdo –, preciso lhe fazer algumas perguntas.

O homem olhou para ele com estranheza.

– Você tem algum problema?

Becker ficou aborrecido. O inglês do homem era impecável. Parou de falar no tom condescendente que tinha tentado usar.

– Perdoe-me por incomodá-lo, mas o senhor por acaso esteve na Plaza de España hoje?

Os olhos do homem estreitaram-se.

– Você é da Prefeitura?

– Não, na verdade eu...

– Secretaria de Turismo?

– Não, eu sou...

– Olhe, já sei por que você está aqui! – O velho começou a se remexer, tentando se sentar. – Eu *não* vou me deixar intimidar! Já disse isso uma vez e direi outras mil se for preciso! Pierre Cloucharde escreve sobre o mundo da forma que ele vive o mundo. Alguns guias de turismo poderiam varrer isso para baixo do tapete em troca de uma noite com tudo pago na cidade, mas o *Montreal Times* não está à venda! Me recuso!

– Perdoe-me, senhor. Não acho que o senhor tenha compreen...

– *Merde alors!* Claro que entendi! – Sacudiu um dedo ossudo na direção de Becker, sua voz ecoando pelo ginásio. – Você não é o primeiro! Tentaram o mesmo no Moulin Rouge, em Brown's Palace e no Golfino in Lagos! Mas quer saber o que *foi* publicado? A verdade! O pior filé Wellington que já comi! A banheira mais suja que já encontrei! E a praia mais cheia de pedregulhos em que já andei! É isso que meus leitores esperam!

Os pacientes em leitos próximos começaram a se virar para ver o que estava acontecendo. Becker olhou em volta, nervoso, para verificar se alguma enfermeira estava se aproximando. A última coisa de que precisava agora era ser colocado para fora.

Cloucharde estava furioso.

– Aquele imbecil que diz ser um policial trabalha para a *sua* cidade! Ele me fez subir naquela motocicleta! E olhe para mim agora! – Tentou levantar o pulso. – Me diga, *quem* vai escrever minha coluna agora?

– Senhor, eu...

– Nunca estive numa situação tão desconfortável em meus 43 anos de viagens! Olhe este lugar! Você sabia que minha coluna é publicada em mais de ..

– Senhor! – Becker levantou as duas mãos, urgentemente pedindo uma trégua. – Não estou interessado em sua coluna. Eu sou do consulado canadense. Estou aqui para verificar se o senhor está bem!

Subitamente um silêncio profundo tomou conta do ginásio. O velho olhou para cima e examinou o intruso, desconfiado. Becker continuou, quase sussurrando:

– Estou aqui para saber se há algo que eu possa fazer para ajudá-lo. – *Como trazer um ou dois comprimidos de Valium, talvez...*

Após uma longa pausa, o canadense falou.

– Do consulado? – Seu tom de voz estava bem mais tranqüilo.

Becker assentiu.

– Então quer dizer que *não* é sobre minha coluna?

– Não, senhor.

Foi como se uma bolha gigantesca explodisse para Pierre Cloucharde. Ele se reclinou novamente na pilha de travesseiros. Parecia desapontado.

– Achei que você fosse da cidade, tentando me convencer a... – Ele ficou mudo e depois voltou a olhar para Becker. – Se não é sobre minha coluna, *por que* então você está aqui?

Essa era uma boa pergunta, pensou Becker, sonhando com as Smoky Mountains.

– Apenas uma cortesia diplomática informal – mentiu.

O homem se espantou.

– Cortesia diplomática?

– Sim, senhor. Estou certo de que um homem de sua estatura está ciente de que o governo do Canadá trabalha duro para proteger seus cidadãos das indignidades sofridas nesses, ah, digamos assim, países *menos refinados*.

Os lábios finos de Cloucharde se abriram em um sorriso.

– Mas é claro, que boa surpresa.

– Você é um cidadão canadense, não é?

– Claro, claro. Que tolice a minha. Por favor, me desculpe. É que pessoas em minha posição são muitas vezes abordadas com interesses... bem, você entende.

– Sim, Sr. Cloucharde, certamente. É o preço que se paga pela celebridade.

– É verdade. – Cloucharde soltou um suspiro melodramático. Era um mártir involuntário obrigado a tolerar as massas. – Você pode acreditar em um lugar tão pavoroso quanto este? – Virou os olhos, percorrendo com o olhar o estranhíssimo ginásio. – É uma brincadeira de mau gosto. E resolveram que eu deveria permanecer aqui durante toda a noite.

Becker também olhou em volta.

– Eu sei. É terrível. Lamento que eu tenha levado tanto tempo para chegar até aqui.

Cloucharde continuava um pouco confuso.

– Mas eu nem sabia que você viria.

– Parece que você levou uma batida feia na cabeça. Está doendo? – perguntou Becker, mudando de assunto.

– Não, muito pouco. Eu sofri uma queda pela manhã. É o preço que se paga por tentar ser um bom samaritano. O que está doendo mesmo é o pulso. Que Guardia mais estúpida! Veja, é um absurdo! Colocar um homem *da minha idade* em uma motocicleta. Isso não é um procedimento adequado.

– Há algo que eu possa trazer para você?

Cloucharde pensou um pouco, feliz pela atenção que estava recebendo.

– Bem, na verdade... – Esticou o pescoço e virou a cabeça para um lado e para o outro. – Gostaria de mais um travesseiro, se não lhe der trabalho.

– Nem um pouco. – Becker pegou um travesseiro de um leito próximo e ajudou Cloucharde a se posicionar de forma mais confortável.

O velho soltou um suspiro de satisfação.

– Ah, bem melhor, obrigado.

Becker sorriu. Sentou-se na ponta da cama.

– Bem, se me permite, Sr. Cloucharde, gostaria de perguntar por que um homem como o senhor veio parar em um lugar *desses*. Há hospitais bem melhores em Sevilha.

Cloucharde fechou a cara.

– Aquele maldito policial me derrubou da motocicleta e me deixou sangrando no meio da rua. Tive que vir andando até aqui.

– Ele não se ofereceu para levá-lo a um local mais adequado?

– Naquela motocicleta? Não, obrigado!

– O que houve esta manhã, exatamente?

– Já contei tudo para o policial.

– Falei com ele e...

– Espero que você tenha dado uma bronca nele! – interrompeu Cloucharde.

– Fui extremamente severo. Meu escritório irá acompanhar o desenrolar deste caso.

– Espero sinceramente que sim.

– Senhor Cloucharde, eu gostaria de apresentar uma reclamação formal às autoridades municipais. – Becker continuou, sorridente, pegando uma caneta no bolso do blazer. – Você poderia ajudar? Um homem com sua reputação seria uma testemunha de grande valor.

Cloucharde parecia extasiado com a possibilidade de ver seu nome mencionado. Sentou-se.

– Sim, claro. Será um prazer.

Becker retirou do bolso um pequeno bloco de notas.

– Está bem, vamos começar com os eventos desta manhã. Conte-me sobre o acidente.

O velho suspirou.

– Foi realmente triste. Aquele pobre oriental caiu, de repente. Tentei ajudá-lo, mas não pude fazer nada.

– Você lhe aplicou uma massagem cardíaca?

Cloucharde pareceu envergonhado.

– Infelizmente não sei como fazer isso. Chamei uma ambulância.

Becker lembrou-se do machucado azulado no peito de Tankado.

– Então os paramédicos administraram uma massagem cardíaca nele?

– Deus, não! Não havia por quê. O homem já estava morto há tempos quando a ambulância finalmente chegou. Examinaram seu pulso e o levaram em uma maca, deixando-me com aquele policial desgraçado.

Isso é estranho, pensou Becker, imaginando de onde aquele hematoma teria surgido. Deixou isso de lado e voltou ao assunto principal.

– E o tal anel? – disse da forma mais casual possível.

– O tenente lhe falou sobre o anel? – Cloucharde se surpreendeu.

– Sim, falou.

Cloucharde parecia realmente surpreso.

– É mesmo? Não achei que ele tivesse acreditado em minha história. Foi tão rude, como se achasse que eu estivesse mentindo. Mas minha história era absolutamente exata, é claro. Eu me orgulho de ser sempre fiel aos fatos.

– Onde está o anel? – Becker tentou ir direto ao ponto.

Cloucharde, contudo, pareceu não ter ouvido. Tinha um olhar longínquo e vago.

– Era um objeto estranho, na verdade. Todas aquelas letras... Não se pareciam com nenhum idioma que eu já tenha encontrado.

– Talvez fosse japonês?

– Não, definitivamente não.

– Você teve a chance de vê-lo de perto, então?

– Por Deus, sim! Quando eu me ajoelhei para tentar ajudá-lo, o homem não parava de enfiar o dedo na minha cara. Ele realmente queria me dar o anel. Foi estranho, horrível. Suas mãos eram disformes.

– E então você pegou o anel?

Cloucharde arregalou os olhos.

– Foi isso que o policial lhe disse, que *eu* peguei o anel?

Becker se mexeu, pouco à vontade.

– Eu sabia que ele não estava ouvindo! É assim que os rumores começam! Eu disse a ele que o japonês entregou o anel, mas não para *mim!* Jamais pegaria algo de uma pessoa morrendo! Santo Deus! Não gosto nem de pensar nisso! – explodiu Cloucharde.

Becker pressentiu que teria problemas.

– Quer dizer então que o anel não está com o senhor?

– Claro que não!

Sentiu uma dor na boca do estômago.

– Bem, quem ficou com ele, então?

– O alemão! O alemão está com o anel! – Cloucharde gritou, indignado.

Becker sentiu-se como se alguém tivesse puxado o tapete debaixo de seus pés.

– Alemão? Que alemão?

– O alemão que estava no parque. Eu contei ao policial sobre ele! Me recusei a ficar com o anel, mas aquele porco aceitou!

Becker deixou de lado a caneta e o papel. A charada havia terminado. Agora estava com problemas.

– Então há um *alemão* com o anel? E para onde ele foi?

– Não tenho a menor idéia. Corri para chamar a polícia e, quando voltei, ele já tinha ido embora.

– Você sabe quem ele era?

– Um turista qualquer.

– Você tem certeza?

– Minha vida inteira gira em torno dos turistas – retorquiu Cloucharde. – Posso reconhecer um à distância. Ele e sua amiga estavam passeando pelo parque.

Becker estava ficando cada vez mais confuso.

– Uma amiga? Havia *outra pessoa* com o alemão?

– Uma acompanhante. Que linda ruiva. Meu Deus, como era bonita!

– Uma acompanhante? – Becker estava pasmo. – Quer dizer... uma prostituta?

– Sim, se você quiser usar essa palavra vulgar. – Cloucharde fez uma careta.

– Mas... O policial não me disse nada sobre...

– Claro que não! Eu não falei sobre a moça – disse Cloucharde, calando

Becker com um gesto da mão que não estava engessada. – Não são criminosas, e é um absurdo que sejam perseguidas como se fossem bandidos comuns.

Becker continuava ligeiramente chocado.

– E havia mais alguém?

– Não, só nós três. Estava quente.

– E você tem certeza de que a mulher era uma prostituta?

– Toda certeza. Nenhuma mulher tão linda quanto aquela ficaria com um homem daqueles se não estivesse sendo bem paga! *Mon Dieu!* O homem era gordo, gordo, *gordo!* Um alemão grosseiro, flácido e irritante! – Cloucharde sentiu uma forte pontada quando mudou de posição, mas ignorou a dor e continuou tagarelando. – Aquele homem era uma besta: tinha mais de 100 quilos. E ficava grudado na pobre moça como se ela fosse sair correndo – o que, no lugar dela, eu certamente faria. Sinceramente! Ficava apalpando a mulher o tempo todo. Era *ele* que deveria ter caído morto, não aquele pobre oriental. – Cloucharde finalmente parou para respirar, e Becker aproveitou para intervir.

– Você sabe o nome dele?

Cloucharde pensou um pouco, depois sacudiu a cabeça.

– Não tenho idéia. – Fez outra careta de dor e recostou-se aos poucos em seus travesseiros.

Becker suspirou. O anel havia se evaporado bem na frente de seus olhos. O comandante Strathmore não iria gostar nem um pouco.

Cloucharde tocou levemente o machucado em sua cabeça. Sua disposição havia se enfraquecido e ele estava voltando a se sentir mal.

Becker tentou outra abordagem.

– Sr. Cloucharde, eu gostaria de obter um depoimento do alemão e da acompanhante dele também. O senhor tem alguma idéia no hotel onde possam estar hospedados?

Cloucharde fechou os olhos, perdendo as forças. Sua respiração estava se enfraquecendo.

– Qualquer coisa de que o senhor se lembre? – insistiu Becker. – O nome da moça, talvez?

Houve um longo silêncio. Cloucharde passou a mão no lado direito de sua testa. Parecia mais pálido agora.

– Eu... eu... não. Acho que eu não... – Sua voz estava trêmula.

– O senhor está bem? – Becker inclinou-se, chegando mais perto.

Cloucharde acenou levemente.

– Sim, estou bem, só um pouco... talvez a excitação... – Depois não disse mais nada.

– Pense, senhor Cloucharde, é importante – insistiu Becker em voz baixa.

Cloucharde fez outra careta de dor.

– Não sei... a mulher... o homem a chamava de... – Fechou os olhos e gemeu.

– Qual era o nome?

– Eu realmente não me lembro. – Cloucharde estava perdendo as forças.

– Pense – disse Becker mais uma vez. – É importante que a ficha do consulado seja tão completa quanto possível. Precisarei de declarações das outras testemunhas para confirmar sua história. Qualquer informação que o senhor puder me dar para localizá-las...

Mas Cloucharde não estava mais ouvindo. Ele agora esfregava sua testa com o lençol.

– Lamento, talvez amanhã. – Parecia estar enjoado.

– Senhor Cloucharde, é importante que se lembre disso *agora* – disse Becker, percebendo no meio da frase que estava falando alto demais. As pessoas nos outros leitos continuavam sentadas, observando o que estava acontecendo. Do outro lado da sala, uma enfermeira abriu a porta dupla e entrou, andando a passos firmes na direção deles.

– Qualquer coisa – Becker insistiu, tenso.

– O alemão chamava a mulher de...

Becker sacudiu levemente o canadense, tentando impedir que ele dormisse. Cloucharde abriu os olhos por um instante.

– O nome era...

Vamos, meu amigo, não me deixe sozinho.

– Dew... – E depois fechou os olhos novamente. A enfermeira estava se aproximando rapidamente e parecia furiosa.

– Dew? – Becker sacudiu o braço de Cloucharde.

O velho resmungou.

– Ele a chamava de... – A voz de Cloucharde já soava distante, quase inaudível.

A enfermeira estava a menos de três metros, gritando com Becker num espanhol zangado. David não lhe deu atenção. Tinha os olhos fixos nos lábios do canadense e o sacudiu uma última vez antes que ela chegasse.

A enfermeira agarrou David pelo ombro e fez com que ele ficasse em pé exatamente quando Cloucharde voltou a abrir levemente a boca. A única palavra que saiu não foi pronunciada, era mais como um suspiro suave, uma distante lembrança sensual.

– Dewdrop...

Puxando Becker, a enfermeira tentou tirá-lo dali.

Dewdrop? Gota de orvalho? Que diabo de nome é esse?, pensava Becker enquanto se livrava da mulher e se voltava uma última vez para Cloucharde.

– Dewdrop? Você tem certeza?

Mas Clouchard já havia caído no sono.

CAPÍTULO 23

Susan estava sentada sozinha na luxuosa sala do Nodo 3. Brincava distraída com uma xícara de chá de ervas enquanto esperava o retorno de seu *tracer*.

Como criptógrafa sênior, ela tinha o terminal com a melhor vista. Era na parte posterior do anel de computadores e ficava de frente para o salão da Criptografia. Da sua mesa, Susan tinha uma visão geral do Nodo 3. Podia ver também, do outro lado do vidro espelhado, o TRANSLTR bem no meio do salão.

Susan olhou para o relógio. Estava esperando havia quase uma hora. A American Remailers Anonymous aparentemente estava bastante lenta em seu trabalho de encaminhar o e-mail para North Dakota. Suspirou profundamente. Apesar de seus esforços para se esquecer da conversa daquela manhã com David, as palavras não paravam de voltar à sua mente. Ela sabia que tinha sido dura com ele e rezava para que as coisas estivessem correndo bem na Espanha.

Seus pensamentos foram interrompidos pelo ruído sibilante das portas de vidro se abrindo. Ela olhou para a frente e viu o criptógrafo Greg Hale que acabara de entrar.

Greg Hale era alto e musculoso, com um cabelo louro cheio e uma cova profunda no queixo. Falava alto, era meio grosseiro e usava roupas sempre exageradamente chiques para a ocasião. Os outros criptógrafos haviam lhe dado o apelido de "Halita", por conta do mineral. Hale sempre presumiu que se tratasse de alguma pedra preciosa, fazendo um paralelo com seu intelecto superior e seu corpo musculoso. Caso seu ego permitisse que ele consultasse uma enciclopédia, teria descoberto que se tratava de uma formação simples de NaCl, um resíduo de sal que se formava em alguns lugares quando a água do mar secava.

Como todos os criptógrafos da NSA, Hale ganhava muito bem. Mas era difícil para ele não alardear esse fato aos quatro ventos. Dirigia uma Lótus branca com teto solar e um sistema de som capaz de arrasar quarteirões. Era um viciado em *gadgets*, e seu carro era uma espécie de salão de exposições. Nele, Hale tinha instalado um sistema computadorizado de posicionamento global

(GPS), trancas de portas ativadas por voz, um bloqueador de radar de cinco bandas e um telefone/fax celular, de forma a poder acessar sempre seus serviços de mensagens eletrônicas.

Greg Hale tinha sido resgatado de uma infância repleta de pequenos delitos pelo U.S. Marine Corps, o Corpo de Fuzileiros Navais dos Estados Unidos. Foi lá que ele começou a estudar informática. Era um dos melhores programadores que os *marines* já tiveram e tinha tudo para seguir uma brilhante carreira militar. Porém, dois dias antes de completar sua terceira viagem a trabalho, seu futuro mudou. Hale matou acidentalmente um colega, em uma briga de bar. O tae-kwon-do, arte marcial coreana, mostrou-se uma eficaz forma de ataque, mais do que de defesa. Foi imediatamente retirado da ativa.

Após um pequeno período na prisão, Hale começou a procurar emprego no setor privado como programador. Era sempre sincero a respeito do incidente durante o tempo em que serviu como fuzileiro naval e atraía potenciais empregadores oferecendo-lhes um mês de trabalho sem pagamento para provar do que era capaz. Não foram poucos os que aceitaram e, quando os chefes descobriam o que ele podia fazer com um computador, não o deixavam partir.

À medida que seus conhecimentos de programação foram crescendo, Hale começou a fazer contatos pela Internet em todo o mundo. Era um dos membros de um novo grupo de *cyber-freaks* que trocavam e-mails mais ou menos suspeitos com pessoas de vários países. Foi demitido de duas empresas por ter usado suas contas de trabalho para enviar fotos pornográficas para alguns amigos.

◆◆◆

– O que *você* está fazendo aqui? – perguntou Hale, parado entre as portas e olhando para Susan. Ele obviamente esperava passar o resto do dia sozinho no Nodo 3.

Susan fez força para parecer indiferente.

– É sábado, Greg. Eu poderia lhe fazer a mesma pergunta. – Mas Susan sabia o que Hale estava fazendo lá. Ele era um grande viciado em computadores. Apesar da "regra" a respeito dos sábados de folga, ele muitas vezes entrava discretamente na Criptografia durante o fim de semana para usar o poderio computacional único da NSA para rodar algum novo programa em que estivesse trabalhando.

– Vim apenas dar uma olhada em umas linhas de código e ver meu e-mail – disse Hale. Ele olhou para ela, curioso. – O que foi mesmo que *você* disse que tinha vindo fazer aqui?

– Não disse nada – respondeu Susan.

Hale levantou uma sobrancelha.

– Ei, não precisa ficar na defensiva. Não temos segredos dentro do Nodo 3, se lembra? Um por todos e todos por um.

Susan bebericou seu chá de ervas, ignorando-o. Hale desistiu do assunto e dirigiu-se para a despensa. Essa era sempre sua primeira parada. Enquanto atravessava a sala, suspirou profundamente, mantendo os olhos fixos nas pernas de Susan, alongadas sob o terminal. Sem nem olhar, ela recolheu as pernas e continuou trabalhando. Hale deu um sorriso malicioso.

Susan já havia se acostumado com as investidas de Hale. A frase predileta dele era algo como querer "interfacear com ela para verificar se o hardware era compatível", o que a deixava enjoada. Era orgulhosa demais para queixar-se com Strathmore a respeito de Hale. Era bem mais simples ignorá-lo.

Chegando à despensa, Hale abriu as portas de treliça violentamente. Pegou um Tupperware cheio de tofu que estava na geladeira e jogou alguns pedaços na boca. Depois debruçou-se sobre o fogão e alisou as calças Bellvienne cinzas e a camisa bem passada.

– Você vai ficar por aqui?

– A noite toda – respondeu Susan, friamente.

– Hmmm.... – murmurou ele, ainda com a boca cheia. – Nada como um final de sábado tranqüilo na Sala de Jogos, apenas nós dois.

– Apenas nós *três* – corrigiu Susan. – O comandante Strathmore está lá em cima. Talvez você queira sumir daqui antes que ele o veja.

Hale sorriu.

– Ele não parece se importar muito por *você* estar aqui. Acho que ele realmente gosta da sua companhia.

Susan se esforçou novamente para permanecer em silêncio. Hale riu para si mesmo e deixou de lado o tofu. Então pegou um vidro de azeite de oliva e bebeu alguns goles. Era um natureba radical e dizia que o azeite ajudava a limpar seu organismo. Quando não estava tentando empurrar suco de cenoura para o restante da equipe, fazia sermões sobre as virtudes da limpeza intestinal.

Colocou de volta o vidro de azeite e foi para seu computador, que ficava no extremo oposto ao de Susan. Mesmo com toda a distância que os separava, Susan podia sentir o cheiro da água-de-colônia que ele usava. Ela torceu o nariz.

– Boa colônia, Greg. Virou a garrafa?

Hale ligou seu terminal.

– Especialmente para você, querida.

Enquanto ele se sentava e esperava que o computador começasse a funcionar, um mau pensamento passou pela mente de Susan. E se Hale acessasse o ExeMon do TRANSLTR? Não havia nenhum motivo razoável para que ele fizesse isso, mas, de qualquer forma, Susan sabia que ele jamais iria engolir uma mentira qualquer sobre um diagnóstico que estava sendo executado no TRANSLTR durante 16 horas. Hale iria exigir que lhe dissessem a verdade, mas isso era algo que Susan não tinha a menor intenção de fazer. Ela não confiava em Greg. Ele não era o tipo de pessoa que deveria estar na NSA. Susan fora contra sua contratação desde o início, mas a agência não teve escolha. Hale foi produto de um controle de danos.

O fiasco do projeto Skipjack.

Quatro anos antes, num esforço coordenado para criar um único padrão de encriptação por chave pública, o Congresso norte-americano havia atribuído aos melhores matemáticos da nação – os da NSA – a tarefa de escrever um novo superalgoritmo. O plano era que o Congresso criasse uma lei que tornasse esse algoritmo um padrão nacional, aliviando, dessa forma, os problemas de incompatibilidade que as corporações estavam enfrentando por usarem diferentes algoritmos.

Claro que pedir à NSA que ajudasse a melhorar a encriptação por chave pública era mais ou menos o mesmo que pedir a um condenado para construir a própria forca. O TRANSLTR ainda não havia sido concebido, e um padrão de encriptação iria apenas difundir o uso de mensagens codificadas, tornando assim o difícil trabalho da NSA ainda mais difícil.

A EFF percebeu esse conflito de interesses e fez um forte lobby dizendo que a NSA iria criar um algoritmo de qualidade inferior, ou seja: algo que ela pudesse quebrar com alguma facilidade. Em resposta, o Congresso anunciou que, quando o algoritmo da NSA estivesse pronto, a fórmula seria publicada para ser examinada por outros matemáticos no mundo inteiro, a fim de assegurar sua qualidade.

Com natural relutância, a equipe de Critptografia da NSA, liderada pelo comandante Strathmore, criou um algoritmo batizado de Skipjack, que foi apresentado ao Congresso para aprovação. Matemáticos de todo o mundo testaram o algoritmo e se declararam unanimemente impressionados. Relataram que era poderoso, irrepreensível, e que seria um padrão de encriptação formidável. No entanto, três dias antes de o Congresso votar a aprovação quase certa do Skipjack, um jovem programador trabalhando nos Bell Laboratories, chamado Greg Hale, chocou o mundo ao anunciar que havia descoberto uma *back door* escondida no algoritmo.

A *back doo*r era constituída por algumas linhas astuciosas de código que o comandante Strathmore havia inserido no algoritmo. O acesso oculto foi criado de uma forma tão sutil que ninguém, exceto Greg Hale, havia sido capaz de perceber. O acréscimo feito por Strathmore significava, na prática, que qualquer código escrito usando-se o Skipjack poderia ser decifrado por meio de uma senha secreta conhecida apenas pela NSA. Strathmore chegou bem perto de transformar a proposta para um padrão de encriptação nacional no maior golpe que a inteligência da NSA já havia perpetrado. A agência teria a chave-mestra para qualquer código escrito nos Estados Unidos.

A comunidade de informática ficou furiosa. A EFF caiu sobre o escândalo como uma águia, criticando severamente o Congresso por sua ingenuidade e proclamando que a NSA era a maior ameaça ao mundo livre desde Hitler. O padrão de encriptação estava morto e enterrado.

Não foi uma surpresa muito grande quando a NSA contratou Greg Hale dois dias depois. Strathmore achou que era melhor tê-lo do lado de dentro, trabalhando para a NSA, do que do outro lado, trabalhando contra ela.

O comandante enfrentou o escândalo do Skipjack de frente. Defendeu suas ações de forma veemente perante o Congresso. Argumentou que o desejo do público em geral por mais privacidade ainda iria se voltar contra ele. Insistiu que a população precisava de alguém para cuidar do seu bem-estar. Precisava que a NSA continuasse quebrando códigos para manter a paz. Grupos como a EFF viam a coisa de outra forma. E vinham lutando contra Strathmore e a NSA desde então.

CAPÍTULO 24

David Becker estava em uma cabine telefônica do outro lado da rua onde ficava a Clínica de Salud Pública. Ele acabara de ser expulso de lá por ter perturbado o paciente número 104, o senhor Cloucharde.

As coisas se tornaram muito mais complicadas do que ele esperava. Seu pequeno favor para Strathmore – pegar alguns pertences pessoais – se transformou em uma alucinada caça ao tesouro atrás de um estranho anel.

Ele tinha acabado de ligar para Strathmore e lhe contado sobre o turista alemão. A notícia não foi muito bem recebida. Depois de pedir detalhes, Strathmore ficou em silêncio por um longo tempo.

– David – ele finalmente disse, num tom muito grave –, encontrar esse anel é uma questão de segurança nacional. Estou colocando o assunto nas suas mãos. Não falhe. – Depois o telefone ficou mudo.

David ficou parado na cabine e suspirou. Pegou a Guía Telefónica toda rasgada e começou a procurar nas páginas amarelas. *Lá vamos nós*, disse para si mesmo.

Havia apenas três serviços de *escort* listados no catálogo, e ele não tinha muitas informações com as quais trabalhar. Tudo que sabia era que a acompanhante do alemão tinha cabelos ruivos, o que era convenientemente raro na Espanha. Cloucharde, já meio delirante, havia se lembrado de que o nome da moça era Dewdrop. Becker continuava achando estranho: Dewdrop? Certamente não era seu nome de batismo. Cloucharde devia ter-se enganado.

Becker discou o primeiro número da lista.

◆◆◆

– Servicio Social de Sevilla – respondeu uma charmosa voz feminina.

Becker acrescentou um forte sotaque alemão a seu espanhol e disse:

– *Hola. ¿Hablas Aleman?*

– Não. Mas falo inglês – respondeu a mulher.

Ele continuou com um inglês carregado de sotaque.

– Obrigado. Eu quererr saberr se a senhorra poderr ajudarr?

– O que o senhor deseja? – A mulher falava devagar, esforçando-se para ajudar seu potencial cliente. – Talvez o senhor queira uma acompanhante?

– Sim, porr favorr. Hoje minha irmão Klaus, ele estarr com garrota muito bonita. Cabelo vermelho. Quererr o mesma. Parra amanhã, porr favorr.

– Seu irmão Klaus vem aqui? – A voz soou animada, como se fossem velhos amigos.

– Sim, ele serr muito gorda. Você lembrarr dele, non?

– Ele esteve aqui hoje, não foi?

Becker podia ouvir enquanto ela verificava os registros. Não haveria nenhum Klaus registrado, claro, mas Becker pensou que os clientes dificilmente usavam seus nomes verdadeiros.

– Humm, não... desculpe... Não vejo nada aqui. Qual o nome da garota com quem seu irmão estava?

– Ela ter cabelo vermelho – disse Becker, fugindo da pergunta.

– Cabelos vermelhos? – repetiu a mulher. Houve uma pausa. – Aqui é o Servicio Social de Sevilla. Você tem certeza de que seu irmão esteve aqui?

– Sim, eu terr certeza.

– *Señor*, não temos nenhuma ruiva. Temos apenas belas mulheres da Andaluzia.

– Cabelo vermelho – repetiu Becker, sentindo-se meio idiota.

– Lamento, realmente não temos nenhuma ruiva, mas, se você...

– O nome serr Dewdrop – disse Becker, sentindo-se ainda mais idiota.

O nome ridículo aparentemente não significava nada para a mulher. Ela se desculpou, disse que Becker talvez estivesse fazendo confusão com outra agência e desligou gentilmente.

Primeira tentativa.

◆◆◆

Becker discou o próximo número. Atenderam rápido.

– *Buenas noches, Mujeres España*. Em que posso ajudá-lo?

Becker seguiu o mesmo roteiro, fazendo-se passar por um turista alemão disposto a pagar bem pela ruiva que havia ficado com seu irmão naquele dia.

Dessa vez a resposta veio em um alemão polido, mas, novamente, não havia ruivas.

– *Keine Rotköpfe*, lamento. – E desligou.

Segunda tentativa.

Becker olhou de novo para a lista telefônica. Só havia mais um número. Suas esperanças estavam chegando ao fim.

Discou.

◆◆◆

– Escortes Belén – respondeu um homem com um tom de voz afável.

Becker contou sua história outra vez.

– *Sí, sí, señor*. Meu nome é *señor* Roldán. Temos duas ruivas muito charmosas.

O coração de Becker se acelerou.

– Muito bonitas? – repetiu, usando seu sotaque alemão. – Cabelo vermelho?

– Sim, qual é o nome de seu irmão? Irei lhe dizer quem foi sua acompanhante hoje, e veremos se ela está livre para você amanhã.

– Klaus Schmidt – Becker soltou um nome que ele havia visto em alguma antiga apostila.

Houve uma longa pausa.

– Bem, senhor, não estou encontrando nenhum Klaus Schmidt em nossos registros, mas talvez seu irmão tenha resolvido ser discreto... Um homem casado, talvez? – O homem soltou uma risada forçada do outro lado da linha.

– Ah, sim, Klaus casado. Mas ele serr muito gorrda. Sua esposa não dormir com ele. – Becker viu seus próprios olhos refletidos na cabine. *Se Susan pudesse me ouvir agora,* pensou. – Eu também ser gorrdo e estarr sozinho. Quererr dormir com ela. Pagarr muito bem.

Becker estava se saindo muito bem, considerando-se que não era um profissional, mas tinha ido longe demais. A prostituição era ilegal na Espanha, e o *señor* Roldán era um homem muito cuidadoso. Já havia sido flagrado por policiais da Guardia se fazendo passar por turistas. *Quererr dormir com ela.* Roldán sabia que era uma armadilha. Se fosse adiante, receberia uma pesada multa e, ainda por cima, seria forçado a fornecer uma de suas melhores *escorts* para o comissário de polícia, de graça, durante todo o fim de semana.

Quando Roldán tornou a falar, seu tom de voz já não era tão amistoso.

– Senhor, aqui é Escortes Belén. Posso perguntar com quem estou falando?

– Aahh... Sigmund Schmidt – inventou Becker apressadamente.

– E onde conseguiu nosso número?

– La Guía Telefónica.

– Sim, senhor, estamos listados aí porque somos um serviço de *escort.*

– Sim, eu quererr *escort.* – Becker sentiu que havia algo de errado.

– Senhor, Escortes Belén é um serviço que agencia acompanhantes para homens de negócios em almoços e jantares. É por isso que estamos listados no catálogo. Nosso serviço é inteiramente legal. O que o senhor está procurando é uma *prostituta.* – A palavra escorregou de sua língua como se fosse uma doença asquerosa.

– Mas minha irmão...

– Senhor, se seu irmão passou o dia beijando uma garota no parque, não era uma das nossas. Temos regras escritas que regulam o contato entre clientes e acompanhantes.

– Mas...

– O senhor está nos confundindo com outra agência. Temos apenas duas ruivas, Imaculada e Rocío, e nenhuma delas dormiria com um homem em troca de dinheiro. Isso se chama prostituição, e é ilegal na Espanha. Boa noite, senhor.

– Mas...

CLIQUE.

Becker xingou em voz baixa e colocou o telefone de volta no gancho. Tinha certeza de que Cloucharde dissera que o alemão tinha contratado a garota para todo o fim de semana.

◆◆◆

Becker saiu da cabine telefônica na esquina da Calle Salado com Avenida Assunción. Apesar do trânsito, o aroma doce das laranjas de Sevilha estava no ar. Era início de noite – a hora mais romântica. Pensou em Susan. As palavras de Strathmore invadiram sua cabeça: *Encontre o anel.* Becker jogou-se, cansado e desanimado, em um banco e pensou sobre seu próximo movimento.

Que movimento?

CAPÍTULO 25

Dentro da Clínica de Salud Pública, o horário de visitas havia terminado. As luzes do ginásio foram desligadas. Pierre Cloucharde estava mergulhado em sono profundo. Não percebeu a figura que se curvou sobre ele. A agulha de uma seringa reluziu brevemente, antes de desaparecer dentro do tubo intravenoso colocado no pulso de Cloucharde. A seringa continha 30 centímetros cúbicos de fluido de limpeza roubado do carrinho de um servente. Um polegar forte empurrou o êmbolo para baixo, jogando o líquido azulado para dentro das veias do velho.

Cloucharde acordou por um breve momento. Teria gritado de dor se não houvesse alguém tapando sua boca. Ele estava preso em seu leito, imobilizado por um peso aparentemente infinito. Podia sentir um ardor subindo ao longo de seu braço, produzindo uma dor insuportável, espalhando-se pelo peito e, em seguida, como um milhão de fragmentos de vidro, atingindo seu cérebro. Cloucharde viu um flash brilhante de luz – e depois mais nada.

O visitante soltou-o e olhou, na escuridão, para o nome escrito no prontuário afixado ao leito da cama. Depois sumiu silenciosamente.

Na rua, o homem com óculos de armação de metal colocou a mão num pequeno dispositivo retangular, do tamanho de um cartão de crédito, que carregava em seu cinto. Era o protótipo de um novo computador Monocle. Desenvolvido pela Marinha americana para ajudar técnicos a registrar dados importantes no espaço apertado dos submarinos, o computador em miniatura unia os últimos avanços da microtecnologia e um modem celular. Seu monitor visual era uma tela de cristal líquido, colocada diretamente na lente esquerda de seus óculos. O Monocle pertencia a uma nova era da informática: o usuário podia, agora, olhar *através* de seus dados e, ao mesmo tempo, continuar interagindo com o mundo ao seu redor.

A grande novidade em relação ao Monocle, no entanto, não estava em sua tela miniaturizada, mas sim em seu sistema de entrada de dados. Um usuário podia digitar informações através de pequenos contatos afixados às pontas de seus dedos. Quando tocava os contatos em conjunto seqüencialmente, reproduzia uma escrita abreviada similar à estenografia usada nos tribunais. O computador, então, traduzia os códigos abreviados para o inglês.

O assassino apertou um pequeno botão, e a tela em seus óculos deu sinal de vida. Com as mãos discretamente colocadas ao lado do corpo, ele começou a fazer pequenos e rápidos movimentos combinados com os dedos. Uma mensagem apareceu à sua frente.

ALVO: P. CLOUCHARDE – ELIMINADO.

Sorriu. Transmitir notificações dos assassinatos era parte de sua missão. Mas incluir o nome das vítimas... isso, para o homem com óculos de armação de metal, era elegância. Seus dedos se moveram novamente, ativando a conexão do modem celular.

MENSAGEM ENVIADA.

CAPÍTULO 26

Sentado no banco, Becker pensava sobre o que deveria fazer agora. Suas ligações para as agências de *escort* não deram em nada. O comandante, preocupado com as comunicações através de linhas públicas não-seguras, havia pedido a David que não tornasse a ligar até encontrar o anel.

Becker pensou em procurar a polícia local e pedir ajuda. Talvez eles tivessem algum registro sobre uma prostituta de cabelos vermelhos. Contudo, as ordens de Strathmore haviam sido estritas também em relação a isto: *Você é invisível. Ninguém deve saber que o anel existe.*

Becker pensou se deveria visitar o bairro boêmio de Triana à procura da misteriosa mulher. Ou talvez devesse percorrer os restaurantes da cidade procurando um alemão obeso. Qualquer das alternativas lhe parecia uma completa perda de tempo.

As palavras de Strathmore continuavam martelando em sua cabeça: *Uma questão de segurança nacional... você precisa encontrar o anel.*

No fundo de sua mente, uma coisa dizia a Becker que ele estava deixando de lado algum dado crucial. Ainda assim, por mais que tentasse, não conseguia descobrir o que era. *Sou um professor, droga, não um maldito agente secreto!* Ele estava começando a questionar por que Strathmore não enviara um profissional.

Becker levantou-se e começou a andar sem destino pela Calle Delicias, avaliando suas opções. Olhava a calçada fora de foco enquanto andava. A noite estava caindo.

Dewdrop. Gota de orvalho.

Havia algo neste nome absurdo que ficava martelando na sua cabeça. *Dewdrop*. A voz suave do *señor* Roldán, da Escortes Belén, ecoava bem lá no fundo: *"Só temos duas ruivas... Duas ruivas, Imaculada e Rocío... Rocío... Rocío..."*

Becker parou, tomado por uma idéia. *E ainda me considero um especialista em línguas?* Não acreditava que tinha deixado escapar essa.

Rocío era um dos nomes femininos mais populares na Espanha. Trazia todas as implicações adequadas a uma jovem católica – pureza, virgindade, beleza natural. As conotações de pureza eram todas derivadas do sentido literal do nome – *gota de orvalho*.

Dewdrop. Rocío havia traduzido seu nome para o único idioma que ela e seu cliente possuíam em comum, o inglês. Excitado, Becker correu para o telefone mais próximo.

Do outro lado da rua, um homem usando óculos de armação de metal o seguia, fora do alcance de sua vista.

CAPÍTULO 27

No salão da Criptografia as sombras estavam se alongando e se desfazendo. No teto, a iluminação automática aumentava gradualmente para compensar. Susan ainda estava sentada à frente de seu terminal, esperando silenciosamente notícias de seu *tracer*. Estava levando mais tempo do que ela imaginara.

Sua mente flutuava entre pensamentos diversos. Sentia falta de David e queria que Greg Hale fosse embora. Greg não havia se mexido mais e, felizmente, ficara quieto, concentrado em seja lá o que estivesse fazendo em seu terminal. Susan nem queria saber o que era, contanto que ele não acessasse o ExeMon. Coisa que ele obviamente não havia feito, do contrário teria soltado um palavrão ou coisa assim.

Susan estava bebericando a terceira xícara de chá quando finalmente seu terminal deu sinal de vida, emitindo um pequeno bipe. Seu pulso acelerou. Um ícone de um envelope apareceu piscando na tela anunciando a chegada de um e-mail. Susan olhou rapidamente para Hale, que continuava mergulhado em seu trabalho. Ela prendeu a respiração e clicou duas vezes sobre o envelope.

North Dakota, pensou, *vamos ver quem é você*.

Quando o e-mail se abriu, continha uma única linha, que Susan leu e releu.

JANTAR NO ALFREDO? ÀS 20h?

Do outro lado da sala, Hale segurou uma risada. Susan olhou para o cabeçalho da mensagem.

DE: GHALE@cripto.nsa.gov

Ela sentiu um impulso de raiva, mas reprimiu-o. Apagou a mensagem.

– Não tem graça, Greg.

– Ei, o carpaccio deles é ótimo! – disse Hale, sorrindo. – E então? Depois podíamos...

– Esquece.

– Convencida.

Hale suspirou e voltou a olhar para seu terminal. Esta era a tentativa número 89 com Susan Fletcher. A brilhante criptógrafa era uma frustração constante para ele. Diversas vezes ele já havia fantasiado transar com ela: prensá-la contra a carcaça curvada do TRANSLTR e transar ali mesmo, apoiados na sua casca de cerâmica preta. Mas Susan não queria nada com ele. Na cabeça de Greg, as coisas eram ainda piores porque ela estava apaixonada por um professor universitário que trabalhava horas a fio para ganhar uma miséria. Seria uma pena se Susan fosse diluir seus genes superiores procriando com um otário, especialmente quando tinha à sua disposição alguém tão fantástico quanto ele. *Teríamos filhos perfeitos*, pensava Hale.

– Em que você está trabalhando? – perguntou, tentando outra abordagem.

Susan não respondeu.

– Como é bom trabalhar em equipe com você. Posso ao menos dar uma olhada? – Hale levantou-se e começou a andar na direção de Susan.

Ela sentiu que a curiosidade dele poderia causar sérios problemas naquele dia. Tomou uma decisão rápida.

– É um diagnóstico – disse, retornando à mentira contada pelo comandante.

Hale parou no meio do caminho.

– Um diagnóstico? – retrucou, em tom de dúvida. – Você não está realmente perdendo seu sábado com um diagnóstico em vez de estar se divertindo com seu professorzinho?

– O nome dele é David.

– Que seja.

Susan olhou firme para ele.

– Você não tem nada melhor para fazer?

– Você está tentando se livrar de mim? – retrucou Hale.

– Na verdade, sim.

– Nossa, Sue, estou abalado.

Susan olhou para ele com raiva. Odiava ser chamada de Sue. Nada contra o apelido, mas Hale era o único a usá-lo.

– Por que não me sento e ajudo você? – tentou Greg. Ele voltou a andar na direção dela. – Sou bom com programas de diagnóstico. Além disso, estou bem curioso para ver o que este em particular tem de tão interessante para fazer a poderosa Susan Fletcher vir trabalhar num sábado.

Susan sentiu a adrenalina se espalhando por seu corpo. Olhou para o *tracer* em sua tela e pensou que não podia deixar que Hale o visse, pois ele faria perguntas demais.

– Está tudo sob controle, Greg.

Mas Hale continuava se aproximando, e Susan tinha que agir rápido. Ele estava a apenas alguns metros de distância quando ela se levantou, fechando a passagem. O cheiro de colônia empesteava o ar. Ela o olhou bem nos olhos.

– Já disse que não.

Hale ficou intrigado por esse súbito ímpeto de privacidade. Decidiu brincar e deu um passo à frente. Greg não estava pronto para o próximo ato.

Com absoluta calma, Susan estendeu o indicador e o colocou contra seu peito musculoso, bloqueando o caminho.

Greg parou, surpreso, e recuou. Susan parecia estar levando a coisa toda muito a sério: ela *nunca* o havia tocado antes. Não era exatamente o tipo de toque que ele tinha em mente para um primeiro contato, mas já era um começo. Ele a olhou com curiosidade por alguns instantes, depois voltou para seu terminal. Sentou-se novamente, mas uma coisa estava bem clara em sua mente: a adorável Susan Fletcher estava trabalhando em algo muito importante, e não era diagnóstico algum.

CAPÍTULO 28

O *señor* Roldán estava sentado em sua mesa, na Escortes Belén, feliz por ter se esquivado tão habilmente da mais recente e patética tentativa da Guardia de apanhá-lo em uma armadilha. Francamente, fazer com que um policial ligasse, fingindo ser alemão e pedindo uma acompanhante para passar a noite – aquilo só podia ser chamado de armadilha. O que eles iriam inventar depois dessa?

O telefone à sua frente tocou. O *señor* Roldán pegou o fone com ar confiante.

– *Buenas noches*, Escortes Belén.

– *Buenas noches* – disse em espanhol a voz de um homem, falando muito rápido. Soava meio anasalado, como se estivesse um pouco resfriado. – Gostaria de saber se esse número é de um hotel.

– Não, senhor. Que número o senhor discou? – O *señor* Roldán não iria cair em nenhum outro truque naquela noite.

– 34-62-10 – disse a voz.

Roldán ficou pensativo. A voz lhe soava vagamente familiar. Tentou localizar de onde seria o sotaque. Burgos, talvez.

– Você discou o número certo – disse Roldán, apreensivo –, mas aqui é um serviço de *escort*.

Houve uma pausa na linha.

– Ah... Entendo. Desculpe. Alguém anotou este número, e eu achei que poderia ser um hotel. Estou de passagem, vindo de Burgos. Bem, perdoe-me por incomodá-lo. Boa...

– Espere! – O *señor* Roldán não podia deixar passar uma oportunidade, ele era um vendedor por natureza. Seria uma indicação? Um novo cliente vindo do norte? Ele não podia deixar que uma pequena paranóia estragasse uma venda em potencial.

– Amigo – disse Roldán apressadamente, no tom de voz tipicamente animado dos vendedores –, achei que tinha reconhecido um leve acento de Burgos em você. Eu sou de Valência. O que o trouxe a Sevilha?

– Vendo jóias. Pérolas de Mallorca.

– Mallorca! Mas que ótimo! Você deve viajar muito.

A voz tossiu do outro lado.

– Sim, viajo bastante.

– Está em Sevilha a negócios? – Roldán tentou puxar conversa. Esse cara com certeza não era da Guardia. Era um cliente com C maiúsculo. – Deixe-me adivinhar: foi um amigo que lhe deu nosso número? Ele disse para nos ligar quando estivesse em Sevilha, é isso?

– Não, não é bem isso. – A voz estava claramente constrangida.

– Não seja tímido, *señor*. Somos um serviço de *escort*, não há do que se envergonhar. Temos garotas adoráveis que lhe farão companhia durante um jantar... é só isso. Quem lhe deu nosso número? Talvez seja um de nossos clientes assíduos. Posso lhe oferecer um preço camarada.

A voz pareceu um pouco agitada.

– Bem... Para ser sincero, não me *deram* esse número. Eu o encontrei dentro de um passaporte e estou tentando localizar o seu dono.

O entusiasmo de Roldán se esvaziou. Este homem não era um cliente, no final das contas.

– Você *encontrou* o número, é isso?

– Sim, achei o passaporte de alguém no parque hoje. Seu número estava em um pedaço de papel dentro dele. Achei que talvez fosse o hotel onde o dono do passaporte estava hospedado e queria lhe devolver o documento. Mas foi um engano. Vou deixá-lo em um posto da polícia quando eu estiver indo embora.

– Perdoe-me – interrompeu Roldán, nervosamente. – Posso lhe propor uma solução mais simples? – Roldán orgulhava-se de ser muito discreto em seus negócios e sabia que visitas à Guardia tinham uma tendência a transformar seus clientes em ex-clientes. – Veja, como nosso número está dentro do passaporte, o dono provavelmente é um de nossos clientes. Talvez possamos resolver isso de outra forma e evitar que o senhor perca seu tempo indo à polícia.

– Não sei. Acho que eu provavelmente deveria apenas... – A voz hesitou.

– Não seja precipitado, amigo. Tenho um pouco de vergonha em admitir isso, mas a polícia aqui de Sevilha não é sempre tão eficiente quanto a polícia do norte de nosso país. Podem levar vários dias até que o passaporte seja devolvido a seu dono. Se você me disser o nome que está no documento, darei um jeito de devolver o passaporte *imediatamente*.

– Bem, talvez... Suponho que não haja nenhum problema... – Roldán ouviu o som de algumas folhas sendo viradas, e depois a voz retornou. – É um nome alemão. Não sei se consigo pronunciar isso... Gusta... Gustafson?

Roldán não reconheceu o nome, mas tinha clientes vindos de todas as partes do mundo, e eles nunca davam seus nomes reais.

– Como ele é? Como é a foto? Talvez eu consiga reconhecê-lo.

– Pela foto... Ele tem um rosto redondo, parece ser bem gordo.

Roldán sabia quem era. Lembrava-se claramente daquela cara obesa. Era o homem com Rocío. *Estranho*, pensou ele. *Era a segunda ligação a respeito do alemão naquela noite.*

– Ah, o Sr. Gustafson? – Roldán soltou uma risada forçada. – Claro, eu o conheço bem. Se você me trouxer o passaporte, farei com que ele o receba em seguida.

– Estou no centro, sem carro – interrompeu o homem. – Talvez você pudesse vir pegá-lo?

– Na verdade – esquivou-se Roldán –, não posso sair no momento. Mas não é muito longe, se você...

– Desculpe, mas já é tarde para ficar andando por aí. Creio que há uma delegacia da Guardia aqui perto. Vou deixar o passaporte lá, e, quando você encontrar o Sr. Gustafson, pode dizer a ele onde está o passaporte.

– Não, espere! – disse Roldán, quase gritando. – Realmente não há necessidade de envolver a polícia nisso. Você disse que está no centro, certo? Conhece o Hotel Alfonso XIII? É um dos melhores da cidade.

– Sim, conheço o Alfonso XIII, fica aqui perto.

– Fantástico! O Sr. Gustafson está hospedado lá esta noite. Provavelmente poderá encontrá-lo no hotel agora.

A voz hesitou outra vez.

– Entendo. Bem, eu... Está bom, não me custa nada passar lá.

– Ótimo! Ele está jantando com uma de nossas *escorts* no restaurante do hotel. – Roldán sabia que os dois provavelmente estariam na cama àquelas alturas, mas precisava ser cuidadoso para não ofender a sensibilidade refinada do homem com quem falava no telefone. – Basta deixar o passaporte com o recepcionista. O nome dele é Manuel. Diga que fui eu que lhe pedi para ir até lá. Peça que entregue o passaporte a Rocío, a acompanhante do Sr. Gustafson esta noite. Ela devolverá o passaporte. Se desejar, deixe seu nome e endereço dentro, talvez o Sr. Gustafson queira lhe agradecer.

– Boa idéia. Alfonso XIII. Está certo, deixarei o passaporte lá esta noite. Agradeço sua ajuda.

◆◆◆

Becker desligou o telefone. *Alfonso XIII*, sorriu. *Basta saber como perguntar.*

Pouco depois uma figura silenciosa seguia Becker ao longo da Calle Delicias enquanto caía a noite na Andaluzia.

CAPÍTULO 29

Ainda irritada por conta da conversa com Hale, Susan olhou para fora através do painel de vidro do Nodo 3. O salão da Criptografia estava vazio. Hale ficara novamente silencioso, concentrado. Ela gostaria que ele se fosse.

Pensou se deveria chamar Strathmore. O comandante iria simplesmente colocá-lo para fora – afinal, era um *sábado*. Susan sabia, contudo, que, se Strathmore mandasse Hale se retirar, ele iria suspeitar de algo. Quando saísse, começaria a ligar para outros criptógrafos para saber o que estava acontecendo. Susan achou melhor deixá-lo quieto no canto dele. Hale acabaria indo embora mais cedo ou mais tarde.

Um algoritmo impossível de ser quebrado. Ela voltou a pensar no Fortaleza Digital. Era muito impressionante que um algoritmo assim realmente pudesse ser criado. Ao mesmo tempo, a prova estava bem na frente dela, já que o TRANSLTR parecia ser completamente inútil contra ele.

Susan pensou em Strathmore, suportando com dignidade o peso dessa situação penosa, fazendo o que fosse necessário, absolutamente destemido em face do desastre.

Susan algumas vezes via um pouco de David em Strathmore. Ambos compartilhavam algumas qualidades: tenacidade, dedicação, inteligência. Algumas vezes Susan pensava que Strathmore ficaria perdido sem ela. A pureza de sua paixão pela criptografia parecia ser um elo emocional vital para Strathmore, deslocando-o do mar de confusões políticas e fazendo com que se lembrasse do início de sua carreira como "quebrador de códigos".

Susan também dependia em parte de Strathmore. Ele lhe oferecia proteção em um mundo de homens sedentos por poder e cuidava da carreira dela, protegendo-a e, como dizia em tom de brincadeira, tornando todos os seus sonhos realidade. *Havia alguma verdade nisso*, ela pensou. Apesar de não ter sido intencional, o comandante foi o responsável por seu primeiro encontro com David Becker na NSA. Susan sentiu saudades de David, e seus olhos automaticamente se voltaram para o porta-retrato ao lado de seu teclado com uma foto do namorado. Seus pensamentos foram interrompidos pelo som das portas automáticas se abrindo. Strathmore entrou.

– Susan, alguma novidade? – O comandante viu Greg Hale e parou no mesmo instante. – Ora, boa tarde, Sr. Hale. – Franziu a testa, com um olhar interrogativo – Em pleno sábado! A que devemos a honra?

Hale sorriu inocentemente.

– Estou só terminando algumas tarefas que ficaram pendentes.

– Entendo – respondeu Strathmore, enquanto avaliava suas opções. Pouco depois, pareceu ter decidido que ele também não iria criar confusão com Hale. Virou-se para Susan e disse, secamente:

– Srta. Fletcher, poderia falar com você um instante? *Lá fora?*

Susan hesitou.

– Ahn... Sim, senhor. – Ela olhou rapidamente para seu monitor, depois para Greg, do outro lado da sala, e disse: – Só um momento.

Pressionou rapidamente uma seqüência de teclas, ativando um programa chamado ScreenLock. Era um utilitário instalado em todos os terminais do Nodo 3 para garantir a privacidade dos usuários. Como os terminais ficavam ligados permanentemente, o ScreenLock permitia que os criptógrafos saíssem a qualquer momento de suas estações de trabalho sabendo que ninguém iria mexer em seus arquivos. Susan digitou seu código pessoal de cinco dígitos e sua tela ficou preta. Até que o código correto fosse digitado, o terminal permaneceria assim.

Ela calçou seus sapatos e seguiu o comandante para fora da sala.

◆◆◆

– Que diabos *ele* está fazendo aqui? – perguntou Strathmore assim que saíram do Nodo 3.

– O de sempre – respondeu Susan. – Nada.

Strathmore parecia preocupado.

– Ele disse alguma coisa sobre o TRANSLTR?

– Não. Mas, se ele acessar o ExeMon e vir que está registrando 17 horas, terá algo a dizer.

Strathmore pensou.

– Não há motivos para ele acessar o programa.

Susan olhou para o comandante.

– Você quer mandá-lo embora?

– Não. Vamos deixá-lo em paz. – Strathmore olhou na direção da sala de SegSis. – Chartrukian já foi embora?

– Não sei. Não o vi mais.

– Droga – resmungou Strathmore. – Isso está virando um circo. – Passou a mão pela barba rala que havia crescido em seu rosto nas últimas 36 horas. – Alguma novidade do *tracer?* Estou me sentindo inútil.

– Até agora nada. Notícias de David?

Strathmore balançou a cabeça.

– Pedi que ele não me ligasse até que estivesse com o anel.

– Por que não? E se ele precisar de ajuda? – Susan pareceu surpresa.

Strathmore olhou-a, indiferente.

– Não posso ajudá-lo daqui, ele vai ter que resolver as coisas sozinho. Além disso, prefiro não falar em linhas não-seguras só para garantir que não há ninguém monitorando a conversa.

Susan arregalou os olhos, preocupada.

– O que *isso* quer dizer?

Strathmore fez uma cara simpática, desculpando-se, e deu um sorriso tranqüilizador.

– David está bem. Estou apenas sendo precavido.

◆◆◆

A uns 10 metros de distância, ocultado pelo vidro espelhado do Nodo 3, Greg Hale estava de pé em frente ao terminal de Susan. A tela estava preta. Hale olhou para o comandante e para Susan e depois pegou sua carteira. Tirou dela um pequeno cartão e leu o que estava escrito.

Após olhar outra vez para fora, para ter certeza de que Strathmore e Susan continuavam conversando, ele digitou cuidadosamente cinco caracteres no teclado de Susan. Um segundo depois o monitor deu sinal de vida.

É isso aí, ele sorriu, maliciosamente.

Roubar os códigos pessoais do Nodo 3 havia sido simples. Naquela sala, cada um dos terminais possuía um teclado idêntico e removível. Hale simplesmente levou o seu para casa uma noite e instalou um chip que registrava cada tecla pressionada no teclado. Depois, chegou mais cedo, trocou seu teclado modificado pelo de outra pessoa e esperou. No final do dia, trocava os teclados de volta e verificava os dados registrados pelo chip. Apesar de haver dezenas de milhares de teclas pressionadas, encontrar o código era simples. A primeira coisa que cada criptógrafo fazia pela manhã era digitar o código pessoal que desbloqueava seu terminal. Isso, é claro, tornou o trabalho de Hale trivial: o código pessoal sempre aparecia como os cinco primeiros caracteres da lista.

Não deixava de ser irônico, pensou Hale, enquanto olhava para o monitor de Susan. Ele havia roubado os códigos só por diversão, mas agora estava feliz por ter feito isso. O programa na tela de Susan parecia importante.

Hale olhou para ele por algum tempo. Estava escrito em LIMBO, que não era uma de suas especialidades. Bastava olhar para o código, contudo, para saber uma coisa: aquilo *não* era uma rotina de diagnóstico. Na verdade, ele entendia apenas duas palavras, mas já bastava.

TRACER: PROCURANDO...

– Um *tracer?* – disse em voz alta. – Procurando *o quê?* – Hale sentiu-se desconfortável. Sentou-se e pensou um pouco sobre o que havia na tela de Susan. Então decidiu o que fazer.

Hale entendia o suficiente sobre a linguagem de programação LIMBO para saber que ela se baseava fortemente em duas outras linguagens, C e Pascal. Essas duas ele conhecia bem. Após olhar mais uma vez para ter certeza de que Strathmore e Susan continuavam conversando lá fora, decidiu improvisar. Digitou alguns comandos modificados de Pascal e apertou ENTER. A tela de status do programa respondeu exatamente como ele havia esperado.

TRACER: CANCELAR?

Rapidamente digitou: SIM.

VOCÊ TEM CERTEZA?

Novamente: SIM.

O computador emitiu um bipe e mostrou a mensagem:

TRACER CANCELADO

Hale sorriu. O terminal acabara de enviar uma mensagem dizendo para o *tracer* de Susan que se autodestruísse naquele momento. Seja lá o que for que ela estivesse procurando, teria que esperar.

Preocupado em não deixar nenhum rastro, Hale navegou com destreza pelo arquivo de registro de atividade do sistema de Susan e removeu todos os comandos que ele havia acabado de digitar. Em seguida, digitou novamente o código pessoal de Susan.

O monitor ficou preto.

Quando Susan Fletcher retornou para o Nodo 3, Greg Hale estava sentado silenciosamente em seu terminal.

CAPÍTULO 30

O Alfonso XIII era um pequeno hotel de quatro estrelas próximo à Puerta de Jerez, circundado por uma cerca de ferro e canteiros de lilases. David subiu pelas escadarias de mármore. Quando levantou a mão para abrir a porta, esta abriu-se inesperadamente, e um porteiro fez sinal para que entrasse.

– Bagagem, *señor?* Posso ajudá-lo?

– Não, obrigado. Preciso falar com o recepcionista.

O porteiro pareceu magoado, como se algo naquele encontro de dois segundos não houvesse sido satisfatório.

– Por aqui, *señor*. – Levou Becker em direção ao saguão, apontou na direção da recepção e retornou a seu posto.

O saguão era primoroso, pequeno e elegantemente decorado. A Idade de Ouro da Espanha já havia terminado há tempos, mas, durante algumas décadas, em meados do século XVII, aquela pequena nação havia governado o mundo. A sala era uma lembrança orgulhosa daqueles tempos – armaduras, brasões militares e um antigo baú para lingotes de ouro que eram trazidos do Novo Mundo.

Pairando atrás do balcão onde estava escrito *CONSERJE* um homem de aparência impecável sorria tão entusiasticamente que parecia ter esperado toda a sua vida apenas para ajudá-lo.

– *En qué puedo servirlo, señor?* Em que posso ajudá-lo? – Falava de forma afetada e olhava Becker de alto a baixo.

Becker respondeu em espanhol.

– Preciso falar com Manuel.

A face bronzeada do homem abriu-se num sorriso ainda maior.

– *Sí, sí, señor*. Eu sou Manuel. O que deseja?

– O *señor* Roldán, da Escortes Belén me disse que você poderia...

O recepcionista fez sinal para que Becker se calasse e olhou nervosamente pelo saguão.

– Por que não conversamos aqui ao lado? – Ele direcionou Becker para o final do balcão. – Agora, em que posso ajudá-lo? – prosseguiu, praticamente sussurrando.

Becker começou tudo de novo, em um tom de voz mais baixo.

– Preciso falar com uma das acompanhantes dele e acredito que ela esteja jantando aqui. Chama-se Rocío.

O recepcionista soltou um suspiro, como se estivesse apaixonado.

– Aaaah, Rocío, que coisa mais linda.

– Preciso vê-la imediatamente.

– Mas, *señor*, ela está com um cliente.

Becker assentiu.

– É importante. – *Uma questão de segurança nacional.*

O recepcionista sacudiu a cabeça.

– Impossível. Talvez se você deixasse uma...

– Vou levar apenas um instante. Ela está no restaurante?

O recepcionista sacudiu a cabeça.

– Nosso restaurante fechou há meia hora. Creio que Rocío e seu acompanhante já se retiraram por esta noite. Se você quiser deixar uma mensagem, posso entregá-la pela manhã. – Mostrou o escaninho atrás dele, contendo fileiras numeradas de caixas de mensagem.

– Talvez então eu pudesse apenas ligar para o quarto e...

– Lamento – disse o homem, sua polidez desaparecendo rapidamente. – O Alfonso XIII possui políticas rígidas em relação à privacidade de seus clientes.

Becker não tinha a menor intenção de esperar dez horas até que um gordo e uma prostituta aparecessem para tomar o café da manhã.

– Entendo – disse. – Lamento perturbá-lo. – Virou-se e andou de volta para o saguão. Dirigiu-se diretamente para uma escrivaninha de cerejeira de tampo corrediço que chamara sua atenção quando entrou. Nela havia um grande número de cartões-postais e de papel de carta do Alfonso XIII, assim como canetas e envelopes. Becker selou uma folha de papel em branco dentro de um envelope e escreveu uma palavra na frente do mesmo.

ROCÍO.

Depois retornou ao recepcionista.

– Perdoe-me por incomodá-lo novamente – disse Becker, aproximando-se constrangido. – Estou sendo um pouco tolo, devo admitir. Esperava poder dizer a Rocío, pessoalmente, o quanto apreciei o tempo que passamos juntos recentemente. Mas vou ter que partir esta noite, então vou apenas deixar este bilhete para ela. – E deixou o envelope sobre o balcão.

O recepcionista olhou para o envelope e sussurrou pesarosamente para si mesmo: *Outro heterossexual desesperadamente apaixonado. Que desperdício.* Olhou para cima e sorriu.

– Sim, claro, senhor...?

– Buisán – disse Becker. – Miguel Buisán.

– Claro. Fique tranqüilo que Rocío receberá a mensagem pela manhã.

– Obrigado. – Becker sorriu e virou-se na direção da saída.

O recepcionista, após olhar discretamente para a bunda de David, pegou o envelope que estava sobre o balcão e virou-se para os escaninhos numerados atrás dele. Ele tinha acabado de colocar o envelope em um deles quando Becker voltou-se com uma última pergunta.

– Onde é que eu poderia encontrar um táxi?

O recepcionista virou-se e respondeu. Mas Becker não estava prestando atenção na resposta. O *timing* havia sido perfeito. A mão do recepcionista acabava de sair do escaninho da suíte 301.

Becker agradeceu e foi saindo lentamente, enquanto procurava o elevador.

Entrar e sair, repetiu para si mesmo.

CAPÍTULO 31

Susan retornou ao Nodo 3. Depois da conversa com Strathmore, ela ficou ainda mais preocupada com a segurança de David. Não parava de imaginar coisas terríveis.

– Então, o que é que Strathmore queria? Uma noite romântica a sós com a chefe da Criptografia? – exclamou Hale de seu terminal.

Susan ignorou o comentário e sentou-se diante do terminal. Digitou seu código pessoal e olhou para a tela. O programa *tracer* foi exibido. Ainda não havia retornado nenhuma informação sobre North Dakota.

Droga, pensou Susan. *Por que está demorando tanto?*

– Você me parece tensa – disse Hale, inocentemente. – Algum problema com seu diagnóstico?

– Nada sério – respondeu ela. Mas Susan tinha suas dúvidas. O *tracer* estava demorando muito mais do que o esperado. Ficou pensando se tinha cometido algum erro no programa. Começou a analisar as longas linhas de código LIMBO na tela, procurando alguma coisa que pudesse estar atrasando a operação.

Do outro lado da sala, Hale a observava com ar arrogante.

– Eu estava querendo te perguntar uma coisa. O que você acha daquele algoritmo inquebrável que Ensei Tankado disse estar escrevendo?

O estômago de Susan deu um nó.

– Algoritmo inquebrável? – tentou controlar-se. – Não sei... Acho que li alguma coisa a respeito.

– É uma alegação impressionante.

– Com certeza – respondeu Susan, pensando por que Hale havia abordado esse assunto subitamente. – Pessoalmente, não acredito muito nisso. Todo mundo sabe que um algoritmo inquebrável é uma impossibilidade matemática.

Hale sorriu.

– É... o Princípio de Bergofsky.

– Isso e um pouco de senso comum também – completou ela.

– Mas... Quem sabe? – Hale soltou um suspiro exagerado. – Há mais coisas entre o céu e a Terra do que pode supor a nossa vã filosofia.

– O que você disse?

– Shakespeare – retrucou Hale. – *Hamlet.*

– Você leu muito enquanto estava na prisão?

Hale sorriu ironicamente.

– Falando sério, Susan, você alguma vez já pensou que seja realmente possível que Tankado *tenha* escrito um algoritmo inquebrável?

Aquela conversa estava se tornando incômoda.

– *Nós* não conseguimos, não é?

– Talvez Tankado seja melhor do que nós.

– Talvez – disse Susan, aparentando indiferença.

– Tankado e eu trocamos alguns e-mails – prosseguiu Hale, como quem não quer nada. – Você sabia disso?

Susan parou e olhou para ele, tentando ocultar sua surpresa.

– É mesmo?

– Sim. Depois que descobri a farsa do algoritmo Skipjack, ele me escreveu dizendo que éramos irmãos na luta global pela privacidade digital.

Susan mal podia conter seu espanto. *Então Hale conhece Tankado pessoalmente!* Fez o melhor que pôde para parecer desinteressada.

Hale continuou.

– Ele me felicitou por ter provado que o Skipjack tinha uma *back door,* dizendo que aquilo era um golpe contra os direitos civis à privacidade. Você tem que admitir, Susan, que esconder um acesso de programador no Skipjack foi uma jogada suja, que permitiria à NSA ler todos os e-mails circulando pelo mundo. Na minha opinião, Strathmore e seu truque *mereceram* ser expostos.

– Greg – contestou Susan, lutando contra sua irritação –, aquele acesso secreto estava lá para que a NSA pudesse decodificar e-mails que ameaçassem a segurança dos Estados Unidos.

– É mesmo? – respondeu Hale, sarcástico. – Bisbilhotar a vida dos cidadãos comuns seria apenas um efeito colateral bem-vindo?

– Não ficamos bisbilhotando os cidadãos comuns, você sabe disso. O FBI pode grampear telefones, mas isso não significa que escutem *todas* as chamadas.

– Se tivessem pessoal suficiente, escutariam.

Susan ignorou a observação.

– Os governos devem ter o direito de levantar informações para se defender de ameaças ao bem comum.

– Meu Deus! Você soa como se tivesse sofrido uma lavagem cerebral de Strathmore. Você sabe muito bem que o FBI não pode escutar qualquer conversa que queira – eles precisam de um mandado. Um padrão de encriptação adulterado daria à NSA o poder de monitorar as comunicações de *qualquer um, a qualquer momento, em qualquer lugar.*

– Sim, e *deveríamos* poder fazer isso! – A voz de Susan tornou-se mais agressiva. – Se você não tivesse descoberto o acesso de programador no Skipjack, poderíamos desencriptar *qualquer* código, em vez de nos limitarmos apenas aos que o TRANSLTR consegue desencriptar a tempo.

– Se eu não tivesse encontrado o acesso – argumentou Hale –, alguma outra pessoa teria. Eu salvei a reputação de vocês por ter descoberto aquilo na época. Imagine quais seriam as conseqüências se o Skipjack estivesse em uso quando alguém descobrisse o furo!

– De qualquer forma – Susan retrucou –, agora temos que lidar com uma EFF paranóica que acha que colocamos acessos secretos em *todos* os nossos algoritmos.

– Mas não é exatamente o que fazemos? – perguntou Hale, com ironia.

Susan lançou-lhe um olhar gélido.

– Tudo bem – disse ele, esfriando os ânimos –, de qualquer maneira a questão já foi resolvida. Vocês construíram o TRANSLTR e agora possuem uma fonte instantânea de informações. Podem ler o que quiserem, quando quiserem e ninguém vai perguntar nada. Vocês venceram.

– Você quer dizer *nós* vencemos, não? Até onde me lembro, você trabalha para a NSA.

– Não por muito tempo – Hale respondeu, presunçoso.

– Não me faça promessas...

– Estou falando sério. Alguma hora vou cair fora daqui.

– Vou ficar arrasada.

Naquele momento, Susan percebeu que desejava culpar Hale por tudo que estava dando errado. Queria culpá-lo pelo Fortaleza Digital, por seus problemas com David, pelo fato de que não estava no chalé nas montanhas... Nada disso era culpa dele, contudo. Seu único problema real era ser desagradável. Susan precisava ser mais forte, condescendente. Era sua responsabilidade, como chefe da Criptografia, manter a paz, conduzir, educar. Hale ainda era jovem e inocente.

Susan olhou novamente para ele. Era uma pena, pensou, que Hale tivesse o talento necessário para ser uma peça importante para a Criptografia, mas, ao mesmo tempo, ainda não tivesse entendido a magnitude do trabalho que a NSA realizava.

– Greg, estou muito estressada hoje – disse ela, com um tom de voz sereno. – Fico irritada quando você fala da NSA como se fôssemos *voyeurs* munidos de alta tecnologia. Esta organização foi fundada com um propósito: tornar mais eficaz a segurança da nação. Algumas vezes é preciso perturbar a paz de todos para garantir que vamos descobrir as laranjas podres em meio às boas. Acho que muitos cidadãos ficariam felizes em sacrificar um pouco de sua privacidade para saber que os "vilões" não podem agir livremente.

Hale permaneceu em silêncio.

– Mais cedo ou mais tarde – continuou ela –, os cidadãos dessa nação terão que decidir em quem confiar. Há muitas coisas boas por aí, mas há também muitas coisas ruins misturadas. Alguém precisa ter acesso a tudo isso para poder separar aquilo que está certo do que está errado. Esse é o nosso trabalho. É o nosso dever. Não importa o que cada um de nós deseje, há um frágil portal separando a democracia da anarquia. A NSA é a guardiã desse portal.

Hale assentiu, pensativo.

– *Quis custodiet ipsos custodes?*

Susan olhou para ele, sem entender.

– Latim. Das *Sátiras*, de Juvenal. Significa "Quem guardará os guardiões?".

– Não entendo. Como assim, "guardar os guardiões"?

– Sim. Se *nós* agimos como guardiões da sociedade, então quem irá *nos* vigiar para ter certeza de que *não somos* perigosos?

Susan balançou a cabeça, sem saber o que dizer.

Hale sorriu.

– É assim que Tankado assinava todas as suas mensagens para mim. Era sua máxima favorita.

CAPÍTULO 32

David Becker estava no corredor do terceiro andar, do lado de fora do apartamento 301. Ele olhava para a porta ricamente ornamentada e entalhada, procurando a campainha. *Uma questão de segurança nacional.*

Becker notou que havia movimento do outro lado da porta. Ouviu pessoas falando em voz baixa. Ele bateu. Uma voz grave respondeu em alemão.

– *Ja?*

Becker permaneceu em silêncio.

– *Ja?*

A porta se entreabriu e o rosto arredondado do alemão apareceu na fresta.

Becker sorriu educadamente. Não sabia o nome do homem.

– *Deutscher, ja?* – perguntou ele. – Alemão, certo?

O homem concordou, cauteloso. Becker prosseguiu, em alemão fluente.

– Posso falar com você por um instante?

– O que você quer? – indagou o homem, estranhando aquela situação.

Becker percebeu que devia ter se preparado melhor antes de bater na porta de um estranho. Procurou as palavras certas.

– Você possui algo de que preciso.

Aparentemente, essas *não* eram as palavras certas. O alemão olhou fixamente para ele.

– *Ein Ring. Du hast einen Ring.* Você possui um anel – disse Becker.

– Vá embora – grunhiu o alemão. Começou a fechar a porta.

Sem pensar, Becker colocou o pé na abertura, impedindo que a porta se fechasse. Ele logo lamentou ter feito isso.

O alemão arregalou os olhos, possesso.

– *Was tust du?* O que você está fazendo? – perguntou.

Becker sabia que tinha passado dos limites. Olhou nervosamente para os dois lados do corredor. Ele já havia sido expulso da clínica e não queria que isso acontecesse de novo.

– *Nimm deinen Fuss weg!* – gritou o alemão. – Tire seu pé daí!

Becker olhou rapidamente para os dedos gorduchos do alemão, procurando o anel. Nada. *Cheguei tão perto*, pensou.

– *Ein Ring!* – repetiu Becker, mas o alemão bateu a porta na sua cara.

◆◆◆

David Becker permaneceu um longo tempo parado no corredor luxuosamente decorado. A réplica de um quadro de Salvador Dalí estava pendurada perto dele. *Muito adequado*, pensou Becker. *Surrealismo. Estou preso em um sonho surreal.* Havia acordado naquela manhã em sua própria cama, mas, por algum motivo peculiar, tinha ido parar na Espanha e agora estava tentando entrar à força no quarto de hotel de um estranho em busca de um anel "mágico".

A lembrança da voz seca de Strathmore o trouxe de volta à realidade. *Você precisa encontrar aquele anel.*

Becker respirou fundo e silenciou a voz em sua mente. Tudo o que queria era voltar para casa. Olhou de novo para a porta do 301. Seu tíquete para casa estava bem ali, do outro lado. Tudo o que precisava fazer era ir até lá e pegar o anel.

Inspirou e expirou longamente, tentando relaxar. Então dirigiu-se novamente para o 301 e bateu com firmeza na porta. Era hora de jogar pesado.

◆◆◆

O alemão escancarou a porta e estava prestes a reclamar, mas Becker foi mais rápido. Puxou o cartão do clube de squash de Maryland e vociferou:

– *Polizei!* – Forçou a passagem, entrou no quarto e acendeu as luzes.

O alemão virou-se, em estado de choque.

– *Was machst...*

– Silêncio! – Becker voltou a falar em inglês. – Você está com uma prostituta aqui? – perguntou, enquanto olhava ao redor, à procura da mulher. Era o quarto de hotel mais suntuoso que já havia visto. Havia rosas, champanhe e uma grande cama com um dossel. Rocío não estava ali, mas notou que a porta do banheiro estava fechada.

– *Prostitutiert?* – O alemão olhou preocupado na direção do banheiro. Ele era maior do que Becker havia imaginado. Sua papada tripla se juntava ao peito cabeludo e depois seu contorno rotundo se ampliava ainda mais na barriga fenomenal. Estava usando um roupão branco do Alfonso XIII e a faixa mal conseguia contornar toda a sua cintura.

Becker encarou o gigante com o olhar mais ameaçador que conseguiu fazer.

– Qual o seu nome?

O alemão entrou em pânico.

– O que você quer?

– Estou em uma operação conjunta com o Departamento de Relações Turísticas da Guardia de Sevilha. Há uma prostituta aqui?

O alemão não parava de olhar nervosamente para a porta do banheiro. Ele hesitou, mas finalmente admitiu.

– *Ja.*

– Você sabia que essa atividade é ilegal na Espanha?

– Não, não sabia – mentiu o outro. – Vou mandá-la embora agora mesmo.

– Lamento, mas é tarde demais para isso – disse Becker, em tom autoritário. Andou pelo quarto, como via os detetives fazerem nos filmes. – Tenho uma proposta.

– *Ein Vorschlag?* – guaguejou o alemão. – Uma proposta?

– Sim. Posso levá-lo para a delegacia agora mesmo... – Becker fez uma pausa dramática e estalou os dedos.

– Ou? – perguntou o alemão, nervoso.

– Ou podemos fazer um acordo.

– Que tipo de acordo? – O alemão tinha ouvido muitas histórias sobre a corrupção na Guardia Civil espanhola.

– Você tem algo que eu quero – disse Becker.

– Sim, claro! – disse o alemão, mais animado agora e dando um sorriso forçado. – Foi até seu armário pegar a carteira. – Quanto?

Becker lançou-lhe um olhar indignado.

– Você está tentando subornar um oficial da lei?

– Oh! Não, de forma alguma, apenas pensei que... – O alemão rapidamente pôs sua carteira de lado. – Eu... eu... – O homem estava totalmente fora de si. Jogou-se em um canto da cama e entrelaçou as mãos olhando para baixo. A cama gemeu sob seu peso. – Eu lamento.

Becker tirou uma rosa do vaso que estava no centro do quarto e cheirou-a, displicente, antes de deixá-la cair no chão. Virou-se subitamente e disparou.

– O que você pode me dizer sobre o assassinato?

O alemão ficou branco.

– *Mord?* Assassinato?

– Sim, sim, lembra-se? O oriental, hoje pela manhã? No parque? Foi um assassinato: *Ermordung*. – Becker amava o termo alemão para assassinato: *Ermordung*. Era de arrepiar.

– *Ermordung?* Ele... ele foi...?

– Sim.

– Mas isso não é possível – disse o alemão, com falta de ar. – Eu estava lá. Ele teve um ataque cardíaco. Eu vi. Não havia sangue, nenhuma bala.

Becker balançou a cabeça, complacente.

– As coisas nem sempre são o que parecem.

O alemão ficou ainda mais pálido.

Becker sorriu internamente. Sua mentira havia surtido efeito. O pobre homem estava branco e suava em profusão.

– O que... o que você quer? – balbuciou. – Não sei de nada.

Becker começou do início.

– O homem que foi assassinado usava um anel de ouro. Preciso do anel.

– N-não está comigo.

Becker suspirou, condescendente, e fez um gesto na direção do banheiro.

– E Rocío? Dewdrop?

O homem, que já estava branco, ficou azul.

– Você conhece Dewdrop? -– Limpou o suor que escorria por sua testa, molhando as mangas do roupão. Estava prestes a dizer algo quando a porta do banheiro se abriu.

Os dois olharam na mesma direção.

Rocío Eva Granada estava de pé junto à porta. Uma visão e tanto. Seus cabelos ruivos eram longos e lisos. A pele era lisa e bronzeada, os olhos castanhos e a face longilínea. Também usava um roupão do hotel. A faixa estava perfeitamente apertada, ressaltando seus belos quadris. A parte superior do roupão se abria em um longo decote, revelando a pele bronzeada e deixando entrever os seios. Saiu do banheiro inteiramente segura de si.

– Posso ajudá-lo? – perguntou, num inglês imperfeito.

Becker, do outro lado do quarto, olhou para aquela mulher estonteante, mas sequer piscou. Apenas disse, friamente:

– Preciso do anel.

– Quem é você? – ela perguntou.

Becker voltou a falar espanhol, com um sotaque perfeito da Andaluzia.

– Guardia Civil.

Ela riu.

– Impossível – respondeu, em espanhol.

Becker sentiu um nó na garganta. Rocío claramente era mais dura na queda do que seu cliente.

– Impossível? – repetiu ele, mantendo a calma. – Quer ir até a delegacia para que eu possa provar?

Rocío sorriu maliciosamente.

– Prefiro não aceitar a oferta, pois não gostaria de constrangê-lo. Agora me diga, quem é você?

Becker decidiu continuar na mesma linha.

– Trabalho para a Guardia de Sevilha.

Rocío moveu-se, provocante, em sua direção.

– Conheço todos os policiais da cidade. São meus melhores clientes.

Becker sentiu aquele olhar cortante atravessá-lo. Repensou sua estratégia.

– Faço parte de uma força tarefa especial para turistas. Me dê o anel, ou terei que levá-la até o distrito e...

– E o quê? – perguntou ela, levantando uma das sobrancelhas, zombeteira, os olhos fixos em Becker.

Ele ficou em silêncio. Havia passado do ponto, e agora o plano estava se voltando contra ele. *Por que ela não está acreditando em minha história?*

Rocío aproximou-se ainda mais.

– Olhe, não sei quem você é nem o que você quer, mas, se não sair deste quarto agora, vou chamar a segurança do hotel, e a *verdadeira* Guardia irá prendê-lo por se fazer passar por um policial.

Becker sabia que Strathmore poderia tirá-lo da cadeia em cinco minutos, mas no seu último telefonema havia ficado bem claro que ele deveria lidar com o assunto de forma extremamente discreta. Ser preso não fazia parte dos planos.

Rocío parou bem perto de Becker. Continuava olhando fixamente para ele.

– Está bem – disse Becker, com um suspiro, dando-se por derrotado. Deixou de lado seu perfeito sotaque de Sevilha e disse: – Não estou trabalhando para a polícia de Sevilha. Uma organização do governo dos Estados Unidos me enviou para localizar o anel. É tudo que posso dizer. Me autorizaram a pagar uma boa soma por ele.

Houve um longo silêncio.

Rocío deixou as palavras de Becker suspensas no ar por alguns instantes antes de dizer, com um sorriso malicioso:

– Ora, ora, não foi tão difícil assim, não é? – sentou-se em uma cadeira e cruzou as pernas. – Quanto você pode pagar?

Becker sentiu-se aliviado. Ele não perdeu tempo e foi direto ao assunto.

– Cinco mil dólares americanos. – Era metade do valor que levava com ele, mas provavelmente umas dez vezes mais do que o anel valia de fato.

Rocío ergueu as sobrancelhas.

– Isso é muito dinheiro.

– Sim. Podemos chegar a um acordo?

Rocío balançou a cabeça.

– Gostaria de poder dizer que sim.

– Dez mil dólares? – Becker apressou-se em dizer. – É tudo que tenho.

– Nossa! – ela sorriu. – Americanos realmente não sabem negociar. Você não iria durar um dia no mercado local.

– Dinheiro vivo, agora – disse Becker, pegando o envelope em seu bolso. *Só quero ir para casa.*

Rocío sacudiu a cabeça.

– Não posso.

– Por que não? – respondeu Becker, rispidamente.

– O anel não está mais comigo – disse ela, se desculpando.

CAPÍTULO 33

Em seu escritório, Tokugen Numataka andava de um lado para o outro, como um animal enjaulado. Ainda não tinha recebido notícias de seu contato, North Dakota. *Malditos americanos! Não têm a menor noção de pontualidade!*

Ele mesmo teria ligado de volta para North Dakota, mas não sabia seu número. Numataka odiava fazer negócios dessa forma, quando outra pessoa estava no controle.

Desde o início Numataka tinha suspeitado de que as chamadas de North Dakota podiam ser falsas. Talvez fosse um competidor japonês se divertindo com ele, fazendo-o de tolo. Estava novamente pensando nisso. Numataka concluiu que precisava de mais informações.

Saiu apressadamente de seu escritório e entrou no primeiro corredor à esquerda. Seus funcionários se curvavam em sinal de reverência quando passava. Numataka tinha plena consciência de que não faziam isso porque gostavam dele: a reverência era uma cortesia meramente formal, e os funcionários a fariam mesmo para o mais temível chefe.

Numataka foi direto para a principal mesa telefônica da empresa. Todas as chamadas eram repassadas por uma única telefonista através de uma Corenco 2000, uma central de 12 linhas. A operadora estava ocupada, mas levantou-se e fez uma mesura assim que viu Numataka entrar.

– Sente-se – ordenou. – Recebi uma chamada às 4h45 em minha linha pessoal hoje. Você pode me dizer qual a origem? – Numataka se arrependera por não ter feito isso antes.

A telefonista respondeu, nervosa.

– Não temos um identificador de chamadas nesta máquina, senhor. Mas posso falar com a companhia telefônica. Tenho certeza de que podem ajudar.

Numataka não tinha dúvida de que poderiam ajudar. Nesta era digital, a privacidade havia se tornado uma coisa do passado – tudo estava registrado em algum lugar. As companhias telefônicas podiam dizer exatamente quem havia ligado e quanto tempo a chamada tinha durado.

– Fale com eles e depois me diga o que descobriu – ordenou.

CAPÍTULO 34

Susan estava sozinha no Nodo 3, ainda esperando pelo resultado de seu *tracer*. Hale havia decidido tomar um pouco de ar do lado de fora, o que a deixava feliz. Estranhamente, contudo, a solidão do Nodo 3 não a reconfortava. Susan ainda estava pensando no que havia descoberto sobre Tankado e Hale.

Quem guardará os guardiões?, repetia para si mesma. *Quis custodiet ipsos custodes.* As palavras giravam em sua mente. Susan forçou-se a pensar em outra coisa. Lembrou-se de David. Ela continuava preocupada com seu bem-estar e ainda achava estranho que ele estivesse na Espanha. Quanto mais cedo encontrassem as chaves e terminassem com isso, melhor.

Susan havia perdido a conta de quanto tempo tinha ficado sentada ali, esperando o resultado do *tracer*. Duas horas? Três? Olhou para fora, para o salão deserto da Criptografia, e torceu para seu terminal emitir algum som. Mas havia apenas silêncio. O sol daquele final de verão já se pusera, e a iluminação automática se acendera na sala e no domo. Susan sentiu que o tempo estava se esgotando.

Olhou para o *tracer* em sua tela, pensativa. *Vamos lá. Você já teve tempo suficiente.* Ela clicou o mouse para ativar a janela de status do *tracer*. *Há quanto tempo você já está ativo?*

Assim como a tela do ExeMon do TRANSLTR, a janela de status do *tracer* mostrava, em horas e minutos, há quanto tempo o programa estava sendo executado. Susan esperava ver uma contagem de uma ou duas horas, pelo menos. Em vez disso, viu uma mensagem totalmente diferente que fez seu sangue gelar nas veias.

TRACER CANCELADO

Cancelado?, ela disse em voz alta, perplexa. *Por quê?*

Num acesso de pânico, Susan olhou desnorteada para seu programa procurando qualquer comando que pudesse ter provocado o cancelamento do *tracer*. Sua busca foi em vão. Parecia que o próprio *tracer* interrompera sua execução. Para Susan, isso só podia significar uma coisa: seu *tracer* tinha um *bug*, um erro de programação.

Susan considerava que os *bugs* eram a coisa mais irritante na programação de computadores. Como os computadores seguem ordens minuciosas de operação, qualquer erro mínimo geralmente traz enormes conseqüências. Pequenos erros – como, por exemplo, quando um programador digita uma vírgula em vez de um ponto – podem fazer sistemas inteiros parar. Susan sempre achou engraçada a origem da palavra *bug*, que significa, literalmente, inseto.

O termo originou-se do primeiro computador do mundo, o Mark I, construído em 1944 em um laboratório da Universidade de Harvard. Ocupava uma sala inteira e era um labirinto de cabos conectando válvulas e circuitos eletromecânicos. Quando estava em operação, surgiu um erro persistente, e ninguém conseguia descobrir a causa. Após horas de pesquisas, um assistente de laboratório finalmente solucionou o problema. Aparentemente uma mariposa havia pousado em uma das placas do computador e, tendo morrido pelo choque elétrico, criou um curto-circuito. A partir de então, os erros de computador passaram a ser freqüentemente chamados de *bugs*.

Não tenho tempo para isso, praguejou Susan.

Encontrar um *bug* em um programa é um processo que pode levar dias. Milhares de linhas de código de programação precisam ser investigadas para encontrar um erro minúsculo – quase como inspecionar uma enciclopédia à procura de um erro de digitação.

Sua única escolha era enviar o *tracer* novamente. Ela sabia, contudo, que o *tracer* provavelmente iria se deparar com o mesmo erro e abortar a operação novamente. Encontrar e corrigir o erro levaria tempo, e tempo era algo que ela e o comandante não tinham.

Contudo, enquanto Susan olhava para o *tracer*, pensando que erro ela poderia ter cometido, percebeu que havia alguma coisa que não fazia sentido. Ela tinha usado exatamente a mesma versão do *tracer* um mês atrás sem nenhum problema. Como seria possível que surgisse um erro do nada?

Lembrou-se de um comentário que Strathmore havia feito antes. *Eu mesmo tentei enviar seu* tracer, *mas ele não parava de retornar dados sem sentido.*

Não parava de retornar dados, Susan pensou. *Como aquilo era possível? Que dados ele estava retornando?*

Se Strathmore havia recebido dados de volta do *tracer*, então o programa estava funcionando. Os dados não faziam sentido, presumiu Susan, porque o comandante havia digitado chaves de pesquisa incorretas. Ainda assim, o *tracer* estaria funcionando.

Susan repensou a questão e concluiu que havia uma explicação alternativa para o *tracer* ter abortado. Erros de programação não eram a única coisa capaz de interromper um programa em andamento. Algumas vezes havia forças externas em ação, como variações na energia, problemas em placas de circuito ou no cabeamento. Como o hardware do Nodo 3 era muito avançado, ela sequer tinha levado essas hipóteses em conta.

Levantou-se e andou rapidamente na direção de uma grande prateleira cheia de manuais técnicos. Pegou um fichário rotulado de SYS-OP e percorreu o índice. Achou o que queria, voltou para seu terminal com o manual e digitou alguns comandos. Então esperou enquanto o computador vasculhava a lista dos comandos executados nas últimas três horas. Ela esperava que a pesquisa indicasse algum tipo de interrupção externa, como um comando de cancelamento gerado por alguma falha elétrica ou um chip defeituoso.

O terminal de Susan emitiu um bipe. Seu pulso se acelerou. Olhou para a tela, ansiosa.

CÓDIGO DE ERRO 22

Susan sentiu suas esperanças aumentarem. Aquilo era uma boa notícia. O fato de que a pesquisa havia retornado um código de erro significava que o *tracer* estava funcionando bem. Aparentemente havia sido abortado por uma anomalia externa que dificilmente se repetiria.

CÓDIGO DE ERRO 22. Susan vasculhou a memória tentando lembrar o que aquele erro significava. As falhas de hardware eram tão raras no Nodo 3 que ela não conseguia se lembrar dos códigos numéricos.

Ela abriu o manual de SYS-OP e começou a ler a lista de erros.

19: PARTIÇÃO DE DISCO RÍGIDO CORROMPIDA
20: FLUTUAÇÃO DE ENERGIA
21: FALHA DE MEMÓRIA

Quando chegou no número 22, parou e ficou olhando, estática, para o manual. Perplexa, conferiu mais uma vez a tela.

CÓDIGO DE ERRO 22

Susan voltou a olhar para o manual de SYS-OP. O que via não fazia sentido. O manual dizia apenas:

22: CANCELAMENTO MANUAL

CAPÍTULO 35

Becker olhou para Rocío, atônito.

– O anel não está com você?

– Não – respondeu ela, os cabelos ruivos caindo sobre os ombros.

Becker desejou que fosse mentira.

– Mas o que aconteceu?

– Entreguei para uma garota, perto do parque.

Becker sentiu as pernas ficarem bambas. *Não é possível!*

Rocío sorriu timidamente e apontou para o alemão.

– *Él quería guardarlo*. Ele queria que eu o guardasse, mas eu disse que não. Tenho sangue cigano, e nós, além de termos os cabelos vermelhos, somos muito supersticiosos. Um anel dado por um homem que está morrendo traz azar.

– Você conhecia a garota? – perguntou Becker.

Rocío arregalou os olhos.

– *Vaya*. Você realmente quer esse anel, não é?

Becker concordou, abatido.

– Para quem você deu o anel?

O enorme alemão continuava sentado na cama, perplexo. Sua noitada romântica estava sendo arruinada, e ele não tinha idéia do que estava acontecendo.

– *Was passiert?* O que está acontecendo? – perguntou, ainda nervoso.

Becker ignorou-o.

– Tentei vendê-lo, mas a garota não tinha dinheiro. Acabei dando o anel para ela. Claro que, se soubesse de sua generosa oferta, eu o teria guardado para você.

– Por que você saiu do parque? – perguntou Becker. – Uma pessoa tinha morrido. Por que você não esperou pela polícia para entregar o anel *para eles?*

– Há muitas coisas que desejo, senhor Becker, mas *problemas* não estão em minha lista. Além disso, aquele velho parecia ter total controle da situação.

– O canadense?

– Sim. Ele chamou a ambulância, então decidimos partir. Não vi motivos para me envolver ou deixar que meu cliente se visse envolvido com a polícia.

Becker continuava aturdido. Ainda tentava digerir essa inesperada virada do destino. *Ela deu o maldito anel!*

– Tentei ajudar o homem que estava morrendo – explicou Rocío. – Mas ele não parecia querer ajuda. Começou com essa história do anel, não parava de empurrá-lo em nossas caras. Seus dedos eram deformados, e ele ficava apontando para cima. Estendia sua mão em nossa direção, para que pegássemos o anel. Eu não queria, mas meu amigo aqui finalmente o pegou. Depois o sujeito morreu.

– E você tentou uma massagem cardíaca? – perguntou Becker.

– Não. Ninguém tocou nele. Meu amigo ficou assustado. Ele é grande, mas covarde. – Ela sorriu de forma sedutora para Becker. – Não se preocupe, ele não fala uma palavra de espanhol.

Becker contraiu o rosto. Continuava intrigado com a mancha azulada que havia visto no peito de Tankado.

– Os paramédicos tentaram uma ressuscitação?

– Não tenho idéia. Como acabei de dizer, saímos antes que chegassem.

– Você quer dizer: saíram após *roubar* o anel – disse Becker, com desdém.

Rocío olhou para ele, quase ofendida.

– Não roubamos o anel. O homem estava morrendo. Suas intenções eram claras. Atendemos seu último desejo.

Becker relaxou um pouco. Rocío estava certa, ele provavelmente teria feito a mesma coisa.

– Mas você tinha que dar o anel para a primeira pessoa que encontrou?

– Já disse que aquele anel me deixava nervosa. A garota estava com um monte de jóias, achei que iria gostar do anel.

– E ela não viu nada de estranho nisso? Você chegar do nada e lhe *dar* um anel?

– Não. Eu lhe disse que havia encontrado o anel no parque. Achei que fosse me oferecer dinheiro em troca, mas não me deu nada. Não importava, eu só queria me livrar dele.

– A que horas foi isso?

– Hoje à tarde. Cerca de uma hora depois de termos pegado o anel.

Becker olhou para o relógio. Eram 11h48 da noite. A pista estava fria, já haviam se passado 11 horas. *Que diabo ainda estou fazendo aqui? Deveria estar descansando nas montanhas.* Ele suspirou e fez a única pergunta em que ainda podia pensar:

– Como era essa garota?

– Era uma punk – disse Rocío.

– Punk?

– Isso, uma punk. *Mucha joyería.* Muitas jóias. Um brinco estranho em uma orelha. Acho que era uma caveira.

– Há punks em Sevilha?

Rocío sorriu.

– *Todo bajo el sol.* Tudo que houver sob o sol. – Esse era o slogan do Ofício de Turismo de Sevilha.

– Ela lhe disse seu nome?

– Não.

– Disse para onde estava indo?

– Não. Falava espanhol muito mal.

– Então não era espanhola? – perguntou Becker.

– Não. Talvez inglesa. Estava usando um cabelo estranho, pintado de vermelho, branco e azul.

Becker espantou-se, imaginando a figura bizarra.

– Não poderia ser americana? – perguntou.

– Acho que não. Estava usando uma camiseta que se parecia com a bandeira da Inglaterra.

– Certo. Temos então: cabelo vermelho, branco e azul, uma camiseta com a bandeira da Inglaterra e uma caveira como brinco. Mais alguma coisa?

– Nada, só uma punk normal.

Punk normal? De onde Becker vinha, quase todos usavam agasalhos com o emblema da universidade e cortes de cabelo tradicionais. Mal podia visualizar a figura que Rocío estava descrevendo.

– Há mais alguma coisa de que você possa se lembrar?

Rocío pensou por algum tempo.

– Não, isso é tudo.

Nesse instante ouviram um rangido alto, vindo da cama. O cliente de Rocío estava inquieto. Becker virou-se para ele e falou, em alemão:

– *Noch et was?* Mais alguma coisa? Algo que possa me ajudar a encontrar a roqueira punk com o anel?

Houve um longo silêncio, como se o gigante quisesse dizer algo, mas não soubesse muito bem como. Seus lábios começaram a se mover, depois pararam, e finalmente ele falou. As palavras que saíram de sua boca definitivamente eram em inglês, mas quase não era possível entendê-las por baixo daquele forte sotaque alemão.

– *Fock off.*

Becker olhou para ele, surpreso.

– Como?

– *Fock off* – repetiu o homem, batendo sua palma esquerda contra o roliço antebraço direito, uma aproximação grosseira do gesto italiano para "vá se foder".

Becker estava cansado demais para se ofender com o que quer que fosse. *Me foder? O que aconteceu com El Covardón?* Virou-se para Rocío e disse, em espanhol:

– Acho que meu tempo se esgotou.

– Não se preocupe com ele – disse ela rindo. – Está apenas um pouco frustrado. Mas ele vai receber aquilo que quer. – Ela sacudiu os cabelos e piscou.

– Mais alguma coisa? Qualquer coisa que possa me ajudar? – insistiu Becker.

Rocío balançou a cabeça.

– Não. Mas você nunca irá encontrá-la. Sevilha é uma cidade grande, pode ser muito traiçoeira.

– Vou fazer o melhor possível. – *É uma questão de segurança nacional...*

– Se não conseguir, volte aqui – disse Rocío, olhando para o grosso envelope no bolso de Becker. – Meu amigo estará dormindo, com toda a certeza. Bata devagar. Eu encontrarei um quarto extra onde possamos ficar. Você verá um lado da Espanha que jamais irá esquecer – falou, maliciosamente.

Becker se esforçou para retribuir com um sorriso gentil.

– Tenho que ir. – Pediu desculpas ao alemão por ter atrapalhado sua noite.

O gigante sorriu, timidamente.

– *Keine Ursache.*

Becker saiu e puxou a porta. *Sem problemas? O que aconteceu com o "vá se foder"?*

CAPÍTULO 36

Cancelamento manual? Susan olhava para sua tela, atônita.

Ela tinha certeza de que não havia digitado nenhum comando para um cancelamento manual, pelo menos não intencionalmente. Tentou pensar se teria digitado um comando por acidente.

Impossível, murmurou. De acordo com o histórico, o comando para cancelamento fora enviado há menos de 20 minutos. A única coisa que Susan havia digitado nesse intervalo era seu código pessoal quando saiu para falar com o comandante, o que jamais poderia ser interpretado como um cancelamento.

Mesmo sabendo que era uma total perda de tempo, ela abriu o histórico de seu ScreenLock para verificar se o código pessoal havia sido digitado corretamente. Obviamente que sim.

– Então *de onde* – perguntou ela, irritada –, de onde essa coisa conseguiu tirar um *cancelamento manual?*

Ainda irritada, fechou a tela do ScreenLock. Contudo, naquele pequeno instante em que a janela se fechava, uma coisa chamou sua atenção. Ela abriu novamente a janela e analisou os dados. Não faziam sentido. Havia uma entrada para o *lock* – travamento – correspondente à hora em que ela deixou o Nodo 3, mas a hora do comando de *unlock* – destravamento – parecia estranha. Segundo os registros, havia uma diferença de apenas dois minutos entre as duas entradas. Susan tinha certeza de que a conversa com o comandante tinha demorado mais do que isso.

Ela continuou examinando a página e o que viu deixou-a desnorteada. Havia duas outras entradas, cinco minutos depois, de um *lock* seguido por um *unlock*. De acordo com o histórico, alguém havia destravado seu terminal enquanto ela estava fora da sala.

"Impossível!", exclamou Susan. A única pessoa que ficou lá foi Greg Hale, e Susan tinha certeza absoluta de que não tinha dado seu código pessoal a ele. Seguindo os procedimentos adequados de criptografia, ela escolhera um código aleatório e nunca o escreveu em lugar algum. Era completamente impossível que Hale tivesse adivinhado a seqüência alfanumérica correta – o número de combinações possíveis era 36 elevado à quinta potência, ou seja, mais de 60 milhões de possibilidades.

Mas as entradas do histórico do ScreenLock eram bastante claras. Susan continuou olhando para a tela, pensativa. De alguma forma, Hale tinha usado seu terminal enquanto ela estava do lado de fora. Só ele poderia ter dado um comando manual de cancelamento para o *tracer*.

As perguntas sobre *como* rapidamente deram lugar às perguntas sobre *por quê?*. Hale não tinha nenhum motivo para invadir seu terminal. Nem mesmo sabia que Susan estava executando um *tracer*. E mesmo se soubesse, pensou, por que iria se importar com o fato de ela estar procurando um sujeito chamado North Dakota?

As perguntas sem resposta se multiplicavam em sua mente.

Melhor começar pelo começo, pensou. Iria lidar com Hale em seguida. Concentrando-se no problema que tinha em mãos, Susan enviou novamente seu *tracer*. O terminal emitiu um bipe e uma mensagem foi exibida no monitor:

TRACER ENVIADO

Susan sabia que o programa levaria algumas horas até retornar. Ela amaldiçoou Hale, tentando imaginar como ele teria obtido o código pessoal dela e que interesse teria no *tracer*.

Susan levantou-se e foi rapidamente até o terminal de Hale. A tela estava preta, mas ela podia ver que o terminal não havia sido travado – o monitor exibia um leve brilho nas bordas. Os criptógrafos raramente travavam seus terminais, exceto quando deixavam o Nodo 3 à noite. Em vez disso, simplesmente reduziam o brilho de seus monitores – uma convenção conhecida por todos e parte do código de honra de que ninguém deveria mexer no terminal.

Susan sentou-se em frente ao terminal de Hale.

Dane-se o código de honra, pensou em voz alta. *Que diabos você está querendo?*

Olhando rapidamente para o salão deserto da Criptografia, Susan retornou ao normal o brilho do monitor de Hale. A tela, contudo, estava inteiramente vazia. Susan olhou para ela, pensativa. Sem saber muito bem como proceder, chamou um programa de pesquisa de dados e digitou:

PESQUISAR: "TRACER"

As chances de que isso funcionasse eram pequenas, mas, se houvesse qualquer referência a seu *tracer* no computador de Hale, ela iria encontrá-la. Poderia ajudar a explicar por que ele havia decidido abortar o programa. Segundos depois, o resultado foi exibido:

NENHUM ITEM ENCONTRADO

Susan pensou um pouco, sem nem mesmo saber exatamente o que estava procurando. Tentou novamente.

PESQUISAR: "SCREENLOCK"

O programa retornou uma pequena lista de referências sem importância. Nada que indicasse que Hale tinha uma cópia do código pessoal de Susan em seu computador.

Ela suspirou. *Então quais são os programas que ele esteve usando hoje?* Foi até o menu de "aplicativos recentes" de Hale para ver qual o último programa que ele havia usado. Era o programa de e-mail. Susan procurou no disco rígido de Hale e acabou encontrando sua pasta de e-mails discretamente escondida dentro de alguns outros diretórios. Ela a abriu e outras pastas surgiram. Aparentemente, Hale tinha diversas identidades e contas de e-mail. Susan notou, sem se surpreender, que uma delas era uma conta anônima. Ela abriu o diretório, clicou em uma das mensagens recebidas e leu o conteúdo.

Levou um susto. O texto da mensagem dizia:

PARA: NDAKOTA@ara.anon.org
DE: ET@doshisha.edu
GRANDES PROGRESSOS! FORTALEZA DIGITAL ESTÁ
QUASE PRONTO.
ESSE PROGRAMA IRÁ FAZER COM QUE A NSA VOLTE
DÉCADAS ATRÁS!

Como se estivesse em um sonho, Susan leu a mensagem várias vezes, sem acreditar. Depois, tremendo, abriu uma outra.

PARA: NDAKOTA@ara.anon.org
DE: ET@doshisha.edu
A FUNÇÃO DE MENSAGEM CLARA CIRCULAR FUNCIONA!
CADEIAS DE CARACTERES MUTANTES SÃO A RESPOSTA!

Era impensável. No entanto, lá estava a prova. E-mails de Ensei Tankado. Ele havia escrito diversas vezes para Greg Hale. Os dois estavam trabalhando juntos. Susan ficou paralisada, defrontando-se com a terrível verdade à sua frente, no terminal.

Greg Hale é NDAKOTA?

Os olhos de Susan se fixaram na tela. Sua mente tentava desesperadamente encontrar outra explicação, mas não havia nenhuma. Aquilo era uma prova, direta e sem recurso possível. Tankado havia usado cadeias de caracteres mutantes para criar uma função de mensagem clara circular e Hale havia conspirado com ele para acabar com a NSA.

Não é possível, pensou Susan. Mas sua conversa recente com Hale ecoava em sua mente: *Tankado e eu trocamos alguns e-mails... Alguma hora vou cair fora daqui.*

Ainda assim, Susan não podia aceitar o que estava vendo. Greg podia ser grosseiro e arrogante, mas isso não fazia dele um traidor. Ele sabia o que o Fortaleza Digital faria com a NSA. Não é possível que estivesse envolvido em uma trama para lançá-lo na Internet!

Susan pensou, contudo, que não havia nada que o impedisse. Nada a não ser a honra e a decência. Ela pensou no algoritmo Skipjack. Greg Hale já havia arruinado os planos da NSA daquela vez. O que o impediria de tentar novamente?

Mas Tankado, por que uma pessoa tão paranóica quanto ele iria confiar em alguém tão imprevisível quanto Hale?

Nada daquilo importava naquele instante. O fundamental era falar com Strathmore. Por uma coincidência irônica, o parceiro de Tankado estava bem ali, na frente deles. Ela ficou imaginando se Hale já sabia que Tankado estava morto.

Começou a fechar rapidamente os e-mails de Hale para deixar o terminal exatamente como ele o havia encontrado. Ele não podia suspeitar de nada – ainda não. A chave do Fortaleza Digital provavelmente estava ali mesmo, escondida naquele computador.

Exatamente quando Susan fechava os últimos arquivos, uma sombra passou por fora da janela do Nodo 3. Ela olhou rapidamente para trás e viu que Hale se aproximava. Sentiu a adrenalina aumentar. Ele estava quase na porta.

Mas que droga, pensou, irritada, calculando a distância que a separava de sua cadeira. Sabia que não chegaria a tempo; Hale estava bem próximo.

Sua mente disparou, percorrendo o Nodo 3 à procura de opções. As portas atrás dela fizeram um clique e em seguida o mecanismo de abertura entrou em ação. Seu instinto prevaleceu e, afundando os pés no tapete, deslizou em passos largos e rápidos na direção da despensa. Quando as portas se abriram, Susan havia chegado até a geladeira, abrindo-a com um puxão forte. Um jarro de vidro que estava em cima ameaçou cair, balançou um pouco e parou no mesmo lugar.

– Com fome? – perguntou Hale, entrando no Nodo 3 e andando na direção dela. Sua voz era calma e levemente sedutora. – Quer dividir um pouco de tofu?

Susan expirou e virou-se para ele.

– Não, obrigado. Acho que eu vou ... – mas as palavras ficaram presas em sua garganta. Ela ficou branca.

Hale olhou-a, sem entender.

– O que há de errado?

Susan mordeu o lábio e encarou-o.

– Nada – conseguiu dizer. Mas era mentira. Um pouco mais à frente, a tela do terminal de Hale estava acesa. Ela se esquecera de reduzir o brilho.

CAPÍTULO 37

De volta ao saguão do Alfonso XIII, Becker, cansado, dirigiu-se até o bar. Um barman nanico colocou um guardanapo à sua frente.

– *¿Qué bebe Usted?* O que você quer beber?

– Nada, obrigado – disse Becker. – Você sabe se há algum clube na cidade para roqueiros punk?

O barman olhou para ele com estranheza.

– Clubes? Para punks?

– Sim. Há algum lugar na cidade onde eles costumem se juntar?

– *No lo sé, señor*. Não sei. Mas certamente não seria aqui! – sorriu. – Então, que tal uma bebida?

Becker teve vontade de sacudir o homem. Nada estava saindo da forma como ele havia planejado.

– Deseja beber algo? – repetiu o barman. – *¿Fino? ¿Jerez?*

Ao fundo ouvia-se música clássica. *Concerto de Brandenburgo*, pensou Becker. *Número quatro*. Ele e Susan viram a orquestra de câmara da Academy of St. Martin in the Fields tocar os concertos de Brandenburgo na universidade, no ano anterior. Becker desejou que a namorada estivesse com ele naquele momento. Um leve sopro vindo de uma saída de ar-condicionado acima dele fez com que se lembrasse de como estava a temperatura lá fora. Teria que andar pelas ruas infernais e cheias de drogados de Triana procurando uma punk usando uma camisa com a bandeira da Inglaterra. Pensou em Susan outra vez.

– *Zumo de arándano* – ouviu sua própria voz dizer mecanicamente. – Suco de mirtilo.

O barman ficou confuso.

–*¿Solo?* – O suco de mirtilo era popular nos drinques da Espanha, mas tomá-lo sozinho era inusitado.

– *Sí. Solo.*

– *¿Echo un poco de Smirnoff?* – insistiu o barman. – Um pouco de vodca?

– *No, gracias.*

– *¿Gratis?* Por conta da casa?

Com o cérebro latejando, Becker pensou nas ruas sujas de Triana, no calor sufocante e na longa noite que tinha pela frente.

– *Sí, échame un poco de vodca* – concordou.

O barman pareceu ter ficado feliz com a resposta e virou-se para preparar o drinque. Becker percorreu com os olhos o balcão ornamentado do bar pensando se estava sonhando. Qualquer coisa faria mais sentido do que a verdade. *Sou um professor universitário em uma missão secreta.*

O barman retornou, fez um ligeiro floreio e lhe entregou o drinque.

– *A su gusto, señor.* Mirtilo com um pouco de vodca.

Becker agradeceu e pegou o drinque. Tomou um gole e engasgou-se. *Isso é um pouco?*

CAPÍTULO 38

Hale parou na metade do caminho para a despensa do Nodo 3 e ficou olhando para Susan.

– Algo de errado, Sue? Você me parece estranha.

Susan lutou contra o medo que tomava conta dela. A três metros de distância, o monitor de Hale cintilava.

– Eu estou... estou bem – conseguiu dizer, trêmula.

Hale continuava olhando para ela sem entender.

– Você quer um copo de água?

Susan não conseguiu responder e xingou a si mesma. *Droga! Como pude me esquecer de reduzir o brilho daquele monitor?* Se Hale percebesse que ela havia bisbilhotado seu terminal poderia suspeitar também de que ela conhecia sua verdadeira identidade: North Dakota. Tinha medo de que ele chegasse a extremos para manter aquela informação em segredo.

Susan pensou se deveria correr para a porta. Mas não pôde sequer tentar. Subitamente alguém começou a bater no vidro. Ela e Hale se assustaram. Era Chartrukian. Estava socando o vidro novamente com as mãos suadas. Pela sua expressão, parecia ter visto o fim do mundo.

Hale olhou com cara feia para o SegSis enlouquecido do outro lado do vidro, depois voltou-se para Susan.

– Já volto. Tome algo, você parece pálida. – Ele se virou e saiu.

Susan se recompôs e foi rapidamente até o terminal de Hale. Inclinou-se e ajustou os controles de brilho. O monitor voltou a ficar escuro.

Sua cabeça latejava. Tentou ver o que estava acontecendo lá fora, no salão da Criptografia. Pelo visto, Chartrukian não tinha ido para casa. O jovem SegSis parecia em pânico, contando o que descobrira para Greg Hale. Susan sabia que não importava, pois Greg já sabia de tudo.

Tenho que chegar até Strathmore, pensou. *E rápido*.

CAPÍTULO 39

No quarto 301, Rocío Eva Granada estava nua em frente ao espelho. Aquele era o momento no qual tentara não pensar durante todo o dia. O alemão estava na cama esperando por ela. Ele era o cliente mais gordo que já havia atendido.

Relutantemente, pegou uma pedra gelo que estava no balde de champanhe e esfregou-a em seus mamilos, enrijecendo-os. Esse era seu dom: fazer os homens se sentirem desejados. Era isso que fazia com que eles voltassem. Percorreu com as mãos seu corpo delineado e bronzeado. Esperava que ele agüentasse os três ou quatro anos que ainda precisava trabalhar antes que pudesse parar. O *señor* Roldán ficava com a maior parte de seu pagamento, mas, se não fosse por ele, ela sabia que acabaria como as outras prostitutas, pegando bêbados em Triana. Ao menos seus clientes tinham dinheiro. Nunca batiam nela e se satisfaziam com pouco. Ela colocou sua lingerie, respirou fundo e abriu a porta do banheiro.

Quando Rocío entrou no quarto, o alemão arregalou os olhos. Ela estava usando um robe preto. Sua pele macia, cor de avelã, parecia radiante na luz suave e seus mamilos protuberantes transpareciam sob o tecido leve.

– *Komm doch hierher* – disse ele, avidamente, retirando o roupão e deitando-se de costas.

Rocío deu um sorriso forçado e foi em direção à cama. Olhou discretamente para o enorme alemão. Soltou um risinho de satisfação: ele tinha um pau pequeno.

Ele a segurou e arrancou fora o robe. Seus dedos gorduchos agarravam cada pedaço de seu corpo. Ela se jogou por cima dele, gemendo e esfregando seu corpo, fingindo estar excitada. Quando ele se virou para ficar por cima dela, Rocío ficou com medo de ser esmagada. Tentava encontrar espaço para respirar, torcendo para que aquilo terminasse logo.

– *Sí, sí* – gemeu ela diante das investidas do alemão. Cravou as unhas nas costas dele para demonstrar desejo. Pensamentos aleatórios cruzavam sua mente: as faces dos muitos homens com quem já estivera, tetos que observara durante horas no escuro, o sonho de ter filhos...

Subitamente o corpo do alemão arqueou-se, enrijeceu-se e logo em seguida caiu por cima dela. *Isso é tudo?*, pensou, surpresa e aliviada.

Tentou sair debaixo dele.

– Querido – sussurrou –, me deixa ficar por cima. – Mas o homem não se movia.

Ela moveu seus braços e empurrou seus ombros carnudos.

– Querido, eu... eu não estou conseguindo respirar! – Começou a ficar tonta, sem ar. Sentiu uma pressão enorme sobre seus quadris, como se fossem quebrar. – *¡Despiértate!* – Seus dedos instintivamente começaram a puxar os cabelos do homem. – *Acorda, vamos!*

Foi então que ela sentiu um líquido quente e gosmento. Estava impregnado nos cabelos dele, escorria pelas bochechas dela, caindo em sua boca. Tinha um gosto salgado. Ela se remexeu vigorosamente sob o peso do homem. Acima dela, um estranho raio de luz iluminou o rosto contorcido do alemão. O buraco de bala em sua testa fazia o sangue jorrar sobre ela. Tentou gritar, mas não havia ar em seus pulmões. O peso do homem era esmagador. Já meio delirante, ela se arrastou em direção ao raio de luz que vinha da porta. Viu uma mão. Uma arma com silenciador. Um clarão. Depois não viu mais nada.

CAPÍTULO 40

Do lado de fora do Nodo 3, Chartrukian parecia desesperado. Estava tentando convencer Hale de que o TRANSLTR estava com problemas sérios. Susan passou correndo por eles com uma única coisa em mente – encontrar Strathmore.

O SegSis, em pânico, segurou o braço de Susan.

– Senhorita Fletcher! Temos um vírus! Eu tenho certeza absoluta! Você tem que...

Susan soltou seu braço com um puxão e olhou para ele, enfezada.

– Achei que o comandante tivesse dito para você ir para casa.

– Mas e o monitor de execução?! Está registrando 18 horas...

– O comandante Strathmore disse que você deveria ir para casa!

– Foda-se Strathmore! – gritou Chartrukian, suas palavras ressoando pelo domo.

Uma voz grave ecoou, vinda de cima:

– Sr. Chartrukian?

Os três funcionários da Criptografia pararam, congelados. Strathmore estava de pé na plataforma de metal que ficava do lado de fora e um pouco acima de seu escritório.

Por alguns instantes, o único som dentro do domo era o zumbido grave e cíclico dos geradores abaixo do solo. Susan tentou desesperadamente atrair o olhar de Strathmore. *Comandante! Hale é North Dakota!*

Mas Strathmore olhava fixamente para o jovem SegSis. Ele desceu a escada sem piscar, encarando Chartrukian o tempo todo. Atravessou o salão da Criptografia e parou a 15 centímetros do técnico, que agora tremia visivelmente.

– *O que* você disse?

– Senhor, o TRANSLTR está com problemas – disse Chartrukian, gaguejando.

– Comandante? – interrompeu Susan. – Será que eu poderia...

Strathmore fez sinal para que ela se calasse. Seus olhos continuavam fixos no SegSis.

Phil continuou, atrapalhando-se com as palavras:

– Temos um arquivo infectado, senhor. Eu tenho certeza!

O rosto de Strathmore ficou vermelho.

– Senhor Chartrukian, já tivemos essa conversa. *Não há* arquivo algum infectando o TRANSLTR!

– Sim, há algo lá! – insistiu o outro. – E se conseguir abrir caminho até o banco de dados principal....

– E onde está esse arquivo infectado? – rugiu Strathmore. – Mostre-me!

Chartrukian hesitou:

– Não posso.

– Claro que não! O arquivo não existe!

Susan fez outra tentativa.

– Comandante, eu preciso...

Novamente, Strathmore fez um sinal ríspido para que se calasse.

Susan olhava para Hale, nervosa. Ele parecia estar observando tudo com um ar superior e distante. *Faz sentido*, pensou ela. *Hale não estaria preocupado com um vírus. Ele sabe o que está acontecendo de fato dentro do TRANSLTR.*

Chartrukian era persistente.

– O arquivo infectado *existe*, senhor. Mas o Gauntlet não o pegou.

– Se o Gauntlet não o pegou, como você pode saber que ele existe? – disse Strathmore, enfurecido.

Chartrukian respondeu, agora mais confiante:

– Cadeias de caracteres mutantes, senhor. Fiz uma análise completa e encontrei cadeias de caracteres mutantes.

Susan podia entender agora por que o técnico estava tão preocupado. *Cadeias de caracteres mutantes*, pensou. Seqüências de códigos de programação capazes de corromper dados de formas extremamente complexas. Eram muito comuns em vírus de computador, em particular nos vírus que alteravam grandes blocos de dados. Susan também sabia, pelo que Tankado havia dito no e-mail, que as cadeias de caracteres mutantes encontradas por Chartrukian eram inofensivas e faziam parte do código do Fortaleza Digital.

O SegSis foi em frente.

– Quando encontrei as cadeias pela primeira vez, senhor, pensei que os filtros do Gauntlet haviam falhado. Mas então executei alguns testes e descobri que... – ele fez uma pausa, sentindo-se bastante constrangido. – Eu descobri que alguém havia ordenado *manualmente* que o Gauntlet fosse contornado.

Sua última declaração gerou um profundo silêncio. O rosto de Strathmore ficou mais vermelho ainda. Não havia dúvida sobre quem Chartrukian estava acusando. Em toda a Criptografia, apenas o terminal de Strathmore possuía o nível de acesso necessário para ordenar que os filtros do Gauntlet fossem contornados.

Então com voz gélida e cortante, Strathmore falou:

– Senhor Chartrukian, isso definitivamente não é problema seu, mas fui *eu* que ordenei que o Gauntlet fosse contornado – continuou, no limite da irritação, quase perdendo o controle. – Como lhe disse antes, estou executando um diagnóstico muito avançado. As cadeias de caracteres mutantes que você está vendo no TRANSLTR são parte desse diagnóstico. Estão lá porque *eu* as coloquei lá. O Gauntlet não permitiu que eu carregasse o arquivo, então ordenei que seus filtros fossem contornados. – O olhar de Strathmore concentrou-se sobre Chartrukian como um par de lasers. – Há algo mais que você queira dizer antes de partir?

Agora tudo estava claro para Susan. Quando Strathmore baixou da Internet o algoritmo encriptado do Fortaleza Digital e tentou usar o TRANSLTR para decodificá-lo, as cadeias de caracteres mutantes ativaram os filtros do Gauntlet. Ansioso para saber se o Fortaleza Digital era realmente indecifrável ou não, Strathmore decidiu contornar os filtros.

Em uma situação normal, ordenar que o Gauntlet fosse contornado era impensável. Naquele caso específico, contudo, não havia perigo algum, pois o comandante sabia exatamente o que era o arquivo e de onde vinha.

– Com todo o respeito, senhor, nunca ouvi falar de um diagnóstico que utilize cadeias de caracteres mutan... – protestou Chartrukian.

– Comandante, eu realmente preciso... – interrompeu Susan, ansiosa para ter uma oportunidade de conversar a sós com ele.

Desta vez suas palavras foram cortadas pelo som agudo do celular de Strathmore. O comandante pegou o aparelho.

– Quem é? – gritou. Depois ficou em silêncio e ouviu o que estavam dizendo do outro lado da linha.

Susan esqueceu-se de Hale por alguns instantes. Ela desejava que fosse David ligando. *Diga-me que ele está bem. Diga-me que encontrou o anel!* Mas Strathmore viu seu olhar e balançou discretamente a cabeça. Não era David.

Susan sentiu-se desmoronar. Tudo que ela queria saber era se o homem que amava estava a salvo. Strathmore – ela supunha – estava impaciente por outras razões: se David demorasse muito, ele teria que mandar reforços: agentes da NSA. Era um jogo que ele certamente queria evitar.

– Comandante? – disse Chartrukian, com urgência em sua voz. – Eu realmente acho que deveríamos verificar...

– Só um instante – disse Strathmore à pessoa do outro da linha. Cobriu o fone e lançou um olhar feroz para o jovem SegSis. – Sr. Chartrukian, esta discussão está terminada. Você deve sair da Criptografia. *Agora*. Isto é uma ordem – vociferou.

Chartrukian ficou paralisado.

– Mas, senhor, as cadeias de caracteres mut...

– AGORA! – berrou Strathmore.

Chartrukian olhou para ele por um segundo, sem fala. Depois saiu furioso na direção do laboratório de SegSis.

Strathmore então virou-se e olhou para Hale com curiosidade. Susan entendeu por que o comandante estava tão espantado. Hale havia ficado absolutamente quieto. Demasiadamente quieto, na verdade, embora soubesse muito bem que não havia nenhum diagnóstico que usasse cadeias de caracteres mutantes, muito menos um que pudesse manter o TRANSLTR ocupado durante 18 horas. Ainda assim, Hale não havia emitido um som. Parecia completamente indiferente àquela agitação toda. Strathmore obviamente estava pensando *por quê*. E Susan tinha a resposta.

– Comandante, se eu pudesse falar com o senhor – insistiu ela.

– Me dê apenas um minuto – respondeu, ainda olhando para Hale com curiosidade. – Preciso responder a essa chamada. – Em seguida, foi para o seu escritório.

Susan chegou a abrir a boca, mas as palavras ficaram presas na ponta da língua. *Hale é North Dakota!* Ela ficou em pé, dura, incapaz de respirar. Sentiu que Hale a olhava. Virou-se. Ele deu um passo para trás e fez um gesto gentil, apontando para a porta do Nodo 3.

– As damas primeiro, Sue.

CAPÍTULO 41

Dentro de um armário de limpeza no terceiro andar do Alfonso XIII, uma arrumadeira jazia inconsciente no chão. O homem com óculos de armação de metal estava recolocando uma chave-mestra no bolso dela. Ele não havia ouvido seu grito quando a atingiu, nem poderia: era surdo desde os 12 anos.

Ele colocou a mão no pequeno dispositivo retangular que carregava em seu cinto com uma espécie de reverência. Aquela máquina, que tinha sido um presente de um cliente, havia mudado sua vida. Agora podia ser contactado em qualquer parte do mundo. Todas as comunicações chegavam até ele instantaneamente e era impossível rastreá-las.

Ficou satisfeito quando ativou a unidade e a tela embutida em seus óculos voltou a ser exibida. Mais uma vez seus dedos fizeram pequenos gestos no ar e ele começou a inserir os dados.

Como sempre, havia anotado o nome de suas vítimas – era uma informação fácil de obter, bastava procurar dentro de uma carteira ou bolsa. As letras surgiram nas lentes de seus óculos como se flutuassem no ar.

ALVO: ROCÍO EVA GRANADA – ELIMINADA
ALVO: HANS HUBER – ELIMINADO

Lá embaixo, David Becker pagou sua conta e andou pelo saguão do hotel, segurando o copo com o que sobrara do seu drinque. Foi até a varanda pegar um pouco de ar fresco. *Entrar e sair*, pensou consigo mesmo. As coisas não tinham acontecido como esperava. Tinha uma decisão a tomar: deveria desistir e voltar para o aeroporto? *Uma questão de segurança nacional.* Ele praguejou. *Por que, então, enviaram um professor universitário?*

Becker certificou-se de que o barman não podia vê-lo e jogou o resto do drinque em um jarro com jasmins. A vodca o deixara ligeiramente tonto. *A pessoa mais fácil de embebedar de todos os tempos*, Susan costumava dizer. Encheu o pesado copo de cristal em um bebedouro e tomou um longo gole de água.

Esticou-se algumas vezes, tentando expulsar o leve torpor que tomara conta dele. Então deixou o copo em um canto e atravessou o saguão.

Quando passou pelo elevador, suas portas se abriram. Havia um homem dentro. Tudo que Becker viu foram óculos de metal com grossas lentes. O homem pegou um lenço e assoou o nariz. Becker sorriu educadamente e andou em direção à porta, saindo do hotel para o calor sufocante da noite de Sevilha.

CAPÍTULO 42

Dentro do Nodo 3, Susan andava freneticamente de um lado para o outro. Queria ter denunciado Hale quando teve oportunidade.

Ele sentou-se em seu terminal.

– O estresse mata, Sue. Você quer desabafar?

Susan fez um esforço e sentou-se. Ela achava que, a essa altura, Strathmore já teria terminado a ligação e estaria vindo falar com ela, mas ele não apareceu. Olhou para o terminal, tentando manter a calma. O *tracer* ainda estava sendo executado. Já não importava mais, pois ela sabia qual o endereço que o programa encontraria: GHALE@cripto.nsa.gov.

Susan olhou de relance para o terminal de Hale. Ela não podia esperar mais, era melhor interromper a ligação do comandante. Levantou-se e foi andando em direção à porta.

Hale pareceu não se sentir muito confortável com esse comportamento estranho de Susan e também se levantou, chegando à porta antes dela. Cruzou os braços e ficou no meio do caminho, bloqueando a saída.

– Susan, me diga o que está acontecendo – ele perguntou. – Tem alguma coisa anormal aqui hoje. O que é?

– Deixe-me sair – disse Susan, da forma mais tranqüila possível, embora estivesse se sentindo ameaçada.

– Vamos, me conte – insistiu Hale. – Strathmore praticamente demitiu Chartrukian por estar fazendo seu trabalho. O que está rodando dentro do TRANSLTR? Não temos nenhum diagnóstico que demore 18 horas. Isso é besteira e você sabe disso. Então me diga o que está acontecendo.

Susan olhou para Hale, possessa. *Você sabe muito bem o que está acontecendo!*

– Saia da frente, Greg – exigiu. – Preciso ir ao banheiro.

Hale sorriu ironicamente. Ficou parado por algum tempo, depois abriu caminho. – Está bem, Sue. Só estou tentando entender...

Susan abriu caminho e saiu do Nodo 3. Quando passou pela porta de vidro, pôde sentir os olhos de Hale acompanhando seus passos.

Contrariada, dirigiu-se ao banheiro. Seria preciso fazer um desvio antes de chegar até o comandante Strathmore.

CAPÍTULO 43

Chad Brinkerhoff tinha 45 anos. Bem-vestido, bem-cuidado e bem-informado, fazia o tipo dinâmico e animado. Sua pele bronzeada, assim como o terno impecavelmente passado, não tinha uma ruga. Seus cabelos eram louros e cheios – todos seus! –, e seus olhos, de um azul brilhante, sutilmente realçados pelo pequeno artifício das lentes de contato coloridas.

Chad estava sentado, olhando para seu escritório e pensando que sua carreira na NSA já tinha chegado ao auge. A sala dele ficava no nono andar, conhecido como Mahogany Row, a "ala de mogno", por seus escritórios luxuosos com móveis e estantes de madeira. A ala da diretoria.

Era o fim da tarde de sábado, e Mahogany Row estava quase deserta. Seus executivos já tinham saído há muito tempo e deviam estar se divertindo com um desses passatempos que as pessoas influentes adoram. Brinkerhoff sempre sonhou com um cargo "de verdade" na agência, mas acabou se tornando um "assistente pessoal", que era o nome oficial para o cargo de puxa-saco na impiedosa corrida pela ascensão política. O fato de estar trabalhando lado a lado com o homem mais poderoso de toda a comunidade de inteligência americana não era grande consolo. Brinkerhoff havia se graduado com honras em Andover e Williams, mas lá estava ele, na meia-idade, sem nenhum poder real, nenhum desafio verdadeiro. Passava seus dias organizando a agenda de outra pessoa.

◆◆◆

Naturalmente o cargo de assistente pessoal do diretor lhe trazia alguns privilégios. Brinkerhoff tinha um escritório luxuoso, bem como acesso a todos os departamentos da NSA e uma certa notoriedade por conta das pessoas com quem andava. Executava tarefas corriqueiras para aqueles que ocupavam os mais altos escalões do poder. No fundo, Brinkerhoff sabia que havia nascido para ser assistente. Era suficientemente inteligente para anotar o que fosse importante, bonito o bastante para conduzir as entrevistas coletivas e adequadamente preguiçoso para se contentar com isso.

O suave toque de seu relógio marcou o fim de mais um dia de sua existência patética. *Droga*, pensou. *Cinco da tarde de sábado. Que diabos estou fazendo aqui?*

– Chad? – o rosto de uma mulher apareceu em sua porta.

Brinkerhoff olhou para ela. Era Midge Milken, a analista de segurança interna de Fontaine. Tinha 60 anos, era gordinha e, para espanto de Brinkerhoff, bastante sedutora. Uma eterna namoradeira, já tendo sido casada três vezes, Midge transitava pelas seis salas da ala da diretoria com um ar atrevido. Era inteligente, tinha uma enorme intuição, trabalhava muito e diziam que nem mesmo Deus conhecia melhor o funcionamento interno da NSA.

Mas que coisa!, pensou Brinkerhoff, admirando o vestido de caxemira cinza que ela estava usando. *Ou estou ficando mais velho ou ela parece mais jovem.*

– Aqui estão os relatórios semanais – disse Midge, sorrindo e lhe mostrando um maço de papel. – Você precisa conferir os valores.

Brinkerhoff percorreu o corpo dela com um olhar indiscreto.

– Observando daqui me parece que está tudo em cima.

– Fala sério, Chad – respondeu, rindo. – Eu poderia ser sua mãe.

Nem me faça lembrar disso, pensou ele.

Midge entrou e ficou de pé ao lado de sua mesa.

– Estou de saída, mas o diretor quer que estes dados estejam compilados quando voltar da América do Sul. Ou seja, segunda bem cedo. – Deixou as folhas impressas sobre a mesa.

– Ei, por acaso fui transferido para a contabilidade?

– Não, querido, você é um animador de cruzeiros marítimos. Achei que já tinha percebido.

– Então por que tenho que lidar com todos esses números?

Ela passou a mão carinhosamente nos cabelos dele.

– Você disse que queria ter mais responsabilidades. Aí estão elas.

Olhou-a com uma cara triste.

– Midge... minha vida é um grande vazio.

Ela apontou para o papel e disse:

– *Esta* é sua vida, Chad Brinkerhoff. – Depois olhou para ele e falou com uma voz meiga: – Mais alguma coisa que eu possa fazer antes de sair?

Chad fez cara de cachorro abandonado e esticou o pescoço para um lado e para o outro.

– Meus ombros estão tensos, sabe?

– Você quer uma aspirina? – Midge não se alterou.

– Não vou ganhar uma massagem? – perguntou, amuado.

– A revista *Cosmopolitan* diz que dois terços das massagens nos ombros terminam em sexo – sacudiu a cabeça.

Brinkerhoff respondeu, indignado:

– Mas as *nossas* nunca terminam!

– Exatamente – retrucou Midge com uma piscadela. – Este é o problema.

– Midge...

– Boa noite, Chad – ela interrompeu, andando em direção à porta.

– Você realmente vai embora?

– Você sabe que eu ficaria, mas ainda tenho *algum* orgulho. Sabe, odeio servir de estepe. Sobretudo para uma adolescente.

– Minha esposa *não* é uma adolescente! – defendeu-se Brinkerhoff. – Ela apenas age como se fosse uma.

Midge respondeu com um tom irônico:

– Ah, não estava falando de sua esposa. – Piscou os olhos para realçar a ironia. – Estava falando de *Carrrmen*. – Pronunciou o nome com um forte sotaque porto-riquenho.

Brinkerhoff engasgou.

– Quem?

– Carmen. Aquela moça que trabalha na cantina.

Ele corou. Carmen Huerta era uma chef de 27 anos que trabalhava na cantina da NSA. Brinkerhoff havia passado várias horas – supostamente secretas – divertindo-se com ela no estoque, após o expediente.

Midge deu uma piscadela maldosa.

– Lembre-se, Chad... O Big Brother tudo sabe, tudo vê.

Big Brother? Brinkerhoff engoliu em seco. *Então o Big Brother também vigia o estoque?*

O Big Brother era um Centrex 333 que ficava em um canto ao lado da sala principal da ala dos diretores. Era o universo de Midge. Recebia dados de 148 câmeras de vídeo internas, 399 portas eletrônicas, 377 escutas telefônicas e 212 pontos de escuta espalhados por todo o complexo da NSA.

Os diretores da NSA haviam aprendido, da pior forma, que 26 mil funcionários não eram apenas um grande trunfo, mas também um grande perigo. Todos os vazamentos de informação na história da NSA tinham partido de dentro. Como analista de segurança interna, o trabalho de Midge era vigiar tudo que acontecia dentro da agência. Inclusive, pelo que Chad acabara de descobrir, aquilo que acontecia dentro do estoque da cantina.

Brinkerhoff se levantou para tentar se defender, mas Midge já havia passado da porta e estava se preparando para ir embora.

– Mantenha as duas mãos *sobre* a mesa – ela disse, sem se virar. – Não faça nada estranho depois que eu sair. Lembre-se de que as paredes têm olhos.

Ele se sentou e ficou ouvindo o ruído dos saltos dela se afastando ao longo do corredor. Pelo menos sabia que Midge não iria contar a ninguém. Ela também tinha suas pequenas fraquezas, incluindo algumas sessões de massagem nos ombros de Brinkerhoff.

Pensou em Carmen. Lembrou-se de seu corpo macio com pernas morenas e firmes e da salsa quente de San Juan que ela gostava de ouvir no rádio, no volume máximo. Ele sorriu. *Quem sabe não faço uma boquinha quando terminar aqui?*

Olhou para o primeiro relatório impresso.

CRIPTOGRAFIA – PRODUÇÃO / GASTOS

Relaxou. Midge havia lhe dado um presente. O relatório da Criptografia era sempre trivial. Tecnicamente, ele deveria compilar todos os dados, mas a única coisa que interessava ao diretor era o CMD – Custo Médio por Desencriptação. O CMD representava o valor estimado gasto pelo TRANSLTR para quebrar cada um dos códigos. Contanto que esse número ficasse abaixo de mil dólares, Fontaine não se importava. *Mil pratas por corrida.* Brinkerhoff sorriu. *É nosso dinheiro de impostos circulando.*

Começou a percorrer os números, verificando os CMDs diários, enquanto imagens de Carmen Huerta lambuzada de mel e açúcar de bolo começaram a passar em sua mente. Trinta segundos depois já estava quase no final. Os dados da Criptografia estavam perfeitos, como sempre.

Contudo, pouco antes de passar para o próximo relatório, uma coisa chamou sua atenção. No final da folha havia um CMD bem estranho. O número era tão grande que havia ultrapassado a largura da coluna e invadido a próxima, transformando a página em um caos visual. Brinkerhoff olhou para o valor, atônito.

999.999.999? Levou um susto. *Um bilhão de dólares?* As imagens de Carmen se foram. *Um código de um bilhão de dólares?*

Brinkerhoff ficou sentado, paralisado, por alguns segundos. Depois, em um surto de pânico, saiu a toda pelo corredor.

– Midge, volte aqui!

CAPÍTULO 44

Phil Chartrukian havia voltado ao laboratório de SegSis. Furioso, as palavras de Strathmore ecoavam em sua mente: *Saia agora! Isto é uma ordem!* Ele chutou uma lata de lixo e ficou praguejando no laboratório vazio.

– Papo-furado essa história de diagnóstico! Desde quando o vice-diretor decide contornar os filtros do Gauntlet?

Os SegSis eram bem pagos para proteger os computadores na NSA, e Chartrukian tinha aprendido que só havia dois requisitos fundamentais para o cargo: ser absolutamente brilhante e completamente paranóico.

Droga, continuou, irritado, *isso não é paranóia! A merda do ExeMon já está em 18 horas!*

Era um vírus. Seus instintos lhe diziam isso. Para ele, estava bem claro o que tinha acontecido: Strathmore havia cometido um erro ao contornar os filtros e agora estava tentando livrar sua cara com essa história mal contada de "diagnóstico".

Chartrukian não estaria tão preocupado se o TRANSLTR fosse a única coisa em jogo, mas não era. Apesar de sua imponência, o grande gigante decodificador não estava sozinho. Ainda que os criptógrafos acreditassem que o Gauntlet havia sido construído com o único objetivo de proteger a máquina suprema da decodificação, os SegSis sabiam que a verdade era um pouco mais complexa. Os filtros do Gauntlet serviam a um deus muito superior: o banco de dados central da NSA.

Chartrukian tinha um fascínio particular pela história por trás da construção do banco de dados. Apesar dos esforços do Departamento de Defesa para manter a Internet apenas para seu uso interno, no final dos anos 1970 ela era uma ferramenta tão útil que não podia deixar de atrair universidades e empresas. As universidades foram as primeiras a conseguir um espaço na rede, e pouco depois vieram os servidores comerciais. Os portões se abriram e o público entrou em massa. No início dos anos 1990, a Internet, que já havia sido uma rede segura do governo, havia se transformado em uma selva congestionada de e-mails, ciberpornografia e sites pessoais.

Após algumas invasões não divulgadas, mas altamente desastrosas, aos computadores do Escritório de Inteligência Naval, ficou claro que os segredos do governo americano não estavam mais a salvo em computadores que estivessem conectados à sempre crescente Internet. O presidente dos EUA, em conjunto com o Departamento de Defesa, aprovou um decreto secreto para financiar uma nova rede governamental totalmente segura, destinada a substituir a já corrompida Internet e a funcionar como elo entre as agências de inteligência do governo norte-americano. Para prevenir novos furtos de segredos governamentais armazenados em computadores, todos os dados importantes foram transferidos para uma única localização altamente secreta: o recém-construído banco de dados da NSA, o "Forte Knox" dos dados de inteligência norte-americanos.

Literalmente, milhões de fotos, gravações, documentos e vídeos secretos foram digitalizados e transferidos para essa imensa central de armazenamento e, depois, as cópias físicas foram destruídas. O banco de dados era protegido por uma camada tripla de *no-breaks*, que garantiam energia permanente, e por um sistema com redundância múltipla para manutenção de cópias de segurança dos dados. Para protegê-lo de campos magnéticos e de possíveis explosões, ele foi colocado em um subterrâneo, 70 metros abaixo da superfície. As atividades dentro da sala de controle eram designadas como *Top Secret Umbra* – o mais alto grau de segurança dos Estados Unidos.

Os segredos do país estavam mais seguros do que nunca. Esse banco de dados inexpugnável continha projetos de armas avançadas, listas do programa de proteção a testemunhas, codinomes dos agentes secretos, análises militares e detalhes de propostas para operações de inteligência, entre outras coisas. Não haveria mais invasões de hackers que pudessem criar problemas para os serviços de inteligência americanos.

Por outro lado, é claro que os dados armazenados só tinham valor se pudessem ser acessados. O verdadeiro desafio em relação ao banco de dados da NSA não era concentrar e proteger os dados secretos, mas garantir que só pudessem ser acessados pelas pessoas certas. Todas as informações armazenadas possuíam uma classificação de segurança e, de acordo com o nível da classificação, eram acessadas por membros do governo de forma compartimentalizada. Um comandante de submarino podia acessar os dados para ver as fotos mais recentes dos portos da Rússia, mas não teria acesso, por exemplo, aos planos de uma missão contra os cartéis de drogas da América do Sul. Os analistas da CIA poderiam acessar os dados de assassinos já fichados, mas não teriam acesso aos códigos de lançamento de mísseis nucleares, que eram exclusivos do presidente.

Os SegSis naturalmente não possuíam acesso às informações do banco de dados, mas eram responsáveis por sua segurança. Como todos os bancos de dados – de companhias de seguros aos de universidades –, o da NSA estava constantemente sob ataque de hackers que tentavam acessar os segredos armazenados nele. Contudo, os programadores de sistemas de segurança da NSA eram os melhores do mundo. Ninguém jamais havia invadido o banco de dados da agência, e a NSA não acreditava que isso um dia fosse acontecer.

◆◆◆

Dentro do laboratório de SegSis, Chartrukian, angustiado, não conseguia decidir se devia ou não partir. Um problema com o TRANSLTR significava também um problema com o banco de dados, e a total falta de preocupação de Strathmore era perturbadora.

O TRANSLTR e o banco de dados central da NSA estavam intrinsecamente conectados. Uma vez decifrados, os códigos eram enviados, através de um cabo de fibra ótica de 400 metros, da Criptografia para o banco de dados da agência, onde seriam armazenados. O local sagrado de armazenamento de dados tinha poucas portas de entrada e o TRANSLTR era uma delas. O Gauntlet era o guardião supostamente intransponível deste portal. Só que Strathmore havia aberto o portal.

Chartrukian podia sentir seu coração acelerado. O *TRANSLTR está rodando o mesmo código há 18 horas!* A idéia de que um vírus de computador pudesse entrar no supercomputador e percorrer livremente os porões da NSA era intolerável.

Tenho que relatar isso!, decidiu.

Em uma situação como essa, Chartrukian sabia que só havia uma pessoa para a qual ligar: o oficial sênior de SegSis da NSA, o irritadiço guru de informática de 180 quilos que havia construído o Gauntlet. Seu apelido era Jabba. Ele era um semideus na NSA: percorria os corredores, furioso, pondo fim a crises no mundo virtual e amaldiçoando a fraqueza de pensamento dos ineptos e ignorantes. Quando Jabba soubesse que Strathmore havia permitido que os filtros do Gauntlet fossem contornados, os portões do inferno iriam se abrir. *Azar*, pensou ele, *esse é um trabalho que precisa ser feito*. Pegou o telefone e discou para o celular de Jabba, ligado 24 horas por dia.

CAPÍTULO 45

David Becker vagou sem destino pela Avenida del Cid, tentando pensar. Chutava pedrinhas no chão enquanto andava. Ainda estava um pouco tonto por causa da vodca. Nada em sua vida parecia estar em foco naquele momento. Não parava de pensar em Susan, sem saber se ela já teria ou não ouvido sua mensagem na secretária eletrônica.

Alguns metros à frente, um ônibus de Sevilha parou ruidosamente em seu ponto. Becker levantou os olhos. As portas do ônibus se abriram, mas ninguém saiu. O motor a diesel voltou a roncar, mas, quando o ônibus estava começando a acelerar, três adolescentes saíram de um bar na rua e foram atrás dele gritando e gesticulando. O motorista parou e os garotos subiram rapidamente.

De onde estava, Becker observou, pasmo. Seus olhos estavam novamente focados, mas seu cérebro insistia que aquilo que via era impossível. Uma chance em um milhão.

Estou alucinando.

Quando as portas do ônibus se abriram, os rapazes se juntaram em torno dela para subir. Becker olhou de novo e, desta vez, teve certeza. Claramente iluminada pela luz de um poste ele viu a garota.

Os passageiros entraram e o motorista deu novamente a partida. Becker saiu em disparada com aquela estranha imagem fixada em sua mente – batom preto, sombra escura em torno dos olhos e o cabelo fixado com gel em três pontas rígidas: vermelho, branco e azul.

O ônibus começou a se mover enquanto Becker corria alucinadamente pela rua envolto em uma nuvem de monóxido de carbono.

– Espera! – gritou.

Os sapatos de Becker escorregavam no asfalto. Infelizmente, parecia ter perdido a incrível habilidade que demonstrava no squash. Seu cérebro estava tendo problemas para controlar os pés. Ele se desequilibrou. Amaldiçoou o barman do hotel e o *jet lag*.

O ônibus era um dos velhos modelos a diesel ainda em circulação e, para sorte de Becker, a primeira marcha era longa e penosa para o motor. Ele sentiu que estava se aproximando. Tinha que alcançar o ônibus antes que o motorista passasse a segunda.

O cano de descarga cuspiu uma nuvem densa de fumaça quando o motorista acelerou, preparando-se para trocar de marcha. Becker tentou correr mais rápido. Quando estava quase tocando o pára-choque traseiro, moveu-se para a direita, ficando ao lado do ônibus. Agora podia ver as portas traseiras. Como em quase todos os ônibus de Sevilha, estavam abertas: ventilação barata.

Fixou os olhos na porta e ignorou a sensação de queimação nas pernas. Os pneus estavam a seu lado, girando cada vez mais rápido. Tentou agarrar a barra de segurança da porta, mas errou e quase caiu. Correu ainda mais rápido. Ouviu o barulho da caixa de marchas sendo acionada.

Ele vai passar a segunda! Não vou conseguir!

Mas, quando o giro do motor caiu enquanto a embreagem era pressionada, o ônibus perdeu um pouco de velocidade. Becker pulou. O motorista soltou a embreagem pouco depois de ele ter conseguido segurar a barra metálica. O ombro de Becker quase foi deslocado quando o motor tomou força novamente. Ele foi jogado para dentro do ônibus.

◆◆◆

Becker estava estirado no chão do ônibus. Todo aquele esforço tinha feito com que a vodca se dissipasse em seu organismo. Sentia dores nas pernas e no ombro. Com dificuldade ficou de pé e começou a andar dentro do ônibus escuro. Naquela multidão de silhuetas, alguns assentos à frente ele podia ver o cabelo peculiar.

Vermelho, branco e azul. Consegui!

Imaginou o anel, o Learjet à sua espera e, no final disso tudo, Susan.

Quando estava quase ao lado do assento da garota, pensando no que iria lhe dizer, o ônibus passou por outro poste, iluminando o rosto dela por alguns instantes.

Becker ficou chocado. A maquiagem estava toda borrada. E não era uma garota, e sim um rapaz. Ele usava um *piercing* no lábio superior, uma jaqueta de couro preto e estava sem camisa.

– Que porra você quer? – perguntou o adolescente, com uma voz grosseira. Seu sotaque era nova-iorquino.

Com a mesma sensação vertiginosa de estar caindo em um poço sem fundo, Becker olhou para os passageiros do ônibus que haviam se voltado para encará-lo. Todos eram punks. Pelo menos a metade usava cabelos pintados de vermelho, branco e azul.

– *Siéntate!* Senta aí! – gritou o motorista.

Becker estava demasiado zonzo para ouvir.

– *Siéntate!* – gritou novamente o motorista.

David olhou, distraído, para o rosto zangado que aparecia no espelho retrovisor. Mas já tinha demorado demais.

Irritado, o motorista deu uma pisada forte no freio, fazendo com que Becker perdesse o equilíbrio. Ele tentou segurar-se em um banco, mas não deu tempo. Por um breve instante pairou no ar. Logo em seguida, contudo, aterrissou com força no chão áspero.

Na Avenida del Cid, uma figura emergiu das sombras. Ajustou seus óculos de armação de metal e olhou para o ônibus que partia. David Becker havia escapado, mas não por muito tempo. De todos os ônibus em circulação em Sevilha, ele havia tomado justamente o infame 27.

A linha 27 tinha um único destino.

CAPÍTULO 46

Phil Chartrukian bateu o fone no gancho. A linha de Jabba estava ocupada. O chefe de SegSis dizia que os serviços de chamada em espera eram uma jogada suja que havia sido inventada pela AT&T para aumentar seus lucros, porque permitiam que todas as chamadas fossem completadas. O mísero tempo gasto com a mensagem "Estou em outra linha, ligarei mais tarde" gerava milhões para as companhias telefônicas a cada ano. A recusa de Jabba em manter um serviço de chamada em espera era sua maneira de protestar contra a imposição da NSA de que andasse, o tempo todo, com um celular para atender às emergências.

Chartrukian virou-se e olhou para o salão deserto da Criptografia. O zumbido dos geradores no subterrâneo parecia mais alto a cada minuto. Ele sentia que o tempo estava se esgotando. Havia recebido ordens diretas para sair, mas o mantra dos SegSis começou a ressoar em sua mente: *aja primeiro, explique depois.*

No campo de alto risco da segurança de sistemas, muitas vezes poucos minutos representavam a diferença entre salvar um sistema ou perdê-lo. Raramente havia tempo para justificar um procedimento de defesa antes de implementá-lo. Os SegSis eram pagos por sua experiência técnica e por seus instintos.

Aja primeiro, explique depois. Chartrukian tinha tomado uma decisão e sabia que, quando a poeira assentasse, haveria apenas duas alternativas: ou ele seria o herói da NSA ou teria que procurar um novo emprego.

O SegSis não tinha dúvida de que o venerável computador estava com um vírus. Só havia, então, uma escolha sensata a fazer: desligar a máquina.

Havia apenas duas formas de desligar o TRANSLTR. Uma era a partir do terminal pessoal do comandante, que estava trancado no escritório dele e, portanto, fora de alcance. A outra era uma chave de desligamento manual localizada em um dos andares no subsolo da Criptografia.

Chartrukian engoliu em seco, pois odiava o subsolo. Só tinha ido lá uma vez durante o treinamento. Era uma espécie de cenário de ficção científica, com suas longas passarelas metálicas, dutos de fréon e uma queda de 40 metros até os geradores no nível mais baixo.

De todos os lugares possíveis, aquele era o último onde desejaria estar, e Strathmore era a última das pessoas que ele desejaria enfrentar; mas seu dever exigia ambas as coisas. *Irão me agradecer amanhã*, pensou, apesar de duvidar seriamente dessa idéia.

Tomou coragem e abriu o armário dos SegSis seniores. Sobre uma prateleira onde havia algumas placas de computador soltas, oculta atrás de um roteador de rede e de um testador de cabos, estava uma caneca com a insígnia de Stanford. Sem tocar a borda, colocou a mão dentro dela e pegou a chave Medeco que estava lá dentro.

É impressionante, pensou, *o quanto o pessoal de Segurança de Sistemas* não *entende* nada *a respeito de segurança.*

CAPÍTULO 47

– **Um código de um bilhão** de dólares? – Midge falou, controlando-se para não rir, enquanto acompanhava Brinkerhoff de volta ao escritório. – Preciso ver isso.

– Eu juro – respondeu ele.

Ela lançou-lhe um olhar dúbio.

– É melhor que isso não seja alguma idéia louca para me passar uma cantada...

– Midge, eu jamais... – disse ele, na defensiva.

– Eu sei, Chad. Não precisa me lembrar.

Poucos segundos depois, Midge estava sentada na cadeira de Brinkerhoff, estudando o relatório da Criptografia.

– Está vendo? – ele disse, passando o braço por cima dela e apontando para o número em questão. – É este CMD aqui. Um bilhão de dólares!

Midge riu.

– De fato parece estar *ligeiramente* acima do normal, não é?

– É, ligeiramente – resmungou Chad.

– Me parece uma divisão por zero.

– Uma o quê?

– Uma divisão por zero – repetiu, enquanto verificava o restante dos dados. – O cálculo do CMD é feito dividindo-se a despesa total pelo número de códigos decifrados.

– Sim, claro – assentiu Brinkerhoff, distante, esforçando-se para não enfiar os olhos dentro do decote de Midge.

– Se o denominador for zero – continuou ela –, o resultado da divisão tende a infinito. E, como computadores odeiam "infinito", eles preenchem os espaços com uma fileira de noves. – Ela apontou para outra coluna. – Você está vendo isso aqui?

– Sim – disse Brinkerhoff, concentrando-se novamente no papel.

– É o total bruto da produção de hoje. Olhe só o número de códigos decifrados.

Brinkerhoff seguiu obedientemente o dedo dela ao longo da coluna.

CÓDIGOS DECIFRADOS = 0

Midge bateu com o dedo sobre o valor.

– Exatamente o que eu pensava. É uma divisão por zero.

Brinkerhoff olhava, espantado.

– Isso quer dizer que está tudo bem?

Ela deu de ombros.

– Quer dizer apenas que não quebramos nenhum código hoje. O TRANSLTR deve estar de folga.

– De folga? – Brinkerhoff olhou para ela, pensando se aquilo era uma ironia. Ele estava trabalhando com o diretor há bastante tempo e sabia que "folgas" não faziam parte de seu vocabulário. Especialmente quando se tratava do TRANSLTR. Fontaine pagou dois bilhões de dólares por aquela formidável máquina de quebrar códigos e queria o maior retorno possível desse investimento. Cada segundo que o supercomputador ficasse parado era como queimar dinheiro.

– Midge, nós dois sabemos que o TRANSLTR não "tira folga". Ele trabalha dia e noite sem parar.

Ela olhou para ele com uma expressão vaga e disse:

– Talvez Strathmore não estivesse com vontade de trabalhar ontem à noite para preparar o lote de arquivos a serem processados no fim de semana. Provavelmente sabia que Fontaine estaria longe e resolveu sair mais cedo para ir pescar.

– Midge, vá com calma. – Brinkerhoff olhou para ela sério. – Deixe o homem em paz.

Todos sabiam que Midge Milken não gostava de Trevor Strathmore. O comandante havia tentado uma jogada esperta ao reescrever o algoritmo Skipjack, mas acabou sendo pego no ato. Apesar de sua iniciativa corajosa e bem-intencionada, a NSA havia pago caro. A EFF ganhou força, Fontaine perdeu credibilidade junto ao Congresso e, pior de tudo, a agência saiu do anonimato. De um instante para outro surgiram donas-de-casa no interior do país reclamando com seus provedores de Internet que a NSA poderia estar lendo seus e-mails. Como se a NSA estivesse preocupada com uma receita secreta para torta de maçã.

O fiasco de Strathmore custou caro à NSA, e Midge se sentia responsável por isso. Não que ela pudesse ter previsto a jogada arriscada do comandante, mas porque uma ação não autorizada havia sido executada bem nas costas de Fontaine. E Midge era paga justamente para proteger essas costas. A atitude um pouco distante do diretor o tornava suscetível, coisa que, por sua vez, deixava Midge tensa. Mas esse era o estilo de Fontaine: ele se afastava e deixava que pessoas com potencial trabalhassem cada uma do seu jeito. Era assim que lidava com Strathmore.

– Midge, você sabe muito bem que Strathmore não está fazendo corpo mole – argumentou Brinkerhoff. – Ele trabalha como um condenado.

Midge assentiu. No fundo ela sabia que acusar Strathmore de negligência não tinha sentido. O comandante era uma das pessoas mais dedicadas que ela conhecia. Tão dedicado, na verdade, que isso havia se tornado um defeito. Ele tomava todos os pecados do mundo como uma cruz pessoal. O plano da NSA para o Skipjack havia sido idéia de Strathmore, uma tentativa extremada de mudar o mundo. Infelizmente, como tantas outras cruzadas divinas, essa também acabou em crucificação.

– Está certo – concordou. – Estou sendo um pouco mais dura do que deveria.

– Um pouco? A fila de arquivos que Strathmore tem para processar é enorme. Ele definitivamente não iria deixar o TRANSLTR parado durante todo o fim de semana.

– Tudo bem, tudo bem. Falei bobagem. – Levantou a sobrancelha e ficou pensando por que o TRANSLTR não teria quebrado nenhum código durante todo o dia. – Deixa eu ver uma coisa – disse ela, e começou a vasculhar as páginas do relatório. Encontrou o que estava procurando e examinou os números. – Você tem razão, Chad. O TRANSLTR está funcionando a pleno vapor. Na verdade o consumo de energia está um pouco acima do normal: já passamos de um milhão de quilowatts/hora desde a meia-noite passada.

– Então o que pode estar acontecendo?

– Não sei, nada disso faz sentido – disse ela.

– Você quer recalcular os dados?

Ela o olhou com ar de reprovação. Havia duas coisas a respeito de Midge Milken que não deviam ser questionadas. Uma delas eram seus dados. Brinkerhoff esperou enquanto Midge estudava os números.

– Humm – resmungou ela, após algum tempo. – As estatísticas de ontem estavam normais: 237 códigos foram quebrados. CMD, U$874. Tempo médio por código: cerca de seis minutos. Consumo de energia: na média. Último código a ser enviado para o TRANSLTR... – ela parou.

– O que é?

– Estranho. O último arquivo no histórico de ontem foi submetido às 23h37.

– E daí?

– E daí que o TRANSLTR quebra um código a cada seis minutos, aproximadamente. O último arquivo de cada dia em geral é processado em torno da meia-noite. Definitivamente não parece que... – Midge parou no meio da frase, perplexa.

Brinkerhoff aproximou-se.

– O que foi?

Midge estava olhando para o relatório, boquiaberta.

– Sabe o tal arquivo? O que foi submetido ao TRANSLTR ontem à noite?

– Sim?

– Ainda não foi quebrado. Foi submetido às 23:37:08, mas não há *nenhum* horário de decodificação. – Midge revirou algumas páginas. – Nem ontem nem hoje!

Brinkerhoff continuava sem entender.

– Talvez eles estejam rodando um diagnóstico complexo.

Midge sacudiu a cabeça.

– Complexo o suficiente para tomar *18 horas?* Isso é bem difícil. Além disso, o arquivo veio de fora. Temos que falar com Strathmore.

– Ligar para a casa dele? – assustou-se Brinkerhoff. – Numa noite de sábado?

– Não. Se conheço Strathmore, ele está a par de tudo. Aposto um bom jantar como ele está aqui agora. Apenas um palpite. – Os palpites de Midge eram a outra coisa que nunca devia ser questionada. – Vamos – disse ela, levantando-se. – Vamos ver se estou certa.

◆◆◆

Brinkerhoff seguiu Midge até sua sala, onde ela se sentou diante do Big Brother e começou a digitar sobre os teclados como uma pianista. Ele olhou para a parede onde estavam embutidos monitores de vídeo com legendas. Todas as telas mostravam agora o selo da NSA.

– Você vai espionar a Criptografia? – perguntou, nervoso.

– Infelizmente não posso. A Criptografia é completamente selada. Não temos vídeo nem som. Nada. Ordens de Strathmore. Tudo que tenho são estatísticas de entrada e coisas básicas sobre o TRANSLTR. Na verdade temos sorte por ter *ao menos isso*. Strathmore queria isolamento total, mas Fontaine insistiu no básico.

Brinkerhoff continuava um pouco perplexo.

– A Criptografia não tem monitoração por vídeo?

– Por quê? – perguntou ela, sem tirar os olhos de seu monitor. – Você e Carmen estão procurando um local mais discreto?

Brinkerhoff resmungou algo incompreensível, enquanto Midge digitava.

– Estou verificando os registros do uso do elevador de Strathmore. – Ela observou sua tela por alguns instantes e depois deu um tapinha na mesa com o dedo. – Ele está aqui – disse, confiante. – Está na Criptografia neste exato instante. Olha só. Isso é que é um plantão... ele chegou ontem de manhã, bem cedo, e não entrou de novo no elevador desde então. Não há qualquer registro do cartão magnético dele no portão principal. Então ele está lá, com toda a certeza.

Brinkerhoff soltou um suspiro de alívio.

– Bem, se Strathmore está lá, isso quer dizer que está tudo bem, certo?

Midge pensou um pouco.

– Talvez.

– Como assim, "talvez"?

– Melhor ligarmos para verificar.

– Midge, ele é o vice-diretor. Com certeza tem a situação sob controle. Não vamos nos precipitar e... – resmungou Brinkerhoff.

– Ora, Chad, deixe de ser infantil. Estamos apenas fazendo nosso trabalho. Temos um ponto fora da curva nas estatísticas e estamos verificando o que está acontecendo. Além disso, é sempre bom lembrar a Strathmore que o Big Brother está vigiando. Isso talvez faça com que ele pense um pouco mais antes de planejar outra de suas aventuras insanas para salvar o mundo.

Midge pegou o telefone e começou a discar. Brinkerhoff estava se sentindo desconfortável com a situação.

– Você tem certeza de que deve perturbá-lo?

– Ah, eu não vou perturbá-lo – disse Midge, passando o fone para ele. – Você vai.

CAPÍTULO 48

– O quê? – Midge bradou, incrédula. – Strathmore teve a ousadia de dizer que nossos dados estão incorretos?

Brinkerhoff disse que sim, enquanto colocava o fone de volta no gancho.

– Ele *negou* que o TRANSLTR esteja parado em um único arquivo durante as últimas 18 horas?

– Na verdade ele foi bem simpático – Brinkerhoff sorria, feliz consigo mesmo por ter sobrevivido àquele telefonema. – Ele me assegurou que o TRANSLTR está funcionando perfeitamente bem. Disse que continua quebrando códigos a cada seis minutos, neste exato momento. E ainda me agradeceu por ter ligado para ver como ele estava.

– Está mentindo – retrucou Midge. – Tenho rodado essas estatísticas sobre a Criptografia nos últimos dois anos. Os dados nunca saíram errados.

– Bem, há sempre uma primeira vez para tudo, suponho – disse ele casualmente.

Ela lançou-lhe um olhar furioso.

– Eu verifico todos os dados *duas vezes*.

– Sim, mas... você sabe o que dizem sobre computadores, não? Mesmo quando erram, eles o fazem de forma consistente!

Midge virou-se e encarou-o de frente.

– Isso não é engraçado, Chad. O vice-diretor acabou de contar uma mentira ridícula para o pessoal do diretor. E eu quero saber por quê!

Brinkerhoff começou a questionar se tinha sido uma boa idéia pedir que ela voltasse. A reação de Strathmore deixou Midge ainda mais intrigada. Desde a história com o Skipjack, sempre que ela tinha a sensação de que algo suspeito estava acontecendo, deixava de ser levemente insinuante para se tornar completamente obsessiva. Não havia nada que a fizesse parar enquanto não resolvesse o assunto, fosse o que fosse.

– Midge, e se os nossos dados estiverem incorretos? – perguntou Brinkerhoff, preocupado. – Pense bem: que tipo de arquivo poderia manter o TRANSLTR ocupado durante 18 horas? Não faz sentido. Vá para casa, já está tarde.

Ela lhe devolveu um olhar altivo, colocando o relatório sobre a mesa.

– Eu confio nos dados. Meus instintos dizem que estão corretos.

Brinkerhoff fechou a cara. Nem mesmo o diretor questionava os instintos de Midge nos últimos tempos – por algum estranho motivo, em geral ela estava certa.

– Há algo de errado e pretendo descobrir o que é – declarou.

CAPÍTULO 49

Becker conseguiu se levantar do chão do ônibus e se jogou em um assento vazio.

– Ei, mandou bem, seu merda. – O rapaz com o corte de cabelo com três pontas para cima falou, zombando dele. Era o garoto que ele havia perseguido até o ônibus. Olhou, desanimado, para o contingente de cabeleiras vermelhas, brancas e azuis.

– Por que esses cabelos? – perguntou Becker, percorrendo com os olhos o interior do ônibus. – Estão todos usando...

– Vermelho, branco e azul? – completou o garoto.

Becker tentou não ficar olhando para a perfuração infeccionada no lábio superior do rapaz.

– Judas Taboo – disse ele.

Becker não tinha idéia de quem fosse.

O punk cuspiu no corredor, claramente desdenhando a ignorância de Becker.

– Quem é Judas Taboo? O maior punk desde Sid Vicious? Estourou os miolos aqui, há um ano. É seu aniversário.

Becker assentiu vagamente, sem compreender o que uma coisa tinha a ver com a outra.

– Taboo tinha pintado seu cabelo assim no dia em que resolveu pular fora. – O garoto cuspiu novamente. – Qualquer fã que se preze está usando o mesmo cabelo hoje.

Durante algum tempo, Becker não disse nada. Lentamente, como se houvesse tomado uma injeção de tranqüilizantes, virou-se e olhou para a frente, examinando o grupo que estava no ônibus. Todos eram punks. A maioria olhava para ele.

Todos os fãs estão usando o mesmo estilo de cabelo hoje.

Becker levantou-se e puxou a corda que sinalizava ao motorista para parar. Estava na hora de se mandar. Puxou novamente. Nada aconteceu. Puxou mais forte. Nada.

– Eles desligam isso na linha 27. – O garoto cuspiu mais uma vez. – Assim não torramos o saco deles.

Becker se virou.

– Quer dizer que não posso descer?

O punk riu.

– Só no final da linha.

Cinco minutos depois, o ônibus seguia por uma estrada sem iluminação, já fora da cidade. David virou-se para o garoto que estava atrás dele.

– Essa coisa vai parar alguma hora?

– Faltam uns quilômetros ainda.

– Para onde estamos indo?

O rosto dele se abriu em um sorriso debochado.

– Você não sabe?

Becker sacudiu os ombros.

O garoto começou a rir histericamente.

– Puta merda, cara, você vai adorar!

CAPÍTULO 50

A apenas alguns metros do TRANSLTR, Phil Chartrukian parou em cima de uma inscrição no chão, em letras brancas:

SUBSOLO DA CRIPTOGRAFIA
SOMENTE PESSOAL AUTORIZADO

Ele definitivamente *não* era parte do "pessoal autorizado". Olhou rapidamente para o escritório de Strathmore. As cortinas continuavam fechadas. Chartrukian havia visto Susan Fletcher saindo na direção dos banheiros, então ela também não seria um problema. A única questão era Hale. O SegSis olhou na direção do Nodo 3 pensando se o criptógrafo estaria observando.

Dane-se, pensou.

Sob seus pés, no chão, as bordas de um alçapão de acesso eram quase invisíveis. Chartrukian pegou a chave que tinha retirado do laboratório de SegSis.

Ajoelhou-se, inseriu a chave em um buraco no chão e girou-a. A fechadura embaixo dele abriu-se com um clique. Então girou a grande trava externa e desbloqueou o acesso. Olhando mais uma vez em volta, nervosamente, agachou-se e puxou a tampa do alçapão. A porta era pequena, com cerca de um metro quadrado, mas pesada. Quando se abriu, o SegSis quase caiu para trás.

Uma lufada de ar quente saiu lá de dentro. O ar tinha o odor peculiar do gás fréon. Pequenas nuvens de vapor saíam pela abertura, iluminadas pela luz vermelha de emergência dos andares inferiores. O zumbido distante dos geradores passou a ser um ruído audível. Chartrukian levantou-se e olhou para dentro da portinhola. Parecia mais um portal do inferno do que uma entrada de manutenção de um computador. Uma escada estreita conduzia até uma plataforma no subsolo. Abaixo desta havia outras escadas, mas tudo que ele podia ver era uma névoa vermelha turbilhonante.

◆◆◆

Greg Hale estava de pé atrás do vidro espelhado do Nodo 3. Ficou observando enquanto Phil Chartrukian descia a escada em direção aos subníveis. De onde Hale estava olhando a cena, parecia que a cabeça do técnico havia sido cortada e deixada sobre o chão da Criptografia. Depois ela sumiu dentro da névoa avermelhada.

Corajoso, esse rapaz, murmurou Hale. Sabia para onde Chartrukian estava indo. Um desligamento manual de emergência do TRANSLTR era uma ação lógica a tomar se ele acreditava que havia um vírus. Infelizmente, também era uma forma de fazer com que a Criptografia se enchesse de técnicos de SegSis cerca de dez minutos depois. Qualquer ação de emergência iria disparar alertas no quadro de monitoração principal. E uma investigação da Criptografia pelo pessoal de SegSis era algo que Hale não podia permitir. Ele deixou o Nodo 3 e dirigiu-se para o alçapão. Precisava impedir Chartrukian de levar a cabo sua tentativa.

CAPÍTULO 51

Jabba se parecia muito com um enorme girino. Assim como o personagem de cinema que lhe valera o apelido, o homem parecia uma esfera careca. Como anjo da guarda residente de todos os sistemas de computadores da NSA, Jabba marchava de um departamento para outro ajustando, fixando, reprogramando e reafirmando sua crença de que a prevenção era o melhor remédio. Nenhum computador da NSA havia sido infectado durante o reinado de Jabba, e ele pretendia que as coisas permanecessem assim.

A base de Jabba era uma sala ligeiramente elevada de onde podia ver o banco de dados subterrâneo e ultra-secreto da NSA. Era lá que um vírus poderia causar o maior estrago e era lá que ele passava a maior parte do tempo. Naquele exato instante, contudo, Jabba estava de folga, comendo calzones na cantina da NSA, aberta 24 horas por dia. Estava a ponto de atacar seu terceiro calzone quanto o celular tocou.

– Manda – ele disse, tossindo enquanto engolia de uma só vez o grande pedaço que estava em sua boca.

– Jabba – falou carinhosamente uma voz feminina. – É Midge.

– Ei! A Rainha dos Dados! – respondeu o grandalhão, animado. Ele tinha um carinho especial por Midge Milken. Ela era inteligente, além de ser a única mulher que Jabba já havia conhecido que flertava com ele. – Como vão as coisas?

– Tudo bem.

Ele limpou a boca.

– Você está na área?

– Sim.

– Quer vir comer um calzone?

– Adoraria, Jabba, mas tenho que vigiar a cintura.

– Sério? – brincou. – Posso vigiar com você?

– Mau menino...

– Você nem faz idéia!

– Que bom que achei você, estou precisando de uns conselhos.

Ele tomou um longo gole de refrigerante.

– Manda ver.

– Pode não ser nada demais, mas tem algo de estranho nas estatísticas que chegaram da Criptografia. Você talvez possa me ajudar.

– O que temos aí? – disse, tomando outro gole.

– Um relatório dizendo que o TRANSLTR está trabalhando sobre o mesmo arquivo há 18 horas e ainda não conseguiu decifrá-lo.

Jabba cuspiu refrigerante por cima do calzone.

– O quê?

– Alguma idéia?

– Que relatório é esse? – perguntou, enquanto tentava secar o calzone com um guardanapo.

– Relatório de produção. Basicamente análises de custo. – Midge explicou rapidamente o que ela e Brinkerhoff haviam encontrado.

– Vocês ligaram para Strathmore?

– Sim, e ele disse que está tudo bem por lá. Segundo ele, nossos dados estão errados e o TRANSLTR está funcionando a pleno vapor.

Jabba passou um dedo em sua testa rechonchuda.

– Bom, qual o problema? Seu relatório está errado. – Midge não respondeu. Jabba entendeu o silêncio. – Você não acha que seja um erro no relatório?

– Isso.

– Então Strathmore estaria mentindo?

– Não é isso – disse Midge, com diplomacia, sabendo que estava pisando num terreno delicado. – Mas essas estatísticas sempre foram exatas. Achei que seria bom ouvir outra opinião.

– Bem, não me sinto feliz por ter que te dar essa notícia, mas acho que seus dados estão equivocados.

– É o que você pensa?

– Poderia apostar meu emprego. – Jabba mordeu uma grande fatia de calzone ainda molhado de refrigerante e continuou falando com a boca cheia. – O tempo mais longo que um arquivo conseguiu resistir dentro do TRANSLTR foi de três horas. E isso inclui diagnósticos, testes de capacidade máxima, tudo o que você possa imaginar. A única coisa que poderia parar aquela máquina durante 18 horas seria um vírus. É a única opção.

– Vírus?

– Sim, algum tipo de código cíclico. Algo que entrasse nos processadores, criasse um *loop* e basicamente parasse a máquina toda.

– Olha, Strathmore está na Criptografia há 36 horas, direto – prosseguiu ela. – Você acha que ele está tentando lidar com um vírus?

Jabba riu.

– Strathmore está lá há 36 horas? Pobre coitado. A mulher dele provavelmente proibiu-o de voltar para casa. Me falaram que ela tem perturbado bastante o sujeito.

Midge pensou um pouco. Ela também tinha ouvido aquela fofoca. Ficou pensando se não estava sendo um pouco paranóica.

– Midge, escuta. – Jabba respirou fundo e tomou outro longo gole. – Se o brinquedinho de Strathmore estivesse com um vírus, ele teria me ligado. O comandante é um crânio, mas não entende nada desse negócio de vírus. O TRANSLTR é tudo para ele. Ao primeiro sinal de problema, ele teria apertado o botão vermelho e, nessa área, isso significa "eu". – Jabba puxou com a boca um pedaço de mozarela. – Além disso, não há a menor chance de que tenha entrado um vírus no TRANSLTR. O Gauntlet é a melhor barreira de filtragem que eu já escrevi. Nada passa por ele.

Depois de um longo silêncio, Midge suspirou.

– Alguma outra possibilidade?

– Sim. Seus dados estão incorretos.

– Você já disse isso.

– Certo.

Ela pensou.

– E você não ouviu nenhum boato? Absolutamente nada?

Jabba riu ruidosamente.

– Midge, olha aqui... Eu sei que aquela história com o Skipjack foi péssima. Strathmore enfiou os pés pelas mãos. Mas sai dessa, já passou, chega. – Houve um outro silêncio longo na linha. Jabba percebeu que tinha ido longe demais. – Desculpe, Midge. Eu sei que sobrou para você naquela história. Strathmore fez besteira, e sei como você se sente em relação a ele.

– Isso não tem nada a ver com o Skipjack – respondeu ela, ríspida.

Tá bom, pensou Jabba.

– Olha, eu não tenho nada contra nem a favor de Strathmore. Para mim, o cara é apenas um criptógrafo e todos são um bando de boçais egocêntricos. Sempre precisam de tudo "para ontem". Cada um dos arquivos em que trabalham é o que vai salvar o mundo.

– Aonde você quer chegar?

– Só estou dizendo que Strathmore é tão maluco quanto todos os outros. Mas também é um sujeito que ama o TRANSLTR acima de tudo, até mais do que a própria mulher. Se houvesse um problema por lá, ele teria me ligado.

Midge ficou em silêncio um longo tempo. Finalmente ela suspirou e disse, relutante:

– Então você quer dizer que meus dados estão errados?

– Temos um eco aí? – Jabba riu.

Ela também riu do outro lado da linha.

– Bom, faz o seguinte. Me manda uma ordem de serviço. Na segunda-feira passo por lá para verificar a máquina. Até lá, sugiro que você vá para casa. Hoje é sábado à noite! Arrume alguém para sair ou algo assim.

Ela suspirou.

– Estou tentando Jabba, juro que estou.

CAPÍTULO 52

O Club Embrujo – "Feiticeiro" – ficava nos subúrbios da cidade, no final da linha do ônibus 27. Parecia-se mais com uma fortificação do que com um clube noturno. Era cercado por um muro alto de cimento no qual haviam sido embutidos cacos de garrafas de cerveja. Era um sistema de segurança primitivo que impedia qualquer um de entrar ilegalmente sem deixar para trás um pedaço da própria carne.

Durante a viagem, Becker chegou à conclusão de que havia falhado. Era hora de ligar para Strathmore e contar-lhe as más notícias. A busca tinha sido em vão. Ele fez o melhor possível, mas estava na hora de voltar para casa.

No entanto, ao olhar para a massa de adolescentes se empurrando para entrar no clube, Becker não tinha mais tanta certeza de que sua consciência lhe permitiria abandonar a busca. Estava olhando para o maior grupo de punks que já vira. Havia cabelos vermelhos, brancos e azuis por toda parte.

Becker avaliou as opções possíveis. Olhando para todos aqueles jovens, pensou: *Onde mais ela poderia estar neste sábado à noite?* Amaldiçoando sua sorte, desceu do ônibus.

A entrada do Club Embrujo era por um corredor estreito de pedras. Assim que se aproximou, foi sugado pelo fluxo de adolescentes se comprimindo para entrar.

– Sai da frente, babaca! – disse uma alfineteira humana, abrindo caminho com uma cotovelada em Becker.

– Ei, bonita gravata. – Alguém deu um puxão na gravata de Becker.

– E aí, quer transar? – Uma adolescente olhou para ele, parecendo saída de *A noite dos mortos-vivos.*

A escuridão do corredor se abriu em uma grande pista de dança de cimento impregnada pelo cheiro de álcool e suor. A cena era surreal – uma caverna na montanha dentro da qual centenas de corpos se moviam como um só. Pulavam para cima e para baixo, como uma onda humana, braços colados ao corpo, cabeças balançando como protuberâncias sem vida no topo de espinhas rígidas. Os mais ensandecidos mergulhavam de um palco, caindo em um mar de corpos humanos. Corpos eram rolados de um lado para outro como se fossem bolas de praia. No teto, luzes estroboscópicas faziam com que a cena lembrasse um velho filme mudo.

Do outro lado da pista, torres de alto-falantes chacoalhavam com tanta intensidade que nem o mais corajoso dos punks conseguia ficar muito perto.

Becker tapou os ouvidos com os dedos e começou a procurar em meio à multidão. Para onde quer que olhasse havia outra cabeça vermelha, branca e azul. Os corpos formavam uma massa tão compacta que era impossível discernir as camisas. Não viu nada que se parecesse com uma bandeira da Inglaterra. Era óbvio que ele não conseguiria se misturar à multidão sem ser pisoteado. Alguém começou a vomitar perto dele.

Que ótimo, grunhiu Becker. Saiu em direção a um corredor cujas paredes estavam cobertas de grafites.

O corredor virou um estreito túnel espelhado que dava para um pátio com mesas e cadeiras. O pátio também estava cheio de punks, mas, para Becker, era como a entrada de Shangrilá. O céu de verão abriu-se sobre ele e o ruído ensurdecedor da música ficou distante.

Sem dar atenção aos olhares curiosos, saiu andando em meio à multidão. Afrouxou a gravata e deixou-se cair em uma cadeira na primeira mesa vazia que encontrou. Parecia que uma vida inteira havia se passado desde que Strathmore ligara pela manhã.

Após colocar no chão algumas garrafas de cerveja vazias que estavam na mesa, Becker pousou a cabeça nas mãos. *Apenas alguns minutos*, pensou.

◆◆◆

A cerca de dez quilômetros dali, o homem de óculos com armação de metal estava sentado no banco de trás de um táxi, percorrendo uma estrada para fora da cidade.

– Embrujo – resmungou.

O motorista olhou para seu curioso passageiro pelo espelho retrovisor e concordou.

Embrujo, murmurou para si mesmo. *A cada noite esse lugar fica mais estranho.*

CAPÍTULO 53

Tokugen Numataka estava nu, deitado sobre uma mesa de massagem em seu escritório. A massagista estava relaxando a musculatura tensionada de seu pescoço. Foi descendo com as palmas das mãos pela musculatura tensa da coluna, lentamente, até chegar à toalha que cobria sua bunda. Suas mãos deslizaram um pouco mais, para baixo da toalha. Numataka mal notou. Sua mente estava longe. Esperava que o telefone tocasse, mas ele continuava em silêncio.

Alguém bateu na porta.

– Entre – ordenou Numataka.

A massagista rapidamente tirou as mãos debaixo da toalha.

A operadora da mesa telefônica entrou e fez uma reverência.

– Honorável presidente?

– Fale.

A operadora curvou-se novamente.

– Falei com a central telefônica local. A chamada veio do código de área 1. Estados Unidos.

Numataka sorriu. *A chamada veio dos Estados Unidos. Era verdadeira.*

– De que parte do país?

– Ainda estão tentando descobrir, senhor.

– Muito bom. Me avise quando tiver novidades.

A operadora curvou-se novamente e saiu.

Numataka sentiu sua musculatura relaxar-se. Código de área 1. Enfim, uma boa notícia.

CAPÍTULO 54

Susan Fletcher andava impacientemente de um lado para o outro do banheiro da Criptografia e contava lentamente até 50. Sua cabeça estava latejando. *Só mais um pouco*, disse a si mesma. *Hale é North Dakota!*

Susan estava tentando imaginar quais seriam os planos de Hale. Será que ele iria divulgar a chave? Ou seria ganancioso e tentaria vender o algoritmo? Ela não podia mais agüentar a espera. Era hora. Tinha que falar com Strathmore.

Cuidadosamente entreabriu a porta e olhou para o vidro espelhado do outro lado da Criptografia. Não tinha como saber se Hale a estava observando. Ela precisava chegar o mais rápido possível ao escritório de Strathmore. Sem correr, pois não podia deixar que Hale suspeitasse que estava em seu encalço. Estava prestes a abrir a porta quando ouviu algo. Vozes masculinas.

As vozes estavam saindo de um duto de ventilação próximo ao chão. Ela soltou a porta e aproximou-se da saída de ar. As palavras chegavam abafadas pelo zumbido dos geradores no subsolo. Pelo som, parecia que a conversa estava vindo das plataformas do subsolo. Uma das vozes soava estridente e irritada. Parecia ser Phil Chartrukian.

– Então você não acredita em mim?

Ouviu sons de discussão.

– Nós estamos com um vírus!

Depois o som de um grito áspero.

– Temos que chamar Jabba!

Então ela ouviu sons de luta.

– Me solte!

O ruído que se seguiu mal parecia humano. Foi como um longo uivo agudo de horror, como um animal torturado que está prestes a morrer. Susan sentiu seu sangue gelar. O ruído cessou de forma tão abrupta quanto havia começado. E depois houve apenas silêncio.

Um instante depois, como um evento cronometrado em um filme barato de horror, as luzes do banheiro enfraqueceram. Depois piscaram e se apagaram. Susan Fletcher viu-se em meio à escuridão completa.

CAPÍTULO 55

– **Ei, sai daí! Você está** no meu lugar, imbecil.

Becker levantou a cabeça, que havia recostado sobre a mesa. *Será que ninguém fala espanhol neste país?*

De pé ao lado dele estava um adolescente baixo, com espinhas no rosto e cabelo raspado. Metade de sua careca estava vermelha, a outra metade estava roxa. Parecia um ovo da Páscoa.

– Eu disse que você está no meu lugar, idiota.

– É, ouvi da primeira vez – disse Becker, levantando-se. Não estava querendo brigar. Hora de partir.

– Onde foi que você colocou as minhas garrafas? – gritou o garoto, raivoso. Ele usava um alfinete de segurança no nariz.

Becker apontou para as garrafas vazias que havia colocado no chão.

– Estão todas vazias.

– Essas porras são as *minhas* garrafas vazias!

– Mil perdões – disse Becker, virando-se para ir.

O punk barrou seu caminho.

– Pegue as garrafas.

Becker olhou para ele, profundamente cansado.

– Você está brincando, não? – Ele era uns dois palmos mais alto e provavelmente uns 30 quilos mais pesado que o rapaz.

– Eu lá tenho cara de quem está brincando, porra?

Becker não disse nada.

– Pega essa merda!

Becker mais uma vez tentou passar, mas o garoto bloqueou seu caminho. – Já te disse pra pegar a porra das garrafas!

Nas mesas em volta, punks com os olhos vidrados começaram a se virar para observar a confusão.

– Melhor parar com isso, garoto – disse Becker, tentando manter a calma.

– Tô te avisando! – ameaçou o outro. – Essa mesa é minha! Venho aqui toda noite. Agora *pegue as garrafas!*

Becker perdeu a paciência. Deveria estar nas montanhas com Susan. O que estava fazendo na Espanha discutindo com um adolescente alucinado?

Com um golpe rápido, pegou o garoto por baixo dos braços, levantou-o no ar e jogou-o de costas sobre a mesa.

– Olha aqui, seu baixote de nariz furado. Ou você sai da minha frente agora ou vou arrancar esse alfinete do seu nariz e fechar a sua boca com ele.

O garoto ficou lívido.

Becker continuou segurando-o por alguns instantes, depois soltou-o. Sem tirar os olhos do rapaz apavorado, ele se agachou, pegou as garrafas e colocou-as de volta na mesa.

– Já se resolveu?

O punk estava sem fala.

– Não há de quê – retrucou Becker. *Esse cara é uma propaganda viva a favor do controle de natalidade.*

– Vá pro inferno! – gritou o garoto, ao perceber que seus amigos estavam rindo dele. – Bundão!

Becker não se moveu. Estava lembrando de uma coisa que o garoto havia dito: *eu venho aqui toda noite*. Becker pensou que ele talvez pudesse ajudá-lo.

– Desculpe, mas eu não ouvi seu nome...

– Meio-a-Meio – sibilou, como se estivesse proferindo uma sentença de morte.

– Meio-a-Meio? – ironizou Becker. – Deixa eu adivinhar... é por causa da careca?

– Não me diga, Sherlock.

– Nome interessante. Foi você quem inventou?

– Isso aí – disse, orgulhoso. – Vou *patentear*.

Becker devolveu com sarcasmo.

– Você quer dizer *registrar os direitos?*

O garoto olhou de volta, confuso.

– Você precisa de direitos autorais para um nome, não uma patente.

– Ah, que se dane! – respondeu o punk, perdido na conversa.

A diversificada aglomeração de punks bêbados ou drogados das mesas em volta ria histericamente. Meio-a-Meio levantou-se e confrontou Becker.

– Que porra você quer de mim?

Becker pensou: *Queria que você lavasse a cabeça, parasse de falar palavrões e arrumasse um emprego.* Concluiu que era coisa demais para pedir num primeiro encontro.

– Preciso de uma informação.

– Vai se danar.

– Estou procurando alguém.

– Vi ele não.

– *Eu não o vi.* – Corrigiu Becker, enquanto fazia sinal para uma garçonete que passava. Comprou duas cervejas Águila e deu uma garrafa para Meio-a-Meio. O garoto não sabia bem o que fazer. Tomou um gole de cerveja e olhou para Becker, desconfiado.

– Tá dando em cima de mim, ô cara?

Becker sorriu.

– Estou atrás de uma garota.

Meio-a-Meio deu uma risadinha histérica.

– Não vai arrumar nada de interessante com essa roupa aí.

Becker olhou para ele, sério.

– Não estou querendo arrumar nada. Só quero conversar com ela. Talvez você pudesse me ajudar a encontrá-la.

Meio-a-Meio colocou sua garrafa na mesa.

– Você é tira?

– Cara, eu sou de Maryland. Se fosse um tira, estaria meio fora da minha jurisdição, não acha?

O garoto não sabia o que responder.

– Meu nome é David Becker – sorriu, estendendo a mão sobre a mesa.

O punk se afastou, enojado.

– Não encosta em mim, seu veado.

Becker deixou o braço pender.

– Vou te ajudar, mas vai te custar uma grana – disse ele, com escárnio.

– E quanto seria isso?

– Mil pratas.

– Bom, eu só tenho pesetas – respondeu Becker.

– Que seja. Mil pesetas, então.

Obviamente a conversão de moedas não era um dos fortes de Meio-a-Meio. Mil pesetas equivaliam a pouco menos de dez dólares americanos.

– Fechado! – disse Becker, batendo com sua garrafa na mesa.

O garoto sorriu pela primeira vez.

– Fechado.

– Bom – prosseguiu Becker em um tom de voz mais baixo. – Acho que a garota deve estar por aqui. Ela tem cabelo vermelho, branco e azul.

Meio-a-Meio riu.

– Ei, hoje é aniversário de Judas Taboo. Todo mundo está usando...

– Ela também está usando uma camiseta com a bandeira da Inglaterra e tem uma caveira pendurada na orelha.

Uma vaga sensação de reconhecimento cruzou o olhar do rapaz. Becker percebeu e ficou animado. Mas, um segundo depois, Meio-a-Meio fechou a cara. Socou a mesa com a garrafa e agarrou Becker pela camisa.

– Ela está com o Eduardo, seu imbecil! Melhor se cuidar! Se você encostar nela, ele te mata.

CAPÍTULO 56

Midge Milken entrou irritada na sala de reuniões que ficava próxima ao seu escritório. Além da mesa de mogno de dez metros de comprimento com o selo da NSA entalhado na madeira, a decoração incluía três aquarelas de Marion Pike, uma samambaia, um pequeno bar com bancada de mármore e, naturalmente, o indefectível bebedouro. Midge pegou um copo de água, esperando que a ajudasse a se acalmar um pouco.

Enquanto bebericava, olhou pela janela. O luar passava pelos espaços entre as venezianas e traçava contornos sobre a mesa. Ela sempre achou que essa sala seria mais adequada para o diretor do que o atual escritório dele, na parte frontal do prédio. A sala de Fontaine dava para o estacionamento, enquanto da sala de reuniões podia-se ver a maioria das instalações da NSA, inclusive o domo da Criptografia, uma ilha de alta tecnologia separada do prédio principal, flutuando numa área de 12 mil metros quadrados de florestas. Estrategicamente construída atrás da proteção natural proporcionada por uma aléia de bordos, não era fácil avistar a Criptografia da maioria das janelas do complexo da NSA, mas a visão a partir da ala da diretoria era perfeita. Para Midge, a sala de reuniões era o ponto estratégico ideal para que um rei supervisionasse seus domínios. Ela já havia sugerido a Fontaine que mudasse seu escritório para lá, mas o diretor respondera apenas: "Nos fundos, não." Fontaine era o tipo de homem que não gostava de ficar por trás.

Midge abriu totalmente as persianas. Olhou para fora, para as montanhas. Com um suspiro de lamentação, virou-se na direção da Criptografia. Midge sempre havia achado reconfortante observar o domo, um feixe de luz brilhando, não importa qual fosse a hora. Naquela noite, contudo, quando olhou para fora, não havia nada de reconfortante. Em vez disso, encontrou apenas a escuridão. Colou o rosto contra o vidro, assustada. A Criptografia havia desaparecido.

CAPÍTULO 57

Os banheiros da Criptografia não tinham janelas e, na mais completa escuridão, Susan não conseguia ver nada. Ficou imóvel por alguns instantes, tentando se orientar, ao mesmo tempo em que percebia o pânico crescente que tomava conta dela. Aquele grito horrível saído do duto de ventilação parecia continuar ecoando à sua volta. Apesar de seus esforços para manter o controle, o medo era mais forte e apoderou-se dela.

Em total desespero, andou sem rumo pelo banheiro, tateando nervosamente as pias e portas dos sanitários. Desorientada, moveu-se pela escuridão, as mãos erguidas à frente, tentando encontrar a porta. Derrubou uma lata de lixo e deu de cara contra uma parede. Seguindo a parede com a mão, andou aos tropeços até encontrar a porta e procurou nervosamente a maçaneta. Abriu-a e saiu para o salão da Criptografia.

Tomou um segundo susto.

A Criptografia também estava às escuras e todas as luzes do teto, apagadas. Tudo o que se via era o contorno acinzentado do TRANSLTR destacando-se contra a pálida luz do céu noturno que entrava pelo domo. Nem mesmo os teclados eletrônicos das portas estavam acesos.

Quando seus olhos se adaptaram à escuridão, ela notou que a única luz existente na Criptografia saía da portinhola aberta no chão. Era um leve brilho avermelhado das luzes de segurança do subsolo. Moveu-se nessa direção. O ar cheirava a ozônio.

Quando chegou perto da portinhola, ajoelhou-se e olhou para baixo. As válvulas de escape do fréon deixavam sair uma névoa atravessada pela luz vermelha. Pelo zumbido um pouco mais agudo vindo lá de baixo, Susan percebeu que os geradores de emergência tinham sido ativados e estavam alimentando o TRANSLTR. Através da névoa esparsa, pôde ver Strathmore de pé na plataforma logo abaixo. Ele estava debruçado sobre um corrimão, olhando para o fundo do poço de onde vinha o ruído dos geradores.

– Comandante!

Nenhuma resposta.

Susan começou a descer pela escada, cuidadosamente. O ar quente que subia entrou por baixo de sua saia. Os degraus e o corrimão estavam escorregadios devido ao vapor. Ela chegou até a passarela logo abaixo.

– Comandante?

Strathmore não se virou. Ele continuava olhando para baixo, com uma expressão vazia, como se estivesse em transe. Susan aproximou-se e olhou na mesma direção, por sobre o corrimão. Inicialmente, pôde ver apenas as nuvens de vapor. Subitamente, ela viu. Um corpo. Seis andares abaixo. Apareceu brevemente em meio à fumaça. Sumiu. Depois apareceu novamente. Uma massa disforme de membros retorcidos. Quarenta metros abaixo deles, Phil Chartrukian jazia sobre as barbatanas finas de aço do gerador. Seu corpo estava escuro e parecia queimado. Ao cair, havia provocado um curto no gerador principal da Criptografia.

A imagem mais apavorante, contudo, não era a do corpo de Chartrukian, mas a de um outro vulto, uma pessoa, a meio caminho na escadaria abaixo, agachado, escondendo-se nas sombras. Mesmo na escuridão, o físico atlético não deixava dúvidas: era Greg Hale.

CAPÍTULO 58

O punk gritou para Becker:

– Megan está com meu amigo Eduardo! Fique longe dela!

– Onde ela está? – o coração de Becker estava acelerado.

– Vá se danar!

– É uma emergência! – explodiu Becker, agarrando o garoto pela camisa. – Ela está com um anel que me pertence. Eu pago por ele! E pago bem!

Meio-a-Meio parou, atônito, depois teve um ataque de risos.

– Ei, quer dizer que aquele pedaço de merda dourada, feio como o cão, é seu?

Becker arregalou os olhos.

– Você o viu?

Meio-a-Meio balançou a cabeça, concordando.

– Onde está agora? – perguntou Becker, ansioso.

– Menor idéia. – Meio-a-Meio sorriu. – Megan esteve por aqui tentando ganhar alguma grana com aquele troço.

– Ela estava tentando *vender* o anel?

– É, mas não se grila, ela se deu mal. Você tem um gosto de merda em relação a jóias.

– Tem certeza de que ninguém o comprou?

– Tá brincando? Por 400 paus? Eu disse que dava 50, mas ela queria mais. Era para comprar uma passagem de avião.

Becker ficou branco, sentindo suas esperanças se frustrarem de novo.

– Para onde?

– Connecticut – respondeu Meio-a-meio.

– Connecticut?

– É, porra. Vai voltar para a casa do papai e da mamãe. Não suportou a família espanhola do intercâmbio. Três irmãos hispanos sempre dando em cima dela. E sem água quente.

Becker sentiu um nó apertando a garganta.

– A que horas ela vai partir?

– *Vai?* – Ele riu. – Já foi embora há muito tempo. Saiu para o aeroporto horas atrás. Melhor lugar para passar o anel, com os turistas ricos e tudo mais. Assim que conseguisse a grana, ela ia pegar o avião.

Uma onda de enjôo percorreu o corpo de David. *Isso só pode ser uma grande piada de mau gosto!*

– Qual o sobrenome dela?

Meio-a-Meio pensou um pouco a respeito. Depois deu de ombros.

– Que vôo ela ia pegar?

– O corujão do fim de semana: Sevilha, Madri e depois La Guardia. A galera gosta dele porque é barato. Acho que sentam lá no fundo e ficam numa boa.

Genial. Becker estava exausto. Passou a mão pelo cabelo, pensativo.

– A que horas sai o vôo?

– Duas da madrugada, em ponto, todo sábado à noite. Já deve estar no meio do Atlântico a esta altura.

Becker consultou seu relógio. Era 1h45 da madrugada. Ele olhou para Meio-a-Meio, sem entender nada.

– Você disse que o vôo sai às duas?

O punk balançou a cabeça, rindo.

– É, cara, parece que você se ferrou.

Becker sacudiu o relógio na frente do garoto, irritado.

– Mas ainda faltam 15 para as duas!

Meio-a-Meio olhou para o relógio, perplexo. Depois soltou uma risada.

– Putz, que viagem. Em geral só fico tão doidão lá pelas quatro da manhã!

– Qual o caminho mais rápido para o aeroporto? – perguntou David, apressado.

– Pega um táxi lá na frente.

Becker pegou uma nota de mil pesetas e colocou na mão de Meio-a-Meio.

– Aí, cara, valeu! – O punk falou, enquanto Becker saía correndo. – Se você encontrar Megan, diz que eu mandei um beijo! – David já estava longe.

Meio-a-Meio tomou mais um trago e voltou, zonzo, para a pista de dança. Estava bêbado demais para notar o homem usando óculos com armação de metal que o seguia.

Do lado de fora, Becker olhou para o estacionamento, procurando um táxi. Não havia nenhum. Correu até um dos seguranças na entrada.

– Um táxi!

O segurança sacudiu a cabeça.

– *Demasiado temprano.* Cedo demais.

Cedo demais? Becker praguejou. *Já são duas da manhã!*

– *Pídame uno!* Chame um para mim!

O homem puxou um walkie-talkie do bolso. Disse alguma coisa, depois desligou.

– *Veinte minutos.*

– Vinte minutos?! *¿Y el autobus?*

O segurança fez uma expressão vaga e chutou.

– Uns 45 minutos.

Perfeito, pensou Becker, dando um tapa na própria testa, irritado.

O ruído de um pequeno motor fez com que ele virasse a cabeça. Parecia o som de uma motosserra. Um adolescente grandalhão e sua acompanhante cheia de correntes pararam no estacionamento e desceram de uma Vespa 250. Becker correu até eles. *Não acredito que vou fazer isso*, pensou. *Odeio motocicletas*. Gritou para o garoto:

– Eu te pago dez mil pesetas para me levar até o aeroporto.

O garoto ignorou-o e desligou a Vespa.

– Vinte mil! Eu preciso chegar até o aeroporto! – disse Becker, freneticamente.

O rapaz olhou para ele.

– *Scusi?* – Era italiano.

– *Aeropórto! Per favore. Sulla Vespa! Venti mille pesete!*

O italiano olhou para sua pequena motoneta vagabunda e riu.

– *Venti mille pesete? La Vespa?*

– *Cinquanta mille!* Cinqüenta mil! – Becker aumentou a oferta para cerca de 500 dólares.

O italiano riu, duvidando que ele estivesse falando sério.

– *Dov'é la plata?* Onde está o dinheiro?

Becker puxou cinco notas de dez mil pesetas do bolso e mostrou para ele. O italiano olhou para o dinheiro, depois para sua namorada. A menina pegou as notas e colocou dentro da blusa.

– *Grazie!* – disse o italiano, sorridente. Jogou as chaves da Vespa para Becker. Depois puxou sua namorada pela mão e saíram correndo para dentro do prédio.

– *Aspetta!* Espere! – gritou Becker. – Eu queria uma *carona!*

CAPÍTULO 59

Susan segurou a mão do comandante Strathmore, que a puxou para fora da escada, de volta ao salão da Criptografia. A imagem de Phil Chartrukian morto sobre os geradores estava gravada em sua mente e a idéia de que Hale estava agora se escondendo nas entranhas da Criptografia a deixava tonta. A verdade era incontestável: Hale havia empurrado Chartrukian.

Susan andou, cambaleante, em direção à porta principal da Criptografia – a mesma por onde havia entrado horas atrás. Batia freneticamente no teclado sem energia, mas a maciça porta giratória não se movia. A Criptografia havia se transformado em uma prisão, e Susan estava dentro dela. O domo era como um satélite a 100 metros do complexo principal da NSA, e a única entrada era a porta principal. Como a Criptografia gerava sua própria energia, o quadro de alarmes provavelmente nem teria sinalizado que estavam com problemas.

– A força caiu – disse Strathmore, vindo em sua direção. – Estamos usando os geradores auxiliares.

O sistema de geradores auxiliares da Criptografia fora desenhado para que o TRANSLTR e seus sistemas de resfriamento tivessem precedência sobre todo o resto, inclusive a iluminação e o controle das portas. Dessa forma, uma falta de energia não iria interromper o trabalho do TRANSLTR durante uma operação importante. Também significava que seu sistema de resfriamento a gás fréon continuaria funcionando, o que impediria que o calor gerado pelos três milhões de processadores atingisse níveis críticos, provocando um superaquecimento e queimando os circuitos em volta e as placas onde estavam instalados. Uma catástrofe inimaginável.

Susan lutava para recuperar o controle e livrar-se do pânico. Seus pensamentos estavam presos à imagem do técnico caído sobre os geradores. Ela se virou para o comandante e gritou:

– Interrompa a execução!

Se o TRANSLTR parasse de procurar a chave do Fortaleza Digital, seus circuitos iriam consumir menos energia e haveria uma sobra suficiente para que as portas voltassem a funcionar.

– Calma, Susan – disse Strathmore, colocando a mão sobre seu ombro.

O gesto tranqüilizador do comandante tirou-a de seu transe. Ela se lembrou do motivo pelo qual tinha saído para procurá-lo. Em tom de urgência, disse:

– Comandante! Greg Hale é North Dakota!

Um profundo silêncio tomou conta da escuridão. Finalmente Strathmore respondeu. Soou confuso, mas não espantado.

– Do que você está falando?

– Hale... – Susan falou, baixinho. – Ele é North Dakota.

Mais uma pausa enquanto Strathmore pesava as palavras de Susan.

– O *tracer*? – Ele parecia perturbado. – Ele apontou para Hale?

– O *tracer* não voltou. Hale abortou o programa!

Susan explicou a Strathmore que Hale havia interrompido a execução do *tracer* e que ela tinha encontrado os e-mails de Tankado na conta de Greg. Outro longo silêncio seguiu-se. Strathmore sacudiu a cabeça:

– Não é possível que Hale seja o guardião de Tankado! Isso é absurdo! Tankado jamais confiaria em Hale.

– Mas, comandante, Hale já nos causou problemas uma vez com o Skipjack. Tankado confiava nele.

Strathmore não sabia o que dizer.

– Interrompa a execução do TRANSLTR – pediu Susan outra vez. – Já temos North Dakota. Chame a segurança interna. Vamos sair daqui.

Strathmore levantou a mão, pedindo silêncio para que pudesse pensar por um instante.

Susan olhava, nervosa, na direção do alçapão. A abertura estava fora do seu campo de visão, mas o brilho avermelhado se espalhava pela cerâmica polida como fogo sobre gelo. *Vamos, chame a segurança. Interrompa o TRANSLTR. Nos tire daqui!*

Strathmore finalmente decidiu o que fazer.

– Siga-me – ele disse, partindo em direção à portinhola.

– Comandante! Hale é perigoso! Ele...

Mas Strathmore já havia sumido na escuridão. Susan apressou-se para não perder sua silhueta de vista. O comandante deu a volta por trás do TRANSLTR e chegou até a abertura no chão. Examinou o poço enevoado. Silenciosamente, olhou em volta para o salão da Criptografia, mergulhado em escuridão. Então agachou-se e, com esforço, levantou a pesada tampa do alçapão. Ela descreveu um arco curto e, quando ele a soltou, caiu ruidosamente sobre a abertura, fechando-a com um ruído seco. A Criptografia voltou a ser uma caverna silenciosa e escura. Aparentemente North Dakota estava aprisionado. Strathmore girou a pesada tranca manual. A porta foi lacrada. O subsolo estava novamente isolado.

Nem ele nem Susan ouviram o leve ruído de passos na direção do Nodo 3.

CAPÍTULO 60

Meio-a-Meio foi na direção do corredor espelhado que servia como passagem entre o pátio e a pista de dança. Quando se virou para ver como estava seu alfinete de segurança no espelho, sentiu um vulto se aproximando por trás. Virou-se, mas era tarde. Um par de braços sólidos como uma rocha colaram seu rosto contra o espelho na parede.

O punk tentou se virar.

– Eduardo? Aí, cara, é você? – Meio-a-Meio sentiu uma mão pegando sua carteira pouco antes que o homem apertasse firmemente suas costas contra a parede. – Eddie! – gritou. – Deixa de sacanagem! Um cara esteve aqui procurando a Megan.

O outro sujeito o segurava firmemente.

– Ei, cara, me solta! – Mas, quando Meio-a-Meio conseguiu olhar pelo espelho, viu que o sujeito que o segurava não era nem de longe seu amigo.

O rosto era todo marcado de varíola e coberto de cicatrizes. Dois olhos vidrados o fitavam, inexpressivos, por trás dos óculos de armação de metal. O homem chegou mais perto, colocando a boca bem perto do ouvido de Meio-a-Meio. Uma voz estranha falou:

– *¿Adónde fué?* Para onde foi o americano? – As palavras soavam distorcidas.

O rapaz ficou paralisado de medo.

– Para o aeroporto. *Aeropuerto*. – Meio-a-Meio gaguejava, sem ar.

– *¿Aeropuerto?* – repetiu o homem, observando atentamente os lábios de Meio-a-Meio pelo espelho.

O punk assentiu.

– *¿Tenía el anillo?* Ele estava com o anel?

Morrendo de medo, Meio-a-Meio balançou a cabeça.

– Não.

– *¿Viste el anillo?* Você viu o anel?

Meio-a-Meio pensou. Qual era a resposta certa aqui?

– *¿Viste el anillo?* – repetiu a voz.

Meio-a-Meio fez que sim, esperando que a honestidade fosse uma boa saída. Não era. Poucos segundos depois estava caído no chão, com o pescoço quebrado.

CAPÍTULO 61

Jabba estava de costas, enfiado até a metade do corpo em um mainframe – um computador de grande porte. Segurava uma pequena lanterna na boca, um ferro de soldar na mão e tinha um grande diagrama de circuitos aberto sobre sua barriga. Acabara de soldar um novo conjunto de chips em uma placa quando seu celular se manifestou.

– Merda! – praguejou, enquanto tentava pegar o aparelho em meio a um amontoado de cabos. – Jabba falando.

– Jabba, é Midge.

Ele abriu um sorriso.

– Puxa, duas vezes na mesma noite? As pessoas vão começar a notar.

– A Criptografia está com problemas. – A voz de Midge estava tensa.

– Olha, já discutimos isso, certo?

– Problemas de *energia.*

– Não sou eletricista. Ligue para a Engenharia.

– O domo está todo escuro.

– Você está vendo coisas. Vai pra casa. – Jabba voltou a atenção para seu diagrama de circuitos.

– Está *completamente* às escuras! – ela gritou.

Ele suspirou e colocou sua lanterna de lado.

– Midge, em primeiro lugar, eles têm um gerador auxiliar por lá. Jamais poderia estar *completamente* às escuras. Segundo, neste exato momento, Strathmore tem uma visão um pouco melhor da Criptografia do que eu. Por que você não liga para ele?

– Porque isso tem a ver com ele. Está escondendo algo.

Jabba olhou para cima, impaciente.

– Querida, estou chafurdando em cabos aqui. Se estiver precisando de companhia, vou agora. Do contrário, ligue para a Engenharia.

– Jabba, isso é sério. Eu posso sentir que é.

Ela pode sentir? Confirmado, então, pensou Jabba. *Midge está mesmo em um de seus "dias".*

– Se o Strathmore não está preocupado, *eu* também não estou.

– Mas que diabos, a Criptografia está toda escura!

– Talvez Strathmore esteja querendo ver as estrelas.

– Jabba! Estou falando sério!

– Tá bom, tá bom – ele resmungou, apoiando-se num cotovelo. – Talvez um dos geradores tenha sofrido um curto. Assim que eu terminar aqui, dou uma passada pela Criptografia e...

– E os geradores auxiliares? – continuou Midge, exasperada. – Por que os geradores de emergência não estão fornecendo energia?

– Não sei. Talvez Strathmore esteja executando algo no TRANSLTR e toda a força esteja sendo desviada para lá.

– Então por que ele não interrompe a execução? Talvez seja um vírus. Você mesmo disse antes que podia ser um vírus.

– Que diabos, Midge! – Jabba perdeu a calma. – Já te disse, *não tem vírus nenhum* na Criptografia. Então vamos parar com essa paranóia!

Houve um longo silêncio.

– Putz, que droga, Midge, me desculpe. Acho melhor eu explicar isso por partes. Primeiro, temos o Gauntlet. Nenhum vírus poderia passar por ele. Segundo, se houver uma queda de energia, tem que estar relacionada ao hardware. Um vírus não pode desligar a energia, ele ataca o software e os dados. Seja lá o que for que está acontecendo na Criptografia, *não* é um vírus.

Silêncio.

– Midge? Você está aí?

A resposta dela foi fria e seca.

– Jabba, eu tenho uma função aqui e acho errado que alguém grite comigo quando estou tentando fazer meu trabalho. Quando ligo para perguntar por que um prédio de alguns bilhões de dólares está no escuro, o mínimo que espero é uma resposta profissional.

– Sim, senhora.

– Basta dizer sim ou não. É possível que o problema na Criptografia esteja relacionado a um vírus?

– Midge, eu já disse que...

– Sim ou não. O TRANSLTR pode estar com um vírus?

Jabba suspirou, resignado.

– Não, Midge, é completamente impossível.

– Obrigado.

Ele soltou um risinho forçado e tentou esfriar os ânimos.

– A menos, claro, que você ache que o próprio Strathmore tenha escrito um e contornado meus filtros.

A linha ficou muda novamente. Quando Midge voltou a falar, sua voz tinha um tom soturno.

– Strathmore tem o poder de contornar o Gauntlet?

– Era uma *brincadeira*, Midge. – Mas Jabba sentiu que era tarde demais.

CAPÍTULO 62

O comandante e Susan estavam ao lado da porta principal, ainda fechada, discutindo sobre o que fazer a seguir.

– Phil Chartrukian está morto lá embaixo – argumentou Strathmore. – Se pedirmos socorro, a Criptografia vai virar um pandemônio.

– O que você propõe então? – perguntou Susan, que naquele momento só queria sair dali.

Strathmore pensou. Olhando para a portinhola que agora estava trancada, disse:

– Não sei como isso aconteceu, mas parece que, acidentalmente, localizamos e neutralizamos North Dakota. – Ele sacudiu a cabeça, sem acreditar. – Uma sorte incrível, a meu ver. – Ainda parecia atônito com a idéia de que Hale estivesse envolvido no plano de Tankado. – Suponho que Hale tenha escondido a chave em algum lugar de seu terminal e talvez tenha uma outra cópia em casa. De qualquer forma, ele está trancado lá embaixo.

– Então por que não chamamos a segurança e deixamos que o levem?

– Ainda não. Se o pessoal de segurança de sistemas olhar as estatísticas de tempo de execução do TRANSLTR, teremos novos problemas. Quero que todos os rastros do Fortaleza Digital sejam apagados antes de abrirmos as portas.

Susan concordou relutantemente. Era um bom plano. Quando a segurança tirasse Hale do subsolo e o acusasse da morte de Chartrukian, ele provavelmente iria ameaçar contar para todos sobre o Fortaleza Digital. Mas as provas já teriam sido apagadas, e Strathmore podia se fazer de bobo. *O TRANSLTR estava processando um arquivo há 18 horas? Um algoritmo inquebrável? Mas isso é um absurdo! Hale certamente conhece o Princípio de Bergofsky.*

Strathmore delineou calmamente o seu plano:

– Vamos fazer o seguinte: primeiro apagamos toda a correspondência de Hale com Tankado, depois todos os registros de minha ordem para que o Gauntlet fosse contornado, todas as análises de SegSis feitas por Chartrukian, os registros do ExeMon, tudo. O Fortaleza Digital terá sumido do mapa. Nunca existiu, nunca esteve aqui. Damos sumiço na chave de Hale e aí temos que torcer para que David consiga encontrar a cópia de Tankado.

David, lembrou-se Susan. Fez força para não pensar nele. Precisava se concentrar naquela situação complicada.

– Vou cuidar do laboratório de SegSis – disse Strathmore. – As estatísticas do

ExeMon, análise de atividade de mutação, o que houver por lá. Você cuida do Nodo 3. Apague todos os e-mails de Hale. Qualquer registro da correspondência com Tankado, qualquer coisa que diga respeito ao Fortaleza Digital.

– Ok – respondeu Susan, concentrando-se. – Vou apagar todo o disco de Hale. Reformatar tudo.

– Não! – interrompeu Strathmore, bruscamente. – Não faça isso. Hale provavelmente tem uma cópia da chave guardada lá dentro. Eu quero essa cópia.

Susan olhou para ele, aturdida.

– Você quer a chave? Achei que a idéia por trás de tudo era *destruir* as chaves!

– Com certeza. Mas eu quero uma cópia. Quero abrir esse maldito arquivo e olhar o programa de Tankado.

Susan compartilhava da curiosidade de Strathmore, mas seus instintos lhe diziam que abrir o algoritmo do Fortaleza Digital não era uma decisão sábia, não importava o quão interessante pudesse ser. No momento, o perigoso programa estava trancado, em total segurança, dentro de sua própria encriptação. Era absolutamente inócuo. Contudo, assim que fosse desencriptado...

– Comandante, tem certeza de que não seria melhor se nós...

– Eu quero a chave – respondeu.

Susan admitia que, desde que ouvira falar no Fortaleza Digital, havia sentido uma certa curiosidade profissional em saber como Tankado conseguira escrever o programa. Sua própria existência ia contra as regras mais básicas da criptografia. Ela olhou para o comandante, séria.

– Você irá apagar o algoritmo assim que o analisarmos?

– Não vai sobrar nenhum vestígio.

Susan ficou tensa. Achar a chave de Hale não seria assim tão rápido. Localizar uma chave em um dos discos rígidos do Nodo 3 era como tentar encontrar uma pedra específica em todo o Texas. Pesquisas em computadores só funcionam quando se sabe o que se está procurando, mas aquela chave era aleatória. Felizmente, como a Criptografia lidava exatamente com material aleatório, Susan e outros criptógrafos tinham desenvolvido um processo conhecido como pesquisa de não-conformidade. Em termos genéricos, a pesquisa pedia ao computador para analisar cada uma das cadeias de caracteres em seu disco, comparando-as com um enorme dicionário e então separando todas as cadeias que parecessem sem sentido ou aleatórias. Refinar os parâmetros continuamente era um trabalho sutil, mas possível.

Essa era, para Susan, a forma mais lógica para encontrar a chave. Ela suspirou, esperando não se arrepender de sua decisão.

– Se tudo correr bem, levarei cerca de uma hora.

– Então vamos ao trabalho – disse Strathmore, colocando uma mão em seu ombro e conduzindo-a em meio à escuridão de volta para o Nodo 3.

Acima deles, um céu estrelado cintilava sobre o domo. Susan pensou se David estaria vendo as mesmas estrelas em Sevilha.

Quando chegaram diante das pesadas portas de vidro do Nodo 3, Strathmore praguejou. O teclado do Nodo 3 estava apagado e as portas não se moveram.

– Que droga! Sem energia, as portas não vão se abrir.

O comandante observou as portas deslizantes de vidro. Colou as palmas de suas mãos ao vidro, depois inclinou-se para o lado, tentando forçá-las a se abrirem. Suas mãos estavam suadas e escorregaram. Ele secou-as nas calças e tentou de novo. Dessa vez as portas se moveram, deixando uma fresta.

Sentindo que poderia funcionar, Susan postou-se atrás de Strathmore e empurraram juntos. As portas correram cerca de cinco centímetros. Conseguiram segurar durante algum tempo, mas a pressão era muito grande. As portas se fecharam de novo.

– Espere aí – disse Susan, trocando de lugar e se posicionando dessa vez em frente de Strathmore. – Ok, vamos tentar de novo.

Fizeram força juntos. Mais uma vez, as portas se abriram alguns centímetros. Uma leve luz azulada emanava de dentro do Nodo 3. Os terminais ainda estavam ligados. Como eram considerados críticos para a operação do TRANSLTR, estavam recebendo energia dos geradores auxiliares.

Susan fincou a ponta de seu sapato no chão e fez mais força. As portas começaram a se mover. Strathmore mudou de posição para encontrar um ângulo melhor. Centrando suas palmas no painel esquerdo, ele empurrou diretamente para trás. Susan empurrava o painel direito na direção oposta. Lentamente, com grande esforço, as portas começaram a se abrir. Agora a abertura já tinha uns 30 centímetros.

– Não solte – disse Strathmore ofegante enquanto empurravam com mais força ainda. – Só mais um pouco.

Susan se ajeitou de forma que seu ombro estava apoiado na extremidade de uma das portas. Ela empurrou de novo, dessa vez com um ângulo melhor. As portas estavam pressionando, tentando fechar-se novamente.

Antes que o comandante pudesse detê-la, ela conseguiu se enfiar dentro da abertura. Strathmore reclamou, mas ela estava decidida. Queria sair da Criptografia e conhecia Strathmore o bastante para saber que ela não iria a lugar algum enquanto a chave de Hale não fosse encontrada.

Colocou-se no meio da abertura e usou toda a sua força. As portas pareciam estar empurrando de volta. Subitamente, Susan perdeu o ponto de apoio. As portas correram em sua direção. Strathmore lutou para segurá-las, mas, sozinho, não tinha força suficiente. Pouco antes de as portas se fecharem novamente, Susan conseguiu se enfiar pela abertura e caiu do outro lado.

O comandante fez força para abrir uma fresta nas portas e, colocando o rosto na abertura, perguntou:

– Nossa, Susan. Você está bem?

Ela se levantou e arrumou a roupa.

– Tudo bem.

Susan olhou em volta. O Nodo 3 estava deserto, iluminado apenas pelos monitores dos computadores. As sombras azuladas davam ao lugar uma aparência fantasmagórica. Ela virou-se para Strathmore, que mantinha a cara na fresta entre as portas. Sua face parecia pálida e doentia na luz azul.

– Susan, me dê uns 20 minutos para apagar os arquivos no laboratório de SegSis. Quando todas as pistas tiverem sido apagadas, vou até meu terminal e interrompo a execução do TRANSLTR.

– Acho bom mesmo! – disse Susan, observando as pesadas portas de vidro. Enquanto o TRANSLTR não parasse de consumir a energia auxiliar, ela ficaria presa dentro do Nodo 3.

Strathmore soltou as portas e elas se fecharam. Susan ficou olhando através do vidro enquanto o comandante sumia na escuridão da Criptografia.

CAPÍTULO 63

A Vespa recém-comprada por Becker ia aos trancos e barrancos pela via de acesso ao aeroporto de Sevilha. Durante toda a viagem, as juntas dos dedos de Becker estavam brancas, tamanha a pressão que ele fazia. De acordo com seu relógio, passava um pouco de duas da manhã no horário local.

Quando se aproximou do terminal principal, subiu com a Vespa na calçada e pulou da motoneta ainda em movimento. Ela quicou pelo chão e finalmente parou. Becker correu, com as pernas trêmulas, e passou pelas portas giratórias. *Nunca mais,* ele jurou para si mesmo.

O terminal tinha uma aparência estéril e era mal iluminado. Exceto por um faxineiro encerando o chão, o lugar estava completamente deserto. Do outro lado do salão, uma funcionária estava fechando o balcão da Iberia Airlines. *Mau sinal*, pensou Becker, correndo para falar com a moça.

– *¿El vuelo a los Estados Unidos?*

A atraente espanhola do outro lado do balcão olhou para ele e sorriu.

– *Acaba de salir*. Você perdeu o vôo. – Essas palavras ficaram flutuando no ar por algum tempo.

Eu perdi o vôo. Becker deixou cair os ombros, abatido.

– Havia algum assento vago?

– Vários – disse a mulher, ainda sorrindo. – Estava quase vazio. Mas amanhã há um outro vôo às oito da manhã que também...

– Preciso saber se uma amiga conseguiu embarcar nesse vôo.

– Lamento, senhor, mas temos a obrigação de manter a privacidade de...

– É muito importante – insistiu Becker, em tom de urgência. – Só preciso saber se ela conseguiu pegar o avião. Só isso.

A mulher inclinou ligeiramente a cabeça, atenciosa.

– Problemas amorosos?

Becker pensou por um instante. Depois fez cara de tímido, deu um sorrisinho e disse:

– Está tão na cara assim?

Ela piscou um olho.

– Qual o nome dela?

– Megan – disse ele, com tristeza na voz.

A moça no balcão sorriu.

– Você poderia me dar o sobrenome?

Becker expirou lentamente. *Sim, se eu ao menos soubesse!*

– Olha, na verdade a situação é meio complicada. Você me disse que o avião estava quase vazio. Talvez você pudesse...

– Sem um sobrenome eu realmente não...

– Desculpe, mas... – Becker fez uma pausa, tendo pensado em outra coisa. – Você ficou de plantão a noite inteira?

– Sim, estou de plantão desde ontem à tarde.

– Então é possível que você a tenha visto. É uma garota, deve ter 15 ou 16 anos. Seu cabelo... – Antes de completar a frase, ele percebeu seu erro.

A moça fechou a cara.

– Sua namorada tem 15 anos?

– Não! – Becker se engasgou. – Quero dizer... *Merda!*, falou para si mesmo. – Se você puder me ajudar, é realmente importante.

– Lamento – disse a atendente, ríspida.

– Não é o que parece. Se você pudesse apenas...

– Boa noite, senhor. – A mulher puxou a grade de metal que fechava o balcão e sumiu dentro de uma sala nos fundos.

Becker soltou grunhidos de raiva. *Perfeito, David, perfeito*. Ele olhou em volta procurando alguém no saguão do aeroporto. Nada. *Ela deve ter conseguido vender o anel e embarcou no vôo*. Foi na direção do faxineiro.

– *¿Has visto a una niña?* – gritou por cima do barulho da enceradeira. – Você viu uma garota?

O homem se abaixou e desligou a máquina.

– *¿Eh?*

– *¿Una niña? Pelo rojo, azul y blanco.* Cabelo vermelho, azul e branco.

O faxineiro riu.

– *Qué fea*. Parece feia. – Sacudiu a cabeça e voltou a trabalhar.

◆◆◆

David Becker ficou parado no meio do saguão do aeroporto deserto, pensando no que faria a seguir. A noite havia sido uma comédia de erros. As palavras de Strathmore ressoavam em sua mente: *Não ligue enquanto não tiver o anel.* Uma profunda exaustão tomou conta dele. Se Megan tivesse mesmo vendido o anel e tomado o avião, não havia como saber quem estaria com ele agora.

Becker fechou os olhos e tentou se concentrar. *O que vou fazer agora?* Decidiu pensar no assunto com calma. Primeiro precisava urgentemente fazer algo que estava adiando há algum tempo: ir ao banheiro.

CAPÍTULO 64

Susan estava sozinha no silêncio do Nodo 3, iluminado apenas pelos monitores. Sua tarefa era clara: acessar o terminal de Hale, localizar sua chave e depois apagar todos os vestígios de comunicação com Tankado. Não podia sobrar qualquer pista do Fortaleza Digital.

No entanto, Susan continuava perturbada com a idéia de guardar a chave e desencriptar o Fortaleza Digital. Ela se sentia desconfortável, achava que não deviam brincar com a sorte. Estavam se saindo bem até o momento. North

Dakota tinha aparecido milagrosamente ao lado deles e fora aprisionado. A única questão em aberto era David: ele precisava encontrar a outra chave. Susan desejou que ele estivesse bem.

Enquanto andava lentamente pelo Nodo 3, ela tentou clarear sua mente. Era peculiar se sentir desconfortável em um espaço tão familiar. Tudo no Nodo 3 parecia diferente no escuro. Mas havia alguma coisa ali. Susan hesitou, momentaneamente, e olhou para as portas fechadas. Não havia como fugir. *Vinte minutos*, pensou.

Quando se virou na direção do terminal de Hale, notou um estranho cheiro, algo penetrante e que definitivamente não pertencia ao Nodo 3. Pensou se seria algum problema com o desionizador, que poderia estar parado. O cheiro era vagamente familiar e trazia consigo uma lembrança incômoda. Pensou em Hale trancado lá embaixo em sua enorme cela, cheia de vapor. *Será que ele colocou fogo em alguma coisa?* Olhou para os dutos de ventilação e tentou identificar o cheiro, que parecia vir de um lugar próximo.

Ela olhou para as portas de treliça da quitinete. Reconheceu o cheiro quase instantaneamente. Era *colônia... e suor.*

Curvou-se sobre si mesma, instintivamente, mas não estava preparada para o que viu a seguir. Por trás das treliças, dois olhos a encaravam. Deparou-se, então, com a terrível verdade. Greg Hale não estava trancado no subsolo: ele estava ali, dentro do Nodo 3! Devia ter subido pela escada antes que Strathmore fechasse a tampa do alçapão. Tivera força suficiente para abrir as portas sozinho.

Susan já tinha ouvido dizer que, em estado de completo terror, as pessoas geralmente ficam paralisadas. Descobriu que aquilo era um mito. No mesmo instante em que compreendeu o que estava acontecendo, começou a se mover. Saiu aos tropeções no escuro com um único pensamento: fugir.

O ruído de madeira se quebrando atrás dela veio quase ao mesmo tempo. Hale, que estivera sentado em silêncio sobre o fogão, empurrou suas pernas como duas marretas. As portas voaram longe. Ele saltou para o chão e saiu correndo na direção de Susan com passadas largas.

Susan derrubou uma luminária no caminho, tentando fazer com que Hale tropeçasse, mas sentiu que ele pulou por cima do obstáculo sem dificuldade aproximando-se rapidamente.

Quando seu braço direito agarrou a cintura de Susan por trás, ela se sentiu como se tivesse batido em uma barra de ferro. Ficou sem ar, por conta da pancada. Os bíceps de Hale puxaram-na pelo quadril.

Susan tentou resistir e começou a se debater ferozmente, acertando o nariz de Hale com o cotovelo. Ele a soltou e caiu de joelhos no chão, as mãos segurando o nariz.

– Sua filha da... – gritou, com dor.

Susan correu até as portas, com uma esperança vã de que Strathmore restaurasse a energia naquele momento e as portas se abrissem à sua frente. Contudo, isso não aconteceu, e ela ficou socando inutilmente o vidro.

Hale se moveu pesadamente em sua direção, com o nariz cheio de sangue. Em pouco tempo agarrou-a de novo, uma das mãos prendendo-a firmemente na altura do peito esquerdo e a outra segurando sua cintura. Puxou-a para longe da porta.

Ela gritou, com a mão esticada em uma tentativa fútil de impedi-lo.

Ele puxou-a para trás, com a fivela de seu cinto machucando sua coluna. Susan estava assustada com sua força. Ele arrastou-a pelo carpete, e os sapatos dela saíram. Com um gesto ágil, Hale levantou-a no ar e jogou-a no chão perto de seu terminal.

Susan estava agora com as costas apoiadas no chão, a saia levantada até a metade de suas coxas. O botão superior de sua blusa tinha aberto durante a briga e seu peito arfava pesadamente sob a luz azulada do monitor. Ela olhou apavorada quando ele se lançou sobre ela, prendendo-a entre suas pernas. Não conseguia decifrar o que estava por trás dos olhos dele. Parecia medo, mas podia igualmente ser raiva. Quando Hale percorreu com os olhos seu corpo, Susan sentiu uma nova onda de pânico invadi-la.

Hale sentou-se firmemente sobre sua cintura, encarando-a com um olhar gélido. Susan tentava se lembrar de tudo que havia aprendido sobre autodefesa. Tentava lutar, mas estava presa, sem ação. Fechou os olhos.

Ai, meu Deus, por favor, não!

CAPÍTULO 65

Brinkerhoff andava de um lado para o outro no escritório de Midge.

– *Ninguém* pode contornar o Gauntlet. É impossível!

– Engano seu. Acabei de falar com Jabba. Ele disse que instalou um dispositivo para contorno manual no ano passado.

Brinkerhoff estava confuso.

– Nunca tinha ouvido falar disso.

– Ninguém ouviu. Foi tudo feito às escondidas.

– Midge, Jabba é obsessivo no que diz respeito à segurança! – Brinkerhoff argumentou. – Ele jamais instalaria um dispositivo de contorno para...

– Strathmore fez com que fosse instalado – ela disse, interrompendo.

Brinkerhoff quase podia ouvir a mente dela maquinando.

– Você lembra, no ano passado, quando o comandante estava trabalhando no caso daquele grupo terrorista anti-semita da Califórnia?

Brinkerhoff lembrava. Havia sido uma das ações mais bem-sucedidas de Strathmore no ano anterior. Usando o TRANSLTR para decifrar um código interceptado, ele descobriu um plano para colocar uma bomba em uma escola judaica de Los Angeles. Decodificou a mensagem dos terroristas apenas 12 minutos antes da explosão e, com alguns telefonemas urgentes, salvou 300 crianças que estavam na escola.

– Agora ouça isso – disse Midge, abaixando o tom de voz, como se alguém pudesse ouvi-los. – Jabba disse que Strathmore havia interceptado o código dos terroristas *seis horas* antes que a bomba explodisse.

– Mas, então, por que ele esperou...

– Porque não conseguia fazer com que o TRANSLTR desencriptasse o arquivo. Ele tentou, mas o Gauntlet o rejeitava sucessivamente. Estava encriptado com um novo algoritmo de chave pública que os filtros ainda não haviam encontrado. Jabba levou quase seis horas para ajustá-los.

Brinkerhoff ficou atônito.

– Strathmore, obviamente, ficou furioso. Então fez com que Jabba instalasse um dispositivo para contornar o Gauntlet, caso algo do gênero acontecesse novamente.

– Nossa – Brinkerhoff assobiou, impressionado. – Eu não sabia dessa. – Depois olhou para ela, curioso. – Onde exatamente você quer chegar?

– Acho que Strathmore usou o dispositivo hoje para processar um arquivo que o Gauntlet havia rejeitado.

– Qual o problema? É para isso que serve o dispositivo, certo?

Midge sacudiu a cabeça.

– Não se o arquivo em questão for um vírus.

– Um vírus? E quem falou em vírus?

– É a única explicação – disse ela. – Jabba disse que um vírus seria a única coisa capaz de parar o TRANSLTR durante tanto tempo, então...

– Espere aí! Strathmore nos disse que estava tudo bem por lá!

– Ele está mentindo.

Brinkerhoff não estava entendendo.

– Você quer dizer que Strathmore deixou um vírus entrar no TRANSLTR de propósito?

– Não! Não acho que ele *soubesse* que fosse um vírus. Acho que foi enganado.

Brinkerhoff não sabia o que dizer. Definitivamente, o que Midge Milken dizia não estava fazendo muito sentido.

– Isso explicaria muita coisa! – insistiu ela. – Explicaria, por exemplo, o que ele está fazendo lá a noite toda.

– Colocando novos vírus em seu próprio computador?

– Não! – disse ela, irritada. – Tentando encobrir o erro que cometeu. E agora não pode interromper a execução do TRANSLTR e restaurar a força porque o vírus está bloqueando os processadores.

Brinkerhoff revirou os olhos. Midge já tinha tido alguns "ataques" no passado, mas não como este agora. Ele tentou acalmá-la.

– Jabba não me parece muito preocupado.

– Jabba é um tolo – disse ela, entredentes.

Brinkerhoff ficou surpreso. Ninguém jamais havia chamado Jabba de tolo. Talvez já tivessem dito que era porco, mas nunca tolo.

– Você está dando mais importância à sua intuição feminina do que à enorme experiência de Jabba em técnicas de programação defensiva?

Ela lhe lançou um olhar fulminante.

O assistente levantou as mãos, dando-se por vencido.

– Ok, eu retiro o que disse. – Ele não queria ouvir outro monólogo sobre a inusitada habilidade de Midge para perceber desastres iminentes. – Eu sei que você odeia Strathmore, mas...

– Já disse que isso não tem nada a ver com Strathmore! – Midge estava soltando fumaça. – A primeira coisa que precisamos fazer é confirmar se Strathmore ordenou que o Gauntlet fosse contornado. Depois entramos em contato com o diretor.

– Ótimo – resmungou Brinkerhoff. – Vou ligar para o comandante e pedir que nos envie uma declaração com sua assinatura.

– Não – ela retrucou, ignorando o sarcasmo da resposta. – Strathmore já nos contou uma mentira hoje. – Ela sondou seus olhos. – Você tem as chaves do escritório de Fontaine?

– Claro. Sou seu assistente.

– Preciso delas.

Brinkerhoff ficou parado.

– Midge, não vou deixar você entrar no escritório de Fontaine de forma alguma.

– Mas é necessário! – exigiu. Ela se virou e começou a digitar no teclado do Big Brother. – Estou pedindo um relatório dos comandos enviados ao TRANSLTR. Se Strathmore ordenou um contorno manual, irá aparecer no relatório.

– E o que isso tem a ver com o escritório do Fontaine?

– Essa listagem só pode ser enviada para a impressora de Fontaine. Você sabe disso!

– É porque ela é *secreta*, Midge!

– Estamos em meio a uma emergência. Eu preciso ver essa listagem.

Brinkerhoff colocou suas mãos nos ombros dela.

– Por favor, sente-se e acalme-se. Você sabe que não posso...

Ela virou-se novamente para o teclado.

– Estou mandando imprimir a listagem. Vou entrar, pegá-la e sair. Agora me dê as chaves.

– Midge.

Ela terminou de digitar e encarou-o.

– Chad, o relatório leva apenas 30 segundos para ser impresso. Vamos fazer um acordo. Você me dá a chave. Se Strathmore de fato tiver ordenado um contorno do Gauntlet, chamamos a segurança. Se eu estiver errada, vou embora e você pode ir brincar de passar mel em Carmen Huerta. – Ela lhe lançou um olhar malicioso e estendeu a mão para pegar as chaves. – Estou esperando.

Brinkerhoff grunhiu, arrependido de tê-la chamado de volta para verificar o relatório da Criptografia. Ele olhou para a mão dela.

– Você está me pedindo para lhe dar acesso a informações secretas dentro da sala do diretor. Você tem idéia do que acontecerá se formos pegos?

– O diretor está na América do Sul.

– Me desculpe. Não posso fazer isso. – Brinkerhoff cruzou os braços e saiu andando em direção a seu escritório.

Midge olhou enfurecida para ele.

– Ah, mas você pode sim – ela murmurou. Depois voltou-se para o Big Brother e acessou os arquivos de vídeo.

◆◆◆

Midge vai superar isso, pensou Brinkerhoff, sentando-se em sua mesa para olhar os outros relatórios. Ela não podia esperar que ele lhe desse as chaves da sala do diretor toda vez que tivesse um de seus acessos de paranóia.

Ele tinha acabado de verificar as análises de COMSEC quando sua concentração foi interrompida pelo som de vozes vindas da outra sala. Deixou o relatório na mesa e caminhou até a porta.

A sala principal estava escura, exceto por um pequeno brilho de luz acinzentada que saía da porta semi-aberta de Midge. Ele escutou com atenção. As vozes persistiam. Pareciam animadas.

– Midge?

Nenhuma resposta.

Atravessou o corredor escuro até chegar à sala de Midge. As vozes lhe eram familiares. Abriu a porta. A sala estava vazia e não havia ninguém na cadeira de Midge. O som vinha de cima. Brinkerhoff olhou na direção dos monitores de vídeo e sentiu um enorme mal-estar. A mesma imagem estava sendo exibida em cada uma das 12 telas, numa espécie de balé perversamente coreografado. Brinkerhoff apoiou-se nas costas da cadeira de Midge e ficou olhando, horrorizado.

– Chad? – a voz soou atrás dele. Ele se virou e apertou os olhos para enxergar na escuridão. Midge estava sentada em um canto, do outro lado da recepção da ala principal, em frente às portas duplas do diretor. Sua mão continuava estendida. – As chaves, Chad.

Brinkerhoff ficou vermelho. Virou-se para os monitores, tentando bloquear as imagens, mas não conseguiu. Ele estava nas telas, gemendo de prazer enquanto acariciava avidamente os pequenos seios cobertos de mel de Carmen Huerta.

CAPÍTULO 66

Becker atravessou o saguão em direção aos banheiros, mas, ao chegar à porta onde estava escrito *CABALLEROS*, viu que estava bloqueada por um cone amarelo e um carrinho de limpeza cheio de detergentes e panos. Olhou para o lado. *DAMAS*. Foi até lá e bateu na porta com força.

– *¿Hola?* – disse alto, abrindo ligeiramente a porta do banheiro das mulheres. – *¿Con permiso?*

Silêncio.

Entrou.

O banheiro era típico: perfeitamente quadrado, cerâmica branca, uma lâmpada incandescente no teto. Como sempre, havia um reservado e um urinol. O fato de um urinol ser ou não útil em um banheiro feminino era irrelevante. Colocá-lo lá fazia com que os empreiteiros economizassem a construção de um reservado adicional.

Becker olhou, enojado, para o resto do banheiro. Estava sujo. A pia estava entupida e cheia de uma água marrom e fedorenta. Havia toalhas de papel sujas espalhadas por toda parte. O chão estava molhado. O velho secador de mãos elétrico na parede estava todo sujo e com marcas esverdeadas de dedos.

Becker foi até o espelho e suspirou. Seus olhos, que normalmente demonstravam uma clareza aguda, pareciam fora de foco naquela noite. *Há quanto tempo estou andando por esta cidade?*, pensou. Era incapaz de fazer as contas. Por puro hábito, ajeitou o nó de sua gravata sobre o colarinho. Depois foi até o urinol.

Enquanto estava lá, ficou pensando se Susan já teria voltado para casa. *Aonde será que ela foi? Para Stone Manor, sem mim?*

– Ei! – disse uma voz feminina atrás dele, zangada.

Becker se assustou.

– Eu, eu... – balbuciou, tentando fechar o zíper rapidamente. – Desculpe, eu...

Virou-se para olhar a garota que tinha acabado de entrar. Era uma jovem sofisticada e parecia ter saído de uma revista de moda para adolescentes. Usava calças de tecido quadriculado com pregas e uma blusa branca sem mangas. Carregava uma bolsa de lona da marca L.L. Bean e seu cabelo louro tinha um penteado perfeito.

– Mil desculpas – Becker murmurou, enquanto abotoava o cinto. – O sanitário masculino estava... enfim... estou saindo.

– Porra de maluco!

Becker olhou de novo. O palavreado não combinava muito com o resto. Mas, enquanto Becker olhava para ela, percebeu que não era tão fina quanto tinha achado de início. Seus olhos estavam inchados e vermelhos e a pele do antebraço direito, arroxeada.

Deus, pensou Becker, *drogas intravenosas. Quem diria.*

– Saia daqui! – gritou. – Saia já!

Por alguns instantes Becker deixou de lado a história do anel, a NSA, tudo. Ficou de coração partido com a jovem. Seus pais certamente a haviam enviado para a Espanha com uma bolsa de estudo e um cartão de crédito, e ela tinha ido parar ali, sozinha em um banheiro, no meio da noite, se drogando.

– Você está bem? – perguntou ele, enquanto ia em direção à porta.

– Estou. – A voz tinha um tom de desprezo. – Saia, agora.

Becker virou-se para sair. Lançou um último olhar entristecido para o antebraço da garota. *Não há nada que você possa fazer, David. Deixe-a aí.*

– Agora! – ela gritou.

Ao passar pela porta, Becker virou-se uma última vez, deu um sorriso tristonho e disse:

– Cuide-se.

CAPÍTULO 67

– Susan? – Hale estava ofegante, com o rosto próximo ao dela.

Ele estava sentado, com as pernas por cima dela, todo o peso de seu corpo jogado sobre o abdômen de Susan. A bacia de Hale estava dolorosamente apoiada no púbis dela através do tecido fino da saia. O nariz dele pingava sangue. Ela sentiu um gosto de vômito no fundo da garganta. As mãos dele estavam sobre seu peito.

Em seguida, não sentiu mais nada. *Ele está me bolinando?* Levou algum tempo para que Susan compreendesse que Hale estava abotoando sua blusa e ajeitando sua roupa.

– Susan – Hale continuou, sem ar. – Você tem que me tirar daqui.

Ela parecia estar em transe. Nada fazia sentido.

– Você precisa me ajudar! Strathmore matou Chartrukian! Eu vi tudo!

As palavras entravam por seus ouvidos, mas o cérebro ainda tentava encaixar uma coisa na outra. *Strathmore matou Chartrukian?* Hale com certeza não sabia que Susan o vira no subsolo.

– Strathmore sabe que eu o vi! – continuou Hale, apressado. – Ele vai me matar também!

Se não estivesse com tanto medo, teria rido na cara dele. Ela reconheceu a tática de dividir para conquistar típica de um ex-*marine*. Inventar mentiras, jogar seus inimigos um contra o outro.

– É verdade! – ele gritou. – Temos que pedir ajuda! Acho que ambos corremos perigo!

Ela não acreditava em nada do que ele dizia.

A perna musculosa de Hale estava sem circulação e ele mudou de posição para se apoiar na outra perna. Abriu a boca para continuar falando, mas não teve tempo.

Assim que Hale levantou um pouco o corpo, Susan sentiu o sangue voltar às suas próprias pernas. Antes que soubesse o que acontecera, com um reflexo instintivo deu a joelhada mais forte que pôde no saco de Hale. Sentiu seu joelho esmagando o tecido fino entre as pernas dele.

Hale gemeu de dor e jogou-se para o lado, contorcendo-se. Susan foi em direção à porta, sabendo que jamais conseguiria abri-la. Tomando uma decisão rápida, ela se posicionou atrás da mesa de reuniões de madeira e enfiou seus pés fundo no carpete. Felizmente a mesa tinha rodas. Reunindo todas as suas forças, empurrou a mesa à sua frente na direção da parede de vidro curvo. Graças às rodas, a mesa corria bem sobre o carpete. Na metade do caminho já tinha tomado uma boa velocidade.

A pouco mais de um metro de distância do vidro, Susan empurrou a mesa com força e soltou-a. Jogou-se no chão e cobriu a cabeça. Após um estalo forte, a parede explodiu em uma chuva de pequenos cacos de vidro. Os sons do salão da Criptografia entraram no Nodo 3 pela primeira vez desde sua construção.

Susan abriu os olhos. Pelo buraco irregular, ela podia ver a mesa correndo pelo salão e girando sobre si mesma até desaparecer na escuridão. Ela enfiou o pé de volta em seu Ferragamo, já bastante torcido, deu uma última olhada para Greg Hale, que continuava no chão, e saiu correndo pelo mar de cacos para a Criptografia.

CAPÍTULO 68

– Então, não foi fácil? – disse Midge, em tom zombeteiro, quando Brinkerhoff lhe entregou as chaves do escritório de Fontaine.

Ele estava arrasado.

– Vou apagar as fitas antes de sair – prometeu Midge. – A menos, claro, que você e sua mulher as queiram para sua coleção pessoal.

– Entre lá e pegue a maldita impressão – respondeu ele, irritado. – E depois saia!

– *Sí, señor* – ironizou Midge. Ela piscou e dirigiu-se para as portas duplas que davam acesso ao escritório de Fontaine.

A sala de Leland Fontaine não se parecia nem um pouco com o restante da ala da diretoria. Não havia pinturas, nem cadeiras sofisticadas, vasos com fícus ou relógios antigos. Todo o espaço tinha sido projetado para o máximo de eficiência. A mesa com tampo de vidro e a cadeira de couro preto ficavam em frente à sua enorme janela panorâmica. Em um canto, perto de uma pequena mesa com uma cafeteira francesa, havia três gavetões de arquivos. A lua estava bem alta no céu de Fort Meade e sua luz suave entrando pela janela acentuava o ascetismo funcional da decoração do diretor.

Estou ferrado, pensava Brinkerhoff.

Midge correu até a impressora e agarrou a listagem. Ela forçou os olhos para enxergar na escuridão da sala.

– Não consigo ler direito. Acenda as luzes!

– Você vai ler isso *lá fora!* Ande, vamos.

Mas Midge aparentemente estava se divertindo bastante. Ela brincou com Brinkerhoff, indo até a janela e posicionando o papel para conseguir ler melhor.

– Midge...

Ela continuava lendo.

Brinkerhoff olhava nervosamente de um lado para o outro, de pé junto à porta.

– Vamos, Midge. Essa é a sala do diretor.

– Está aqui, eu sei que está aqui – murmurou, estudando a listagem. – Strathmore contornou o Gauntlet, tenho certeza. – Moveu-se para mais perto da janela.

Brinkerhoff começou a suar. E Midge continuou lendo.

Poucos instantes depois, ela gritou:

– Eu sabia! Strathmore mentiu! Ele realmente ordenou um contorno! Que idiota! – ela brandia o papel. – Olha aqui, ele contornou o Gauntlet!

Brinkerhoff ficou parado um instante, incrédulo, depois atravessou correndo o escritório do diretor. Juntou-se a Midge em frente à janela. Ela estava apontando para o final da listagem.

Ele leu, perplexo.

– Mas que diabos?

A listagem mostrava os últimos 36 arquivos processados pelo TRANSLTR. Depois de cada arquivo vinha um código de permissão do Gauntlet. Contudo, o último não possuía código algum. Apenas trazia a seu lado as palavras: CONTORNO MANUAL.

Meu Deus, pensou Brinkerhoff. *Midge acertou de novo.*

– Que idiota! – disse Midge, eufórica. – Olhe isso! Gauntlet rejeitou o arquivo duas vezes! Tinha cadeias de caracteres mutantes! E *ainda assim* ele ordenou um contorno. O que Strathmore estava pensando?

Brinkerhoff sentiu que suas pernas estavam trêmulas. Ficou pensando como é que Midge sempre acertava essas coisas. Em meio à excitação, nenhum dos dois notou o reflexo que apareceu na janela ao lado deles. Uma figura imponente estava parada na porta do escritório de Fontaine.

– Uau! Você acha que é um vírus? – disse Brinkerhoff.

Midge suspirou.

– Não pode ser outra coisa.

– Talvez seja algo que não diga respeito a nenhum de vocês – falou uma voz estrondosa atrás deles.

Midge bateu com a cabeça na parede. Brinkerhoff perdeu o equilíbrio, esbarrou na cadeira do diretor e andou em direção à voz. Ele sabia de quem era aquela silhueta.

– Senhor diretor! – engasgou-se Brinkerhoff. Aproximou-se e estendeu a mão. – Bem-vindo, senhor.

O enorme homem ignorou-o.

– Eu... Eu pensei que... – gaguejou Brinkerhoff, soltando o braço. – Pensei que o senhor estivesse na América do Sul.

Leland Fontaine olhou de cima a baixo seu ajudante, com um olhar fulminante.

– Sim, e agora estou de volta.

CAPÍTULO 69

– Ei, senhor!

Becker tinha saído do banheiro e se dirigia a uma fileira de telefones públicos. Parou e virou-se. Atrás dele vinha a garota que ele encontrara no banheiro. Ela fez sinal para que ele esperasse.

O que ela quer agora?, resmungou Becker para si mesmo. *Vai me acusar de invasão de privacidade?*

A garota puxava sua bolsa na direção de Becker. Quando chegou até ele, estava com um grande sorriso.

– Me desculpe por ter gritado lá no banheiro. É que você me assustou.

– Sem problemas – disse Becker, intrigado. – Digamos que eu estava no lugar errado.

– Olha, isso vai parecer meio louco, mas... – ela disse, piscando os olhos avermelhados. – Você por acaso não teria algum dinheiro para me emprestar?

Becker olhou para ela, surpreso.

– Dinheiro? Para quê? – *Não vou financiar suas drogas, se é isso que você está querendo.*

– Estou tentando voltar para casa – disse a loura. – Você pode me ajudar?

– Perdeu o vôo?

Ela fez que sim.

– Perdi meu tíquete e não me deixaram entrar. Essas companhias aéreas são um saco. Não tenho grana para comprar outra passagem.

– E seus pais? – perguntou Becker.

– Nos Estados Unidos.

– Você não pode falar com eles?

– Não. Já tentei. Acho que foram passar o fim de semana no iate de alguém.

Becker fez uma rápida inspeção visual nas roupas de grife que ela usava.

– E você não tem um cartão de crédito?

– Tenho, mas meu pai cancelou. Ele acha que estou tomando drogas.

– Você *está* tomando drogas? – perguntou Becker, a seco, olhando para o antebraço machucado.

A garota lançou um olhar feroz.

– Claro que não! – Becker pensou se ela não estaria querendo usá-lo.

– Puxa, você parece um cara cheio de dinheiro. Não dá para me dar uma grana para eu voltar para casa? Eu devolvo depois.

Becker pensou que qualquer dinheiro que desse para a garota iria acabar nas mãos de um traficante de drogas em Triana.

– Olha, para começar, não sou rico, sou um professor. Mas tem uma coisa que eu posso fazer... – *Posso ver se você está blefando, é isso que vou fazer*. – Por que você não deixa que *eu* compre a passagem para você?

A loura olhou para ele, desconcertada.

– Uau! Você faria isso? – Seus olhos brilhavam. – Você compraria uma passagem de volta para mim? Puxa vida, obrigada!

Becker ficou sem fala. Aparentemente ele havia julgado mal a situação. A moça abraçou-o.

– Esse verão foi uma merda – ela soluçou, quase chorando. – Puxa vida, obrigada, eu tenho que dar o fora daqui.

Ele devolveu o abraço sem muita convicção. Quando a garota se afastou um pouco, Becker voltou a olhar para o braço dela. Ela seguiu o olhar dele até a marca azulada na pele.

– Feio, né?

– Achei que você tinha dito que não estava tomando drogas.

– É marcador permanente! Quase tive que arrancar a pele tentando fazer essa coisa sumir. A tinta se espalhou – explicou a garota, rindo.

Becker olhou mais de perto. Sob a luz fluorescente do aeroporto, ele podia ver, borradas sob a mancha avermelhada no braço dela, as linhas tênues de algumas palavras rabiscadas no braço.

– Mas os seus *olhos*... – disse Becker, que começava a se sentir um idiota. – Estão vermelhos!

– Eu estava chorando. Já disse, perdi meu vôo.

Becker tentou ler as palavras que estavam no braço dela.

– Ah... Acho que ainda dá para ler, não é? – ela franziu o rosto, envergonhada.

Becker chegou ainda mais perto. Quando conseguiu ler as palavras esmaecidas, as últimas 12 horas passaram diante de seus olhos.

Era como se David estivesse de volta ao quarto do Alfonso XIII. O alemão obeso estava batendo no próprio antebraço e falando em inglês precário: *Fock off.*

– Você está bem? – perguntou a garota, olhando para Becker, que havia entrado em uma espécie de transe.

Sem pestanejar, continuou olhando para o braço dela. Ele estava zonzo. As palavras borradas traziam uma mensagem simples: *Fuck off.* Vá se foder.

A garota olhou para o próprio braço, constrangida.

– Pois é, foi um amigo que escreveu esse troço. É meio idiota, não?

Ele continuava sem fala. *Fock off.* Agora fazia sentido. O alemão não estava tentando insultá-lo, pelo contrário, queria ajudá-lo. Becker levantou o rosto devagar e examinou a garota. Sob a luz fluorescente do saguão, ele podia ver um resto de tinta vermelha e azul nos cabelos louros.

– Você... ah... – Becker titubeava, observando as orelhas dela, que não eram furadas. – Você por acaso usa brincos?

Ela o encarou meio espantada. Pegou um pequeno objeto que estava em seu bolso e segurou-o. Becker olhou para a caveira que balançava entre os dedos dela.

– Um brinco de pressão?

– Putz, é. Nunca tive coragem de furar as orelhas.

CAPÍTULO 70

David Becker sentiu as pernas ficarem trêmulas. Sabia que sua busca havia terminado. A garota tinha lavado os cabelos e mudado de roupa – talvez na esperança de conseguir vender o anel –, mas não chegou a partir para Nova York.

Becker tentou se manter calmo. Sua jornada alucinada estava chegando ao fim. Ele olhou para os dedos dela, mas ela não estava usando nenhum anel. Então olhou para a bolsa. *Tem que estar aí dentro*, pensou. *Tem que estar!*

Ele sorriu, mal disfarçando sua animação.

– Isso vai soar um pouco estranho, mas eu acho que você tem algo de que preciso.

– É? – Megan ficou insegura.

Becker pegou a carteira.

– Claro que eu irei pagar. – Ele olhou para baixo e começou a contar as notas.

Enquanto ele contava o dinheiro, Megan estremeceu, interpretando mal as intenções de Becker. Olhou, apavorada, para a porta de saída do aeroporto. Mediu a distância, cerca de 50 metros.

– Posso lhe dar dinheiro suficiente para você comprar sua passagem para casa se...

– Não precisa dizer – cortou Megan, com um sorriso forçado. – Acho que sei exatamente do que você precisa. – Ela se inclinou e começou a revirar a bolsa.

David ficou esperançoso. *Ela está com o anel!* Não sabia como a garota poderia saber que ele estava atrás do anel, mas estava cansado demais para se preocupar com isso. Todos os músculos de seu corpo relaxaram. Visualizou-se entregando o anel ao sorridente vice-diretor da NSA. Então ele e Susan iriam se deitar na enorme cama com dosséis do Stone Manor e recuperar o tempo perdido.

A garota finalmente encontrou o que estava procurando: seu PepperGuard, um spray de pimenta feito de uma poderosa mistura de pimenta-de-caiena com chili. Com um gesto rápido, disparou um jato direto nos olhos de Becker, pegou sua bolsa e saiu correndo em direção à porta. Quando se virou para olhar, Becker estava caído no chão, segurando o rosto e gemendo de dor.

CAPÍTULO 71

Tokugen Numataka acendeu seu quarto charuto seguido e continuou andando de um lado para o outro. Pegou o telefone e discou o ramal da telefonista.

– E então? Alguma novidade sobre aquele número de telefone? – perguntou antes mesmo que a telefonista pudesse dizer algo.

– Nada ainda, senhor. Está levando mais tempo do que esperávamos. A chamada veio de um celular.

Um celular, pensou Numataka. *Típico.* Felizmente para a economia japonesa os americanos tinham um apetite insaciável por aparelhos eletrônicos.

– A estação receptora está situada no código de área 202. Mas ainda não temos o número – acrescentou a telefonista.

– 202? Onde fica isso? – *Em que parte do vasto território americano esse misterioso North Dakota está se escondendo?*

– Algum lugar próximo a Washington, D. C., senhor.

Numataka arregalou os olhos.

– Me ligue assim que tiver o número.

CAPÍTULO 72

Susan Fletcher saiu tropeçando pelo salão escuro da Criptografia na direção das escadas que levavam ao escritório do comandante. Era o lugar mais distante de Hale que poderia encontrar dentro do complexo ainda trancado.

Quando chegou ao topo da escada de estrutura metálica encontrou a porta do escritório entreaberta, já que a fechadura elétrica havia sido desativada pela falta de energia. Ela entrou.

– Comandante? – A única luz vinha da tela dos monitores de Strathmore. – Comandante? – Ela chamou mais uma vez. – Comandante!

Só então Susan lembrou-se de que Strathmore estava no laboratório de SegSis. Andou em círculos pela sala vazia, ainda em pânico por sua luta recente com Hale. Tinha que sair da Criptografia. Com ou sem Fortaleza Digital, era hora de agir. Era preciso interromper a execução do TRANSLTR e fugir. Olhou para os monitores do chefe e correu em direção à mesa. Colocou a mão sobre o teclado. *Interromper o TRANSLTR!* A tarefa era simples agora que ela estava em um terminal com autorização. Susan chamou a janela de comando e digitou:

INTERROMPER EXECUÇÃO

Ia apertar a tecla ENTER quando ouviu uma voz, gritando da porta.

– Susan! – Passou por alguns segundos de pânico achando que fosse Hale, mas era Strathmore. Ele estava de pé, pálido e fantasmagórico, sob a luz dos monitores, respirando pesadamente. – Que diabos está acontecendo?

– Com... Comandante! – Susan ainda estava sem ar. – Hale está no Nodo 3! Ele acabou de me atacar!

– Como? É impossível! Ele está trancado lá embaixo.

– Não, não está! Ele se soltou! Precisamos que a segurança venha para cá agora! Estou interrompendo a execução do TRANSLTR. – Moveu novamente sua mão em direção ao teclado.

– NÃO TOQUE NISSO! – Strathmore pulou na direção do terminal e tirou as mãos de Susan de perto do teclado.

Susan se retraiu, assustada. Olhou para o comandante e, pela segunda vez naquele dia, não o reconheceu. Sentiu uma solidão profunda.

◆◆◆

Strathmore viu as manchas de sangue na blusa de Susan e arrependeu-se de ter sido tão agressivo.

– Meu Deus, está tudo bem?

Ela não respondeu.

Ele lamentou ter pulado sobre ela sem necessidade. Seus nervos estavam em frangalhos, pois estava lidando com problemas demais ao mesmo tempo. Havia muitas coisas que apenas ele sabia, coisas que não contara para Susan e esperava nunca ter que contar.

– Peço desculpas – disse, mais calmo. – Me diga o que aconteceu.

Ela lhe deu as costas.

– Não importa. O sangue não é meu. Apenas me tire daqui.

– Você está machucada? – Strathmore colocou a mão sobre seu ombro. Ela se contraiu, afastando-se ligeiramente. Ele deixou cair o braço e olhou para baixo. Quando voltou a encarar Susan, ela estava olhando sobre seus ombros para algo na parede.

Ali, em meio à escuridão, um pequeno teclado numérico brilhava intensamente. Strathmore seguiu o olhar dela e franziu a testa. Ele esperava que ela não notasse o painel iluminado que controlava seu elevador privativo. Strathmore e seus convidados das altas esferas do poder usavam aquele elevador para entrar e sair da Criptografia sem serem vistos pelo restante da equipe. Ele descia 50 metros abaixo do domo da Criptografia e depois se movia lateralmente por uns 100 metros, através de um túnel subterrâneo reforçado, saindo no subsolo do complexo principal da NSA. O elevador recebia energia do complexo central e, portanto, estava funcionando apesar da falta de luz na Criptografia.

O comandante sabia o tempo todo que ele estava funcionando, mas, mesmo quando Susan estivera socando a saída principal lá embaixo, ele não disse nada. Strathmore não podia deixar que Susan saísse; ainda não. Ponderou o quanto teria que lhe contar para fazer com que ela se dispusesse a ficar.

Susan o empurrou e correu para a parede onde estava o elevador. Apertou furiosamente os botões iluminados.

– Por favor, vamos – ela implorou. Mas a porta não se abriu.

– Susan, esse elevador requer uma senha – disse Strathmore, ainda com voz baixa e controlada.

– Uma senha? – repetiu ela, com raiva, olhando para os controles. Abaixo do teclado numérico principal havia um segundo teclado, menor, com botões pequenos. Cada um deles estava marcado com uma letra do alfabeto. Susan voltou-se para o comandante. – Me diga qual é a senha!

Strathmore pensou um pouco e depois suspirou pesadamente.

– Susan, sente-se.

Ela olhou para ele perplexa, sem acreditar no que estava ouvindo.

– Sente-se – repetiu ele, com voz firme.

– Deixe-me sair daqui! – disse Susan, olhando preocupada para a porta da sala, que permanecia aberta.

Strathmore percebeu o estado de pânico de Susan e calmamente se dirigiu até a porta do escritório. Deu um passo para fora e olhou para o salão da Criptografia. Hale não estava em nenhum lugar visível. O comandante voltou ao escritório e puxou a porta. Colocou uma cadeira encostada contra ela para mantê-la fechada. Foi até sua mesa e pegou algo em uma gaveta. Na pálida luz azulada dos monitores, Susan viu o que ele estava segurando e ficou lívida. Era uma arma.

Strathmore puxou duas cadeiras para o meio da sala. Virou-as de forma que ficassem de frente para a porta fechada do escritório. Depois sentou-se. Apontou a pistola Beretta para a porta e estabeleceu uma mira firme. Colocou a arma em uma posição conveniente no seu colo.

Voltou a falar, agora de forma solene.

– Susan, estamos seguros aqui. Precisamos conversar. Se Hale decidir atravessar essa porta... – deixou a frase terminar em silêncio.

Susan estava imóvel. Strathmore olhou para ela sob a luz tênue de seu escritório e deu uns tapinhas na cadeira a seu lado.

– Por favor, sente-se. Eu tenho que lhe contar uma coisa. – Ela não se moveu. – Quando eu terminar, lhe dou a senha para o elevador. Você decidirá, então, se quer ou não sair.

Houve um longo silêncio. Em um transe, Susan sentou-se ao lado do comandante.

– Não fui inteiramente honesto com você – disse Strathmore.

CAPÍTULO 73

David Becker sentia o rosto pegando fogo, como se tivesse sido encharcado com terebintina e incendiado. Rolou pelo chão, tentando enxergar alguma coisa. Com o pouco da visão central que lhe sobrara, viu a garota a meio caminho da porta de saída. Ela estava correndo, assustada, arrastando a bolsa. Becker tentou levantar-se, mas não conseguia. Estava praticamente cego, os olhos ardiam como se estivessem em brasas. *Ela não pode fugir!* Tentou gritar, mas não tinha ar em seus pulmões, sentia apenas uma dor terrível.

– Não – ele tossiu. O som mal saiu de seus lábios.

Becker sabia que, se ela atravessasse aquela porta, iria desaparecer para sempre. Tentou chamá-la de novo, mas sua garganta parecia seca e incapaz de emitir qualquer som.

A garota estava quase chegando até a porta. Becker conseguiu ficar de pé, tonto e sem ar. Saiu tropeçando atrás dela. Ainda puxando a bolsa, a moça se atirou no primeiro segmento da porta giratória. Uns 20 metros atrás, Becker caminhava cegamente na mesma direção.

– Espere, espere... – disse, com a voz engasgada.

A loura empurrou a porta furiosamente, mas, depois de girar um pouco, ela emperrou. Assustada, a garota virou-se e viu que a bolsa tinha ficado presa na abertura. Ajoelhou-se e puxou-a com toda a força para tentar soltá-la.

Becker fixou sua visão tênue no tecido que saía pela porta. Quando se jogou no chão, tudo que conseguia ver era o náilon vermelho saindo pela fresta. Voou em direção a ele com os braços esticados.

Caiu no chão, sua mão a apenas alguns centímetros de distância, mas a bolsa deslizou pela abertura e sumiu. Seus dedos se fecharam sobre o nada e a porta girou. A garota saltou para a rua carregando a bolsa.

– Megan! – Becker gritou, deitado no chão. Sentia-se como se seus olhos estivessem sendo perfurados por agulhas. Sua visão ficou completamente negra e uma nova onda de náusea o invadiu. Sua voz ecoou na escuridão. *Megan!*

◆◆◆

David Becker não tinha idéia de quanto tempo passara no chão antes que percebesse o zumbido das lâmpadas fluorescentes acima dele. Tudo mais estava em silêncio e, em meio ao silêncio, havia uma voz. Alguém estava chamando. Tentou levantar a cabeça. O mundo parecia estar fora de foco e torto. Mais uma vez, ouviu a voz. Entreabriu os olhos e, a cerca de 20 metros de distância no saguão, viu um vulto.

– Senhor?

Becker reconheceu a voz. Era a garota. Ela estava novamente dentro do aeroporto, em outra porta, mais à frente, segurando com força a mochila contra o peito. Parecia ainda mais assustada agora do que antes.

– Senhor? – ela perguntou novamente, com a voz trêmula. – Eu nunca lhe disse meu nome. Como você sabe meu nome?

CAPÍTULO 74

O diretor Leland Fontaine tinha 63 anos e era um homem corpulento. Usava os cabelos bem curtos, no estilo militar, e tinha uma postura rígida no trabalho. Seus olhos pretos pareciam carvão em brasa quando ficava irritado, o que queria dizer "quase sempre". Ele havia subido na hierarquia da NSA à custa de muito trabalho, de um bom planejamento e do respeito que seus antecessores tinham por ele. Era o primeiro diretor negro da NSA, mas ninguém mencionava isso. A conduta de Fontaine era absolutamente neutra no que dizia respeito à raça, e sua equipe agia da mesma forma.

Fontaine deixou Midge e Brinkerhoff de pé enquanto executava um silencioso ritual de preparar uma caneca de café forte. Depois sentou-se diante da escrivaninha, ainda deixando-os de pé, e interrogou-os como se fossem crianças no gabinete do diretor da escola.

Midge falou, explicando a seqüência inusitada de eventos que os levara a violar a privacidade do escritório de Fontaine.

– Um vírus? – questionou o diretor, secamente. – Os dois acham que temos um vírus?

Brinkerhoff estremeceu.

– Sim, senhor – respondeu prontamente Midge.

– Isso porque Strathmore mandou contornar o Gauntlet? – perguntou Fontaine, olhando para a impressão à sua frente.

– Sim – ela disse. – E há um arquivo sendo executado no TRANSLTR há mais de 20 horas, sem que tenha sido decodificado.

Fontaine franziu a testa.

– Ou pelo menos é o que seus dados dizem.

Midge ia contra-argumentar, mas segurou a língua. Em vez disso, deu outra informação:

– Há um apagão na Criptografia.

Fontaine olhou-a, surpreso.

Ela confirmou com um aceno curto de cabeça.

– Toda a energia caiu. Jabba acredita que talvez...

– Você falou com Jabba?

– Sim, senhor, eu...

– Com Jabba? – Fontaine levantou-se, furioso. – Por que diabos você não ligou diretamente para Strathmore?

– Ligamos! – Midge defendeu-se. – Mas ele disse que estava tudo bem.

Fontaine se levantou. Prosseguiu, friamente:

– Então não temos razão para duvidar dele, não é? – Havia um leve tom de intimidação em sua voz. Sentou-se e tomou um gole de café. – Agora, se me derem licença, preciso terminar um trabalho.

Midge não estava acreditando.

– Como?

Brinkerhoff caminhou em direção à porta, mas Midge continuou parada no mesmo lugar.

– Eu disse "boa noite", senhorita Milken – repetiu Fontaine. – Vocês estão dispensados.

– Mas, mas senhor... – ela hesitou. – Eu devo protestar. Creio que...

– *Você* deve protestar? – O diretor bateu a caneca de café na mesa. – *Eu* protesto! Protesto contra sua presença em minha sala. Protesto contra suas insinuações de que o vice-diretor desta agência está mentindo. Protesto contra...

– Temos um vírus, senhor. Meus instintos me dizem...

– Seus instintos estão errados desta vez, senhorita Milken! Uma vez na vida, estão errados!

– Mas, senhor! O comandante Strathmore mandou contornar o Gauntlet! – Midge respondeu rapidamente.

Fontaine levantou-se e andou até ficar bem em frente a Midge, mal contendo sua raiva.

– Isso é prerrogativa *dele!* Eu pago você para vigiar analistas e o pessoal de apoio. Não para espionar meu vice-diretor! Se não fosse por ele, ainda estaríamos quebrando códigos usando lápis e papel! Agora saia! – Virou-se para Brinkerhoff, que estava parado na porta, pálido e trêmulo. – Vocês dois, saiam!

– Com o devido respeito, senhor – insistiu Midge. – Gostaria de recomendar que enviássemos uma equipe de SegSis para a Criptografia só para termos certeza de que...

– Não vamos enviar equipe alguma.

Houve uma pausa tensa. Finalmente, Midge concordou.

– Sim, senhor. Boa noite, senhor. – Virou-se e saiu. Quando passou por Brinkerhoff, ele pôde ver em seus olhos que ela não tinha a menor intenção de deixar o assunto morrer. Pelo menos enquanto sua intuição não estivesse satisfeita.

O assistente olhou para o chefe, do outro lado da sala, imponente e irritado atrás de sua mesa. Não era esse o diretor que ele conhecia. Fontaine normalmente era apegado a detalhes e gostava de ver as coisas esclarecidas. Sempre encorajava sua equipe a examinar e passar a limpo quaisquer inconsistências nos procedimentos mais triviais. Ainda assim, ele acabara de pedir que esquecessem uma série de coincidências particularmente estranhas.

O diretor obviamente estava escondendo algo, mas Brinkerhoff era pago para apoiar e não para questionar. Fontaine havia demonstrado diversas vezes que sempre lutava pelo bem-estar de todos. Se, naquele momento, apoiá-lo significava fazer vista grossa, então que fosse. Infelizmente, Midge era paga para questionar, e Brinkerhoff temia que ela tivesse se encaminhado para a Criptografia a fim de fazer justamente isso.

Melhor atualizar meu currículo e procurar outro emprego, Brinkerhoff pensou enquanto se virava para sair.

– Chad! – gritou Fontaine, que também notara o olhar de Midge ao sair. – Não a deixe sair deste prédio.

Brinkerhoff assentiu e saiu correndo atrás de Midge.

◆◆◆

Fontaine suspirou e apoiou a cabeça entre as mãos. Seus olhos estavam pesados. Havia sido uma longa e inesperada viagem de volta. Durante todo o último mês ele tinha vivido uma intensa expectativa. Naquele momento estavam acontecendo muitas coisas dentro da NSA que iriam mudar a História e, ironicamente, o diretor só as havia descoberto recentemente por sorte.

Três meses atrás, Fontaine havia sido informado de que a mulher do comandante Strathmore estava pedindo o divórcio. Também lhe relataram que o vice-diretor estava trabalhando um número enorme de horas e parecia prestes a sucumbir ao estresse. Apesar das divergências entre eles, Fontaine sempre teve grande estima e respeito por Strathmore. Ele era brilhante, um dos melhores vice-diretores que a NSA já tivera. Ao mesmo tempo, desde o fracasso do Skipjack, Strathmore vivia sob grande estresse. Isso deixava Fontaine em uma posição desconfortável, pois o comandante tinha muitas atribuições e prestígio na NSA. O diretor, por sua vez, tinha que proteger a agência.

Fontaine precisava de alguém que mantivesse Strathmore sob constante observação, para ter certeza de que ele estava bem. É claro, contudo, que isso não era simples. O comandante era um homem poderoso e orgulhoso. Fontaine precisava encontrar uma forma de vigiá-lo sem arruinar sua confiança ou credibilidade.

Acabou decidindo, em grande parte por respeito a Strathmore, que ele mesmo faria o trabalho. Fez com que um "grampo" invisível fosse instalado na conta do vice-diretor na Criptografia, de forma que podia acessar seu e-mail, sua correspondência interna, os planos desenvolvidos no BrainStorm, absolutamente tudo. Assim, se Strathmore de fato fosse perder o controle, o diretor perceberia os indícios monitorando seu trabalho. No entanto, em vez de descobrir sinais de um colapso nervoso iminente, Fontaine se deparou com um intenso trabalho de preparação para um dos mais impressionantes planos de inteligência que já havia visto. Não era surpresa que o comandante estivesse se matando de trabalhar – se realmente conseguisse executar seu plano, o ganho seria centenas de vezes mais significativo do que as perdas resultantes do fracasso do Skipjack.

Fontaine acabou concluindo que Strathmore estava muito bem, trabalhando a 110% – esperto, inteligente e patriótico como sempre fora. A melhor coisa que o diretor poderia fazer era abrir caminho e deixar que ele fizesse o trabalho do seu jeito. O comandante havia elaborado um plano, e Fontaine não tinha a menor intenção de interrompê-lo.

CAPÍTULO 75

Strathmore passou os dedos na Beretta que estava em seu colo. Apesar de estar furioso, havia sido treinado para pensar com clareza. O fato de que Greg Hale ousara tocar em Susan Fletcher o deixava revoltado, mas saber que tinha sido por sua culpa só tornava as coisas piores. Afinal, a idéia de deixar Susan sozinha no Nodo 3 tinha sido dele. Strathmore era experiente o bastante para compartimentalizar suas emoções. Elas não podiam, de forma alguma, interferir em sua estratégia para lidar com o Fortaleza Digital. Ele era o vice-diretor da NSA. E seu trabalho, naquele dia, era ainda mais crítico do que de costume.

Strathmore controlou sua respiração.

– Susan – sua voz soava eficiente e clara. – Você chegou a apagar o e-mail de Hale?

– Não – respondeu ela, confusa.

– Conseguiu a chave?

Ela balançou a cabeça.

O comandante contraiu o rosto, tenso. Sua mente vasculhava as possibilidades. Ele tinha um dilema em suas mãos. Poderia muito bem dar a senha de seu elevador, e Susan iria embora. Mas precisava dela para encontrar a chave de Hale. Obter a chave era muito mais que uma questão de interesse acadêmico – era um imperativo absoluto. Strathmore acreditava que podia executar a pesquisa de não-conformidade e encontrar a chave por conta própria, mas ele já tivera problemas antes ao tentar executar o *tracer*. Não queria se arriscar a cometer o mesmo erro de novo.

– Susan – respirou fundo, pensando qual rumo tomar. – Gostaria que me ajudasse a encontrar a chave de Hale.

– Como? – Ela se levantou, os olhos arregalados.

Strathmore lutou contra o desejo de levantar-se também. Conhecia bem as técnicas de negociação e sabia que a posição de poder era sempre de quem estava sentado. Esperou que Susan se sentasse novamente, mas ela não o fez.

– Sente-se, por favor.

Ela o ignorou.

– Sente-se. – Era uma ordem.

Susan permaneceu de pé.

– Comandante, se você ainda tem algum profundo desejo de saber o que está dentro do algoritmo de Tankado, pode continuar sozinho. Eu estou fora.

Strathmore deixou a cabeça pender e respirou profundamente. Estava claro que seria necessário explicar algumas coisas. *Ela merece as explicações*, pensou. Tomou uma decisão: era hora de contar tudo para Susan. Esperava não estar cometendo um grande erro.

– Susan, eu não esperava ter que chegar a este ponto. Há algumas coisas que eu não lhe contei. Algumas vezes, um homem em minha posição deve... – O comandante hesitou, como se estivesse fazendo uma confissão difícil. – Algumas vezes, um homem em minha posição é forçado a mentir para as pessoas que ama. Hoje foi assim. – Olhou para ela com uma expressão triste. – Vou lhe contar algo que eu não esperava ter que dizer... nem para você, nem para ninguém.

Susan sentiu um arrepio. O comandante estava com uma expressão séria. Estava claro que havia alguma coisa em seus planos que ela ignorava. Sentou-se.

Seguiu-se uma longa pausa. Strathmore olhou para o teto, tentando colocar em ordem seus pensamentos. Depois prosseguiu, com a voz abatida:

– Não tenho mais família – voltou a olhar para ela. – Não tenho mais casamento. Minha vida tem sido meu amor por este país. Minha vida tem sido meu trabalho aqui na NSA.

Susan ouvia, em silêncio.

– Como você deve ter percebido, eu planejo me aposentar em breve. Mas queria me aposentar de forma digna. Queria me aposentar sabendo que de fato fiz uma diferença.

– Mas é claro que fez! – interrompeu Susan quase involuntariamente. – Você construiu o TRANSLTR.

Strathmore continuou, imerso em seus pensamentos.

– Nos últimos anos, nosso trabalho aqui na NSA ficou cada vez mais difícil. Temos enfrentado inimigos completamente inesperados. Estou falando de nossos próprios cidadãos. Os advogados, os fanáticos pelos direitos civis, a EFF, todos eles contribuíram, mas vai além disso. São as *pessoas*. Elas perderam a fé.

Tornaram-se paranóicas. Subitamente passaram a nos ver como se fôssemos o inimigo. Pessoas como você e eu, que realmente dão valor àquilo que é mais importante para a nação, subitamente têm que lutar pelo direito de servir ao país. Não somos mais guardiões da paz. Somos bisbilhoteiros, *voyeurs*, violadores dos direitos civis. – Strathmore suspirou. – Infelizmente há muita gente ingênua neste mundo, que não pode imaginar os horrores que enfrentaria se não estivéssemos aqui para intervir. Eu acredito, honestamente, que é nosso dever salvar essas pessoas de sua própria ignorância.

Susan esperou que ele concluísse seu pensamento. O comandante olhou para o chão, desgastado, e depois continuou.

– Ouça o que tenho a dizer. – Falou, sorrindo de forma carinhosa para ela. – Ouça até o fim, por mais estranho que soe. Há dois meses eu venho desencriptando o e-mail de Tankado. Como você pode imaginar, fiquei chocado quando li as primeiras mensagens para North Dakota a respeito de um algoritmo indecifrável chamado Fortaleza Digital. Não acreditei que fosse possível. Contudo, a cada nova mensagem que eu interceptava, Tankado parecia mais convincente. Quando li que ele havia usado cadeias de caracteres mutantes para escrever uma chave circular, percebi que estava anos-luz à nossa frente. Era uma abordagem que nenhum de nós havia tentado.

– E por que *teríamos* tentado? – perguntou Susan. – A coisa toda mal faz sentido.

Strathmore levantou-se e andou de um lado para o outro, mantendo-se atento à porta.

– Há algumas semanas, quando ouvi falar no leilão do Fortaleza Digital, aceitei o fato de que Tankado estava falando sério. Claro que, se vendesse o algoritmo para uma empresa de software japonesa, estaríamos acabados, então pensei em formas de detê-lo. Poderia mandar matá-lo, mas, com toda a publicidade em torno do algoritmo e suas recentes alegações públicas sobre a existência do TRANSLTR, seríamos os principais suspeitos. Foi então que mudei de perspectiva. – Virou-se para Susan. – Compreendi que *não* deveria tentar deter a criação do Fortaleza Digital.

Susan olhou para ele, sem entender muito bem aonde queria chegar.

– Subitamente percebi que essa poderia ser uma oportunidade única. Com algumas mudanças, o Fortaleza Digital poderia trabalhar *para nós* e não contra nós.

Ela estava achando aquilo completamente absurdo. O Fortaleza Digital era indecifrável. Poderia destruí-los.

– Se... – continuou Strathmore – se eu pudesse fazer uma pequena alteração no algoritmo antes que fosse lançado... – deu uma piscadela marota para ela.

O comandante notou que os olhos de Susan se iluminaram. Continuou a explicar seu plano, entusiasmado.

– Se eu pudesse obter a chave, poderia desencriptar nossa cópia do Fortaleza Digital e inserir uma modificação.

– Uma *back door*, um acesso de programador! – disse Susan, deixando de lado as mentiras que o comandante já lhe contara antes. Uma onda de excitação a invadiu. – Exatamente como no caso do Skipjack.

– Poderíamos substituir o arquivo de Tankado disponível na Internet por *nossa* versão alterada. Como o Fortaleza Digital é um algoritmo japonês, ninguém iria suspeitar de que a NSA poderia ter mexido nele. Bastaria fazer a troca – explicou Strathmore.

Susan compreendeu que o plano não era apenas engenhoso. Era puramente... Strathmore. Ele planejava possibilitar o lançamento e disseminação de um algoritmo que a NSA poderia quebrar!

– Teremos acesso absoluto – prosseguiu ele. – O Fortaleza Digital se tornará o padrão global de encriptação imediatamente.

– Imediatamente? – perguntou Susan. – Como assim? Mesmo se o Fortaleza Digital estiver disponível gratuitamente para todos, muitos usuários irão continuar usando seus algoritmos antigos apenas por conveniência. Por que todos iriam usar o Fortaleza Digital?

Strathmore sorriu, maquiavélico.

– Bem, vamos supor que haja um vazamento "acidental" de informações, e as pessoas descubram que a NSA tem o TRANSLTR...

Susan deixou cair o queixo.

– É tudo muito simples, Susan. Basta deixarmos que a verdade se espalhe. Contaremos ao mundo que a NSA possui um computador capaz de quebrar todos os algoritmos existentes. Todos, *exceto* o Fortaleza Digital.

Susan estava realmente impressionada.

– Sim, os usuários passariam a usar o Fortaleza Digital sem saber que somos capazes de decifrá-lo!

– Exato! – Houve um longo silêncio. – Lamento ter mentido para você, mas foi necessário. Tentar reescrever o Fortaleza Digital é uma aposta alta e não queria que você estivesse envolvida. Mentir era a única forma de deixá-la fora do circuito.

– Eu... eu entendo – respondeu lentamente, ainda impressionada com a genialidade do plano.– E quantas pessoas sabem disso?

– Estamos todos aqui.

Susan sorriu pela primeira vez em uma hora.

– Foi o que pensei. – Strathmore também sorriu. – Quando o Fortaleza Digital estiver "pronto", vou falar com o diretor.

Susan estava maravilhada. O plano de Strathmore era um golpe na comunidade de inteligência de todo o planeta, com uma magnitude nunca antes tentada. Ele tinha cuidado de tudo sozinho e ainda assim era provável que se saísse bem. A senha estava logo ali, na outra sala. Tankado estava morto e seu parceiro havia sido localizado.

Foi neste ponto que Susan parou.

Tankado está morto. Continuava soando um pouco conveniente demais. Pensou em todas as outras mentiras que o comandante já havia lhe contado e sentiu um arrepio desagradável. Olhou desconfiada para ele e perguntou:

– Você matou Ensei Tankado?

Strathmore pareceu surpreso. Balançou a cabeça.

– Claro que não. Não havia motivos para isso. Na verdade, seria melhor se ele estivesse vivo. Sua morte pode lançar alguma suspeita sobre o Fortaleza Digital. Queria que esta alteração no algoritmo fosse feita da forma mais tranqüila e discreta possível. O plano original era fazer a troca e deixar que Tankado vendesse sua chave.

Fazia sentido, pensou Susan. Tankado não teria razão para suspeitar de que o algoritmo na Internet não era o original. Ninguém mais tinha acesso a ele, a não ser o próprio Tankado e North Dakota. A menos que Tankado resolvesse analisar novamente o algoritmo depois do seu lançamento, jamais descobriria o acesso de programador. Ele já havia trabalhado no Fortaleza Digital durante tanto tempo que provavelmente nunca mais teria vontade de revisar a programação.

Ela deixou as coisas se assentarem em sua mente. Entendeu por que o comandante precisava tanto manter a privacidade na Criptografia. A tarefa que ele tinha em mãos era delicada e requeria tempo. Escrever um acesso de programador oculto em um algoritmo complexo e fazer uma troca na Internet sem deixar rastros não eram tarefas simples. Não deixar rastros da operação era essencial. A mera suposição de que o Fortaleza Digital havia sido alterado arruinaria o plano do comandante.

Somente então ficou claro por que ele havia decidido deixar o TRANSLTR executando a tarefa durante todo aquele tempo. *Se o Fortaleza Digital vai ser o novo brinquedo da NSA, Strathmore quer ter a certeza de que o algoritmo é impossível de ser quebrado.*

– Você ainda quer ir embora? – ele perguntou.

Susan olhou para ele. Enquanto esteve sentada ali, envolta na escuridão, ao lado do grande Trevor Strathmore, seu medo desaparecera. Reescrever o

Fortaleza Digital era uma chance de entrar para a História, uma chance de fazer um grande bem, e ela certamente podia ajudar. Relutantemente, Susan forçou um sorriso e perguntou:

– Qual nossa próxima jogada?

Strathmore se aproximou e colocou a mão sobre o ombro dela.

– Obrigado – sorriu, voltando logo em seguida a pensar na estratégia que usaria. – Vamos descer juntos. Você irá fazer a pesquisa no terminal de Hale. Eu ficarei lá para lhe dar cobertura – disse, segurando a Beretta.

Susan ficou tensa diante da idéia de voltar lá para baixo.

– Não podemos esperar que David obtenha a cópia de Tankado?

– Não. Quanto mais cedo fizermos a troca, melhor. Nem mesmo temos uma garantia de que David conseguirá achar a outra cópia. Se, por algum incidente, a outra chave cair em mãos erradas por lá, prefiro que já tenhamos trocado os algoritmos. Dessa forma, quem quer que obtenha a chave irá fazer o download da *nossa* versão do algoritmo. – Strathmore colocou o dedo no gatilho da arma e ficou de pé. – Precisamos encontrar a chave de Hale.

Susan ficou em silêncio. O comandante tinha razão, precisavam daquela chave já. Quando se levantou, suas pernas estavam bambas. Arrependeu-se de não ter batido em Hale com mais força. Olhou para a arma na mão de Strathmore e sentiu-se mal. – Você realmente pretende atirar em Hale?

– Não – respondeu Strathmore sério, dirigindo-se para a porta. – Mas vamos torcer para que ele acredite que vou.

CAPÍTULO 76

Um táxi estava parado do lado de fora do aeroporto de Sevilha com o taxímetro rodando. O passageiro, usando óculos de armação de metal, observava a cena que se desenrolava do lado de dentro do terminal iluminado. Havia chegado a tempo.

Ele podia ver uma garota loura. Ela estava ajudando David Becker a sentar-se em uma cadeira. Aparentemente ele estava com dores. *Ele ainda não sabe o que é dor*, pensou o passageiro.

A jovem tirou um pequeno objeto de dentro do bolso e entregou-o a David, que o examinou contra a luz e o colocou em um de seus dedos. Ele pegou um maço de notas em seu bolso e pagou a garota. Conversaram por mais alguns minutos. Depois ela abraçou-o, despedindo-se, colocou a bolsa no ombro e saiu andando pelo saguão.

Finalmente, pensou o homem no táxi. *Finalmente.*

CAPÍTULO 77

Strathmore saiu de seu escritório com a arma em punho. Susan o seguia bem de perto, pensando se Hale ainda estaria no Nodo 3.

Vindo por trás, a luz do monitor de Strathmore criava sombras fantasmagóricas de seus corpos pela plataforma gradeada. Susan se aproximou ainda mais do comandante.

À medida que se afastaram da porta, a luz foi diminuindo até eles mergulharem na escuridão. A única claridade no salão da Criptografia vinha das estrelas acima e da leve luminosidade que saía pela janela quebrada do Nodo 3.

Strathmore avançava com cautela, procurando o local onde a escadaria estreita começava. Passando a arma para a mão esquerda, segurou o corrimão com a direita. Calculou que sua mira provavelmente seria igualmente ruim com a mão esquerda e precisava da direita para apoiar-se. Uma queda daquela escada poderia deixar alguém paralítico, e os sonhos de Strathmore para sua aposentadoria não incluíam uma cadeira de rodas.

Sem enxergar nada devido à escuridão no domo, Susan descia as escadas com a mão no ombro de Strathmore. Mesmo a meio metro de distância, ela não conseguia ver a silhueta do comandante. Ao pisar em cada degrau de metal, movimentava levemente o pé procurando a extremidade.

Já estava arrependida de ter aceitado voltar ao Nodo 3 para obter a senha de Hale. O comandante insistia que Hale não teria coragem de atacá-los, mas ela não tinha tanta certeza. Ele estava desesperado e tinha apenas duas opções: escapar da Criptografia ou ir para a prisão.

Uma voz interior não parava de dizer que deveriam esperar pelo chamado de David e usar a senha *dele*, mas não havia garantias de que ele seria capaz de encontrá-la. Tentou imaginar a razão pela qual David estava demorando tanto. Controlando sua tensão, Susan seguiu em frente.

Strathmore descia silenciosamente. Não queria alertar Hale. Perto do final da escada, Strathmore reduziu o passo, tateando com o pé para encontrar o último degrau. O salto de seu sapato bateu na superfície rígida do assoalho de cerâmica. Susan sentiu-o contrair o ombro. Haviam chegado na zona perigosa. Hale poderia estar em qualquer lugar.

Do outro lado, agora escondido por trás do TRANSLTR, estava o ponto de destino, o Nodo 3. Susan rezou para que Hale ainda estivesse lá, deitado no chão, gemendo de dor como o cão desprezível que era.

Strathmore soltou o corrimão e passou a arma de volta para a mão direita. Moveu-se na escuridão no mais absoluto silêncio. Susan segurou firme em seu ombro. Se ela se perdesse, a única forma de encontrá-lo seria chamando-o, e Hale poderia ouvi-los. À medida que se moviam para longe da segurança das escadas, Susan lembrou-se das brincadeiras de pique-esconde, tarde da noite, quando era criança. Ela havia deixado a base e estava em terreno aberto. Vulnerável.

O TRANSLTR era a única ilha na vasta escuridão. Strathmore avançava alguns passos, depois parava e ouvia atentamente, arma em punho. O único som, contudo, vinha dos geradores abaixo deles. Susan desejou puxá-lo de volta, retornar à segurança da base. Para onde quer que olhasse, parecia haver rostos na escuridão.

A meio caminho em direção ao TRANSLTR, o silêncio da Criptografia foi quebrado. Em algum lugar na escuridão, aparentemente acima deles, um bipe agudo rasgou a noite. Strathmore virou-se e Susan perdeu o contato. Com medo, ela tateou ao seu redor, tentando encontrá-lo. Mas o comandante tinha sumido. Havia apenas espaço vazio em torno dela. Ela deu mais alguns passos incertos para a frente.

O bipe intermitente continuava. Estava próximo. Susan avançou na escuridão. Ouviu um ruído de tecido sendo remexido, depois o bipe cessou. Susan congelou. Um instante depois, como algo que se materializasse de seus piores sonhos da infância, uma visão surgiu. Uma face se materializou bem à frente dela, fantasmagórica e verde. Era a face de um demônio, com sombras cortantes projetando-se por cima da feição deformada. Ela saltou para trás. Tentou correr, mas seu braço foi agarrado.

– Não se mexa! – disse a voz.

Susan pensou ter visto Hale naqueles olhos demoníacos. A voz, contudo, não era a dele. E o toque era suave demais. Era Strathmore. Um objeto brilhante que ele havia retirado do bolso estava iluminando seu rosto por baixo. Ela soltou um suspiro profundo de alívio. Sentiu o ar retornando a seus pulmões. O objeto que o comandante segurava tinha um visor eletrônico que era a fonte da luz esverdeada.

– Diabos – Strathmore amaldiçoou em um murmúrio. – Meu novo *pager*. – Olhou irritado para o SkyPager em sua mão. Ele tinha comprado o dispositivo em uma loja de produtos eletrônicos próximo ao trabalho. Pagou em dinheiro, pois sabia o quão bem a NSA vigiava seu próprio pessoal, e as mensagens digitais enviadas e recebidas por aquele pager eram algo que Strathmore definitivamente precisava manter em segredo.

Susan tentou enxergar alguma coisa à sua volta, nervosa. Se Hale não tivesse percebido até aquele momento que eles estavam se aproximando, agora ele sabia.

Strathmore apertou alguns botões e leu a mensagem. Resmungou. Más notícias vindas da Espanha. Não de David Becker, mas da *outra* fonte que ele havia enviado para Sevilha.

◆◆◆

A cinco mil quilômetros de distância, uma van de vigilância móvel cruzava em alta velocidade as ruas de Sevilha à noite. Tinha sido requisitada pela NSA sob o código de segurança *Umbra* e partido de uma base militar em Rota. Os dois homens no seu interior estavam tensos. Não era a primeira vez que recebiam ordens urgentes de Fort Meade, mas as ordens em geral não vinham de alguém tão alto na hierarquia.

– Localizou nosso homem? – o agente ao volante perguntou ao parceiro.

Sem tirar os olhos do monitor da câmera com grande-angular posicionada no teto, o parceiro respondeu:

– Não, vamos em frente.

CAPÍTULO 78

Jabba estava suando, enfiado sob uma maçaroca de cabos. Ainda estava de costas no chão, segurando uma pequena lanterna entre os dentes. Tinha se acostumado a trabalhar durante os fins de semana. Esses dias mais calmos na NSA eram freqüentemente as poucas vezes em que podia fazer manutenção no hardware. Movia-se com enorme cuidado enquanto manipulava o ferro de soldar em brasa nos espaços exíguos do labirinto de cabos acima dele. Se o revestimento isolante de um cabo fosse danificado, seria desastroso.

Só mais alguns milímetros... A tarefa estava demorando mais do que ele previra.

Quando estava colocando a ponta do ferro contra a última gota de solda, seu telefone celular tocou abruptamente. Jabba assustou-se e um pingo de solda caiu em seu braço. Chumbo líquido.

– Merda! – Deixou cair o ferro de soldar e praticamente engoliu a pequena lanterna. – Merda! Merda! Merda!

Esfregou vigorosamente o braço queimado. O pingo de chumbo deixara uma grande marca. O chip que ele estava tentando soldar caiu da placa e foi bater em sua cabeça.

– Mas que droga!

O telefone de Jabba continuava tocando. Ignorou-o.

– Midge – vociferou. *Que se dane! A Criptografia está bem!*

O telefone continuou tocando. Jabba retornou à sua tarefa de fixar o chip na placa. Pouco depois o chip já estava no lugar, mas o celular não parava de tocar. *Mas que coisa, Midge! Esqueça isso!* O telefone tocou mais alguns segundos e finalmente parou. Jabba suspirou, aliviado.

Um minuto depois o intercomunicador da sala onde estava entrou em ação. "Pedimos que o chefe do Departamento de Segurança de Sistemas entre em contato com a central telefônica."

Jabba estava achando que aquilo era um pouco demais. *Ela realmente não vai desistir?* Ignorou o chamado.

CAPÍTULO 79

Strathmore colocou seu pager de volta no bolso e olhou, no escuro, em direção ao Nodo 3.

– Vamos – disse ele, esticando o braço para pegar a mão de Susan.

O gesto, contudo, foi interrompido.

Um longo grito gutural ecoou na escuridão. Como um trovão, uma silhueta se materializou, um bólido sem freios saído do nada. Logo em seguida houve um choque, e Strathmore saiu rolando pelo chão.

Era Hale. O pager havia denunciado a presença deles.

Susan ouviu a arma cair. Por alguns instantes ficou estática, sem saber para onde correr ou o que fazer. Seus instintos diziam que ela deveria fugir, mas não tinha o código do elevador. Seu coração dizia que deveria ajudar Strathmore, mas como? Enquanto tentava pensar, desesperada, esperava ouvir os ruídos de uma luta de vida ou morte no chão, mas nada aconteceu. Havia apenas silêncio. Como se Hale tivesse acertado o comandante e depois desaparecido novamente dentro da noite.

Susan esperou, forçando os olhos para tentar ver algo na escuridão e torcendo para que Strathmore não estivesse ferido. Depois do que pareceu ser uma eternidade, chamou em voz baixa:

– Comandante?

Enquanto pronunciava a palavra, percebeu seu erro. No instante seguinte sentiu o cheiro de Hale próximo a ela. Virou-se, mas era tarde. Estava presa, quase sufocando, a cabeça prensada em uma chave de braço contra o peito de Hale.

– Você não tem idéia do quanto seu chute ainda dói – disse ele, arfando em seu ouvido.

Os joelhos de Susan se dobraram. As estrelas no domo giravam em sua cabeça.

CAPÍTULO 80

Hale segurou firme o pescoço de Susan e gritou:

– Comandante, estou com sua queridinha. Quero sair daqui!

A resposta foi o silêncio. Hale apertou ainda mais.

– Vou quebrar o pescoço dela!

Uma arma foi engatilhada diretamente atrás deles. A voz de Strathmore estava calma e segura.

– Solte-a.

Susan gritou em meio à dor.

– Comandante!

Hale virou o corpo de Susan na direção do som.

– Se você atirar, vai atingir sua querida Susan. Quer mesmo arriscar?

A voz de Strathmore aproximou-se.

– Solte-a.

– Não. Você irá me matar.

– Não vou matar ninguém.

– Ah, é? Diga isso para Chartrukian!

Strathmore aproximou-se ainda mais.

– Chartrukian está morto.

– Não me diga! É claro, você o matou. Eu vi!

– Desista, Greg – Strathmore insistiu, com a mesma voz calma.

Hale puxou Susan e sussurrou em seu ouvido:

– Strathmore empurrou Chartrukian. Eu juro!

– Ela não vai cair em sua técnica de dividir para conquistar. Solte-a – disse Strathmore, ainda mais perto.

Hale falou, sarcástico, dirigindo-se à escuridão em volta:

– Chartrukian era só *um garoto!* Por que você fez aquilo? Para proteger seu segredo?

Strathmore manteve a calma.

– E que segredo seria esse?

– Você sabe perfeitamente bem de que merda de segredo estou falando! O Fortaleza Digital!

– Ora, ora... – Strathmore resmungou condescendente, a voz fria como um iceberg. – Então quer dizer que você *sabe* que o Fortaleza Digital existe? Eu estava começando a pensar que você iria negar até mesmo isso.

– Vá se danar!

– Mas que defesa brilhante.

– Você é um tolo – disparou Hale. – Não percebeu que o TRANSLTR está superaquecendo?

– É mesmo? – respondeu Strathmore, em tom gozador. – Deixe-me adivinhar: devo abrir as portas e chamar a equipe de SegSis?

– Isso mesmo. Seria muito burro de sua parte não fazê-lo – Hale retrucou.

Dessa vez Strathmore soltou uma gargalhada.

– Então essa é sua carta na manga? O TRANSLTR está superaquecendo, abra as portas e nos deixe sair?

– Mas que diabos, é verdade! Eu estive no subsolo! A energia auxiliar não está conseguindo bombear gás fréon suficiente.

– Obrigado pela dica. Mas o TRANSLTR possui um sistema de desligamento automático. Se ele estiver superaquecendo, o Fortaleza Digital será interrompido automaticamente.

Hale respondeu desdenhosamente:

– Você está louco. Estou pouco me lixando se o TRANSLTR vai queimar ou não. Essa máquina maldita deveria ser proibida de qualquer forma.

Strathmore suspirou.

– Greg, Greg, psicologia infantil só funciona com crianças. Vamos, solte-a.

– Para que você possa atirar em mim?

– Não vou atirar em você. Só quero a senha.

– Que senha?

Strathmore suspirou fundo dessa vez.

– A que Tankado lhe deu.

– Mas do que você está falando?

– Mentiroso! – gritou Susan, liberando um pouco o pescoço para conseguir respirar melhor. – Eu vi os e-mails de Tankado em sua conta.

Hale ficou paralisado. Girou o corpo de Susan em sua direção.

– Você entrou na minha conta?

– E *você* cancelou meu *tracer* – ela respondeu rispidamente.

Hale sentiu sua pressão sanguínea subir. Achou que tinha apagado todas as pistas. Não imaginava que Susan sabia o que tinha feito. Por isso ela não estava acreditando em nada do que ele dizia. Sentiu as paredes se fechando sobre ele. Sabia que não conseguiria negociar uma saída, não a tempo. Desesperado, sussurrou novamente no ouvido dela:

– Susan, Strathmore matou Chartrukian!

– Deixe-a ir – repetiu o comandante, com voz firme. – Ela não acredita em você.

– E *por que* deveria? – revidou Hale. – Você é um canalha, um mentiroso! Fez uma lavagem cerebral em Susan! Você não conta a ela nada além daquilo que lhe interessa! Ela por acaso sabe o que você *realmente* planeja fazer com o Fortaleza Digital?

– E o que seria isso? – provocou Strathmore.

Hale sabia que a próxima coisa que dissesse seria seu tíquete para a liberdade ou sua sentença de morte. Respirou fundo e colocou suas cartas na mesa.

– Você está planejando colocar uma *back door* no Fortaleza Digital.

Suas palavras provocaram perplexidade. Hale sabia que havia acertado em cheio.

A notória frieza do comandante estava sendo testada.

– Quem lhe disse isso? – perguntou, com uma ponta de tensão na voz.

– Eu mesmo li – respondeu Hale, em tom desafiador, tentando se aproveitar da mudança no equilíbrio de forças. – Estava em uma das suas *brainstorms*.

– Isso é impossível. *Nunca* imprimo minhas *brainstorms*.

– Claro que não. Li diretamente em sua conta.

Strathmore pareceu hesitar.

– Você entrou em meu escritório?

– Não, entrei na sua conta a partir do Nodo 3. – Hale soltou um risinho sarcástico. Precisaria de todas as técnicas de negociação aprendidas com os militares para sair vivo da Criptografia.

Strathmore aproximou-se mais um pouco, a Beretta em ponto de mira na escuridão.

– Como você sabe a respeito de meu acesso de programador?

– Já lhe disse, bisbilhotei sua conta.

– Impossível.

Hale deu um sorriso zombeteiro.

– Este é um dos problemas de contratar os melhores, comandante. Algumas vezes eles são melhores que você.

– Meu jovem – bradou Strathmore –, não sei onde você conseguiu essa informação, mas já passou dos limites. Solte a senhorita Fletcher agora ou irei chamar a Segurança e colocá-lo na cadeia para o resto de sua vida.

– Não, você não fará isso – disse Hale, firme. – Chamar a Segurança agora iria arruinar seus planos. Eu contaria tudo para eles. – Hale fez uma curta pausa. – Mas deixe-me sair disso limpo e ninguém ouvirá nada sobre o Fortaleza Digital.

– Nada feito – Strathmore respondeu. – Eu quero a senha.

– Já lhe disse que não tenho droga de senha nenhuma!

– Chega de mentiras! – esbravejou Strathmore. – Onde está a senha?

Hale apertou o pescoço de Susan.

– Deixe-me sair ou ela morre!

◆◆◆

Trevor Strathmore já havia passado por um bom número de negociações de alto risco em sua vida para saber que Hale se encontrava em um estado mental muito perigoso. O jovem criptógrafo estava encurralado, e oponentes acuados eram sempre perigosos – tornavam-se desesperados e imprevisíveis. Strathmore sabia que seu próximo movimento seria crítico. A vida de Susan dependia dele, assim como o futuro do Fortaleza Digital.

A primeira coisa a fazer era dissipar a tensão. Pensou por algum tempo e então disse, num tom de voz relutante:

– Tudo bem, Greg. O que devo fazer?

Silêncio. Hale foi pego de surpresa e não sabia como lidar com o tom colaborativo do comandante. Afrouxou ligeiramente a chave de braço com que segurava Susan.

– Bem... eu... – Greg hesitava. – Primeiro quero que me dê sua arma. Vocês dois vêm comigo.

– Reféns? – Strathmore riu friamente. – Greg, você precisa de um plano melhor. Há pelo menos 10 guardas armados entre nós e o estacionamento.

– Não sou tolo! – retrucou. – Vou usar seu elevador. Susan vem comigo! *Você* fica!

– Odeio lhe dizer isto, mas o elevador está sem energia.

– Mentira! – reagiu Hale. – O elevador funciona com energia do prédio principal! Eu vi a planta.

– Já tentamos – disse Susan, sem ar, tentando ajudar. – Está parado.

– Vocês são dois grandes mentirosos. Se o elevador está mesmo parado, então vou interromper a execução do TRANSLTR e restaurar a energia.

– O elevador necessita de uma senha – disse Susan, irritada.

– E daí? – Hale riu, ironizando. – Estou certo de que o comandante ficará feliz em nos dar a senha. Não é comandante?

– Sem chances – vociferou Strathmore.

Hale estourou.

– Agora escute bem, Strathmore. A minha proposta é esta: você deixa que eu saia com Susan pelo elevador. Irei dirigir durante algumas horas, depois eu a deixo em algum lugar.

Strathmore sentiu que as apostas estavam aumentando. Havia colocado Susan no jogo e agora precisava tirá-la daquela situação. Sua voz permaneceu firme e fria.

– E os meus planos para o Fortaleza Digital?

Hale riu.

– Você pode reescrevê-lo com seu acesso de programador. Não direi nada. – Fez uma pausa e continuou com voz ameaçadora. – Mas se algum dia eu achar que você está me caçando, vou direto para a imprensa contar a história toda. Direi a eles que o Fortaleza Digital está corrompido e irei acabar com esta organização de merda.

Strathmore avaliou a oferta de Hale. Era simples e clara. Susan viveria e o Fortaleza Digital seria reescrito com o acesso secreto. Enquanto o comandante não mandasse uma equipe atrás de Hale, ele ficaria em silêncio. Strathmore sabia que Hale não seria capaz de se manter em silêncio durante muito tempo. Ainda assim, o conhecimento sobre o Fortaleza Digital era a única segurança que Hale teria. Talvez ele se comportasse. De qualquer forma, Strathmore sabia que poderia mandar apagar Hale mais tarde, se necessário.

– Vamos, resolva logo isso! – bradou Hale. – Podemos sair ou não? Seus braços apertaram Susan como um torniquete.

Strathmore sabia que, se pegasse o telefone agora e ligasse para a Segurança, Susan não correria riscos. Podia apostar a própria vida nisso. O cenário estava claro em sua mente: o telefonema pegaria Hale de surpresa. Ele entraria em pânico e, no final das contas, frente a um pequeno exército, seria incapaz de agir. Após um breve impasse, acabaria se entregando. *Mas, se eu chamar a Segurança,* pensou Strathmore, *meu plano estará arruinado.*

Hale apertou com mais força. Susan gritou de dor.

– E então? Devo matá-la?

Strathmore continuava avaliando as opções. Se deixasse Hale sair da Criptografia com Susan, não haveria garantia alguma. Greg poderia afastar-se alguns quilômetros, parar o carro em algum bosque... Provavelmente tinha uma arma e poderia obrigá-la a... O estômago de Strathmore ficou embrulhado. Não havia como prever o que iria acontecer antes que Hale libertasse Susan. Se ele a libertasse. *Tenho que chamar a Segurança,* decidiu Strathmore. *O que mais posso fazer?* Imaginou Hale na corte, dizendo tudo o que sabia sobre o Fortaleza Digital. *Droga! Meus planos seriam arruinados. Deve haver alguma outra saída.*

– Decida-se! – gritou Hale, puxando Susan na direção da escadaria.

Strathmore não estava prestando atenção. Se salvar Susan significava arruinar seus planos, era uma perda necessária. A vida dela vinha antes de todo o resto. Susan Fletcher era um preço que Strathmore se recusava a pagar.

Hale segurava um dos braços de Susan torcido atrás das costas dela ao mesmo tempo que mantinha seu rosto virado para o lado.

– É sua última chance, comandante! Me dê essa arma!

A mente de Strathmore continuava processando um turbilhão de idéias, procurando outras opções. *Há sempre outras opções!* Finalmente falou em voz baixa, quase triste.

– Não, Greg, lamento. Não posso deixá-lo fugir.

– O quê? – Hale tremia.

– Vou chamar a Segurança.

– Co... comandante! Não! – gaguejou Susan.

Hale segurou-a ainda mais fortemente.

– Se você chamar a Segurança, ela morre!

Strathmore pegou o celular em seu cinto e ativou-o.

– Greg, você está blefando.

– Você jamais faria isso! – Hale gritou, descontrolado. – Vou contar tudo! Vou arruinar seus planos! Você está a poucas horas de seu sonho! Controlar todos os dados do mundo! Não haverá mais o TRANSLTR, não haverá mais limites: só informação livre. É uma chance única na vida! Você não vai deixá-la passar!

A voz de Strathmore cortou o ar como uma espada de aço.

– Olhe bem.

– Mas... e Susan? – Hale balbuciou. – Se você ligar, ela morre!

Strathmore manteve-se firme.

– É um risco que tenho que assumir.

– Mentira! Você tem mais tesão por ela do que pelo Fortaleza Digital! Eu sei disso! Você não vai arriscar nada!

Susan, irritada, tentou dizer algo, mas Strathmore falou primeiro.

– Hale, você me conhece pouco e mal! Minha vida é só isso: correr riscos. Se você quer jogar duro, vamos lá! – Começou a digitar em seu telefone. – Você me julgou mal, amigo! Ninguém ameaça a vida de meus subordinados e sai limpo! – Levantou o telefone e gritou no aparelho:

– Operadora! Me passe para a Segurança!

Hale começou a torcer o pescoço de Susan.

– Eu, eu vou matá-la... Eu juro!

– Não vai matar ninguém! – disse Strathmore, resoluto. – Matar Susan só iria piorar as coi... – Interrompeu a frase e enfiou a boca no telefone. – Segurança. Aqui fala o comandante Trevor Strathmore. Temos uma situação com reféns na Criptografia! Mandem alguns homens para cá! Sim, *imediatamente!* Também temos uma falha no gerador. Quero que redistribuam energia de todas as fontes externas disponíveis. Quero todos os sistemas operacionais em cinco minutos! Greg Hale matou um de meus técnicos. Ele está mantendo minha criptógrafa sênior como refém. Vocês têm permissão para usar gás lacrimogêneo em todos nós se necessário! Se Hale não cooperar, posicionem atiradores de elite e atirem para matar. Assumo toda a responsabilidade. Movam-se agora!

Hale ficou parado, completamente perplexo. Soltou ligeiramente Susan.

Strathmore fechou seu telefone e colocou-o de volta no cinto com um gesto firme.

– Sua vez, Greg.

CAPÍTULO 81

Becker estava de pé ao lado da cabine telefônica no saguão do aeroporto, os olhos ainda turvos. Seu rosto continuava queimando e sentia um ligeiro enjôo, mas seu estado de ânimo não poderia ser melhor. Estava tudo acabado. Realmente acabado. Em breve voltaria para casa. O anel em seu dedo era o graal que procurava. Levantou a mão contra a luz e olhou para o anel. Não podia focar o suficiente para ler a inscrição, mas não parecia ser em inglês. O primeiro símbolo era um Q, um O ou um zero... Seus olhos ainda doíam muito para que pudesse diferenciar uma letra da outra. Tentou ler os outros caracteres, mas não faziam sentido. *Isso é uma questão de segurança nacional?*

Becker fazia força para ignorar o que restara da ardência em seus olhos. Megan lhe dissera que esfregar os olhos apenas faria com que a dor piorasse, embora ele não conseguisse entender como podia ficar pior que aquilo. Pensou em telefonar para Strathmore, mas não dava para esperar nem mais um segundo: seus olhos estavam ardendo muito e precisava lavá-los. Meio às cegas, caminhou novamente na direção dos banheiros.

A imagem borrada do carrinho de limpeza ainda estava na frente do banheiro masculino, então Becker foi novamente em direção ao feminino. Achou que tinha ouvido um som lá dentro. Bateu na porta.

– *¿Hola?*

Silêncio.

Talvez seja Megan, pensou. Ela ainda tinha cinco horas pela frente antes que seu vôo partisse e lhe dissera que iria lavar o braço até que o restante daquela inscrição saísse.

– Megan? – chamou. Bateu outra vez. Nenhuma resposta. Becker abriu a porta.

– Olá? – Entrou. O banheiro parecia estar vazio. Caminhou em direção à pia.

A pia continuava suja, mas a água estava fria. Becker sentiu um grande alívio quando jogou água nos olhos. A dor começou a melhorar, e a névoa que encobria sua visão aos poucos se dissipou. Olhou-se no espelho. Parecia ter passado os últimos dias chorando.

Ele secou o rosto na manga de seu blazer e então se lembrou de algo fantástico. No meio de toda aquela agitação, esqueceu que estava no aeroporto! Em algum lugar próximo havia um hangar e um Learjet 60 esperando para levá-lo para casa. O piloto havia dito claramente: "*Tenho ordens para ficar aqui até que você volte.*"

Era difícil de acreditar, pensou Becker, que depois de tudo tivesse voltado exatamente ao lugar onde começara aquela estranha aventura. *O que estou esperando?* – riu consigo mesmo. *Tenho certeza de que o piloto poderá enviar uma mensagem pelo rádio para Strathmore!*

Ainda rindo, David olhou-se novamente no espelho e ajeitou a gravata. Estava prestes a sair quando um reflexo atrás dele chamou sua atenção.

Virou-se. Parecia ser uma ponta da bolsa de Megan aparecendo por debaixo da porta entreaberta de um dos reservados.

– Megan? – chamou novamente. Nenhuma resposta. – Megan??

Becker foi até lá. Bateu com a mão na lateral do reservado, mas também não houve resposta. Empurrou a porta devagar e ela se abriu.

Ele conteve um grito de horror. Megan estava sentada na privada, os olhos revirados para cima. Bem no meio da testa a marca de uma perfuração à bala deixava um rastro de sangue escorrer pelo seu rosto.

– Meu Deus! – exclamou Becker, em choque.

– *Está muerta* – uma voz quase inumana sussurrou atrás dele. – Ela está morta.

Como em um sonho, Becker virou-se.

– *Señor* Becker? – disse a voz fantasmagórica.

Perplexo, Becker examinou o homem que havia entrado no banheiro. Ele lhe parecia estranhamente familiar.

– Eu sou Hulohot – o assassino falou. As palavras distorcidas pareciam vir do interior de suas entranhas. Hulohot estendeu a mão. – *El anillo*. O anel.

Becker olhou para ele ainda em choque. O homem enfiou a mão no bolso e tirou uma arma. Mirou na cabeça de Becker.

– O anel.

Em um momento de clareza, Becker sentiu algo que lhe era inteiramente desconhecido. Como se obedecessem a um instinto de sobrevivência, todos os músculos de seu corpo se tensionaram ao mesmo tempo. Ele voou pelo ar quando a arma foi disparada e foi cair em cima de Megan. Uma bala abriu um buraco na parede atrás dele.

– Merda! – grunhiu Hulohot. De alguma forma, no último instante possível, Becker conseguiu mergulhar para fora de sua mira. O assassino avançou.

Becker levantou-se, deixando para trás o corpo inerte da adolescente. Ouviu passos se aproximando. Uma respiração. A arma sendo engatilhada.

– *Adiós* – murmurou o homem, investindo rápido como uma pantera, com a arma apontada para o reservado.

Disparou novamente. Um borrão vermelho cruzou o ar. Não era sangue. Um objeto havia se materializado do nada, voando para fora do reservado e acertando o assassino no peito. Isso fez com que sua arma disparasse um milésimo de segundo antes. Era a bolsa de Megan.

Becker saltou para fora do reservado. Empurrou o ombro contra o peito do homem e jogou-o de encontro à pia. Houve um choque violento. Um espelho se espatifou, e o assassino soltou a arma. Os dois homens caíram no chão.

Becker se desvencilhou e correu para a saída. Hulohot pegou a arma no chão, virou-se e disparou. A bala acertou a porta do banheiro quando ela se fechava.

O vasto salão do aeroporto se descortinava à frente de Becker como um deserto intransponível. Suas pernas impulsionavam seu corpo muito mais rápido do que ele imaginava ser capaz.

Enquanto deslizava pela porta giratória, ouviu outro tiro, vindo de trás. O painel de vidro à sua frente explodiu em milhares de fragmentos. Becker empurrou a moldura da porta com o ombro e saiu, desequilibrado, na calçada do lado de fora.

Havia um táxi esperando.

– *Déjame entrar!* – gritou Becker, socando a porta trancada. – Me deixa entrar! – O motorista, contudo, se recusou. Seu cliente, o homem de óculos de armação de metal, havia pedido que esperasse. Becker virou-se e viu Hulohot em disparada pelo saguão, arma em punho. Olhou então para sua pequena Vespa, ainda jogada sobre a calçada. *Sou um homem morto.*

Hulohot atravessou a porta giratória exatamente quando Becker tentava em vão dar partida em sua Vespa. Ele riu e levantou a arma.

O afogador!, Becker mexeu nos manetes sob o tanque de gasolina. Pulou sobre o pedal de partida novamente. A Vespa engasgou e morreu.

– *El anillo* – a voz estava próxima.

Becker olhou para cima. Viu o tambor da arma. A câmara estava rodando. Enfiou o pé no pedal de partida mais uma vez.

O tiro de Hulohot por pouco não acertou a cabeça de Becker, mas a motoneta pegou a tempo e saiu em disparada. Becker segurou-se como pôde enquanto a moto trepidava, descendo aos trancos um aterro gramado e depois virando, trôpega, em um canto do edifício e indo para a pista de decolagem.

Furioso, Hulohot correu na direção do táxi que o esperava. Segundos depois, o motorista estava jogado na calçada, zonzo, vendo seu táxi sumir em uma nuvem de poeira.

CAPÍTULO 82

As implicações do telefonema do comandante para a Segurança começaram a se encaixar no cérebro de Hale, ainda atordoado, e ele se sentiu tomado por uma onda de pânico. *A Segurança está vindo!* Susan tentou se soltar, mas Hale puxou-a de volta.

– Me solta! – ela gritou.

A mente de Hale estava a mil. O telefonema o deixara sem ação. *Strathmore ligou para a Segurança! Ele vai sacrificar seus planos para o Fortaleza Digital!*

Hale jamais poderia imaginar que o comandante iria deixar passar a chance que o Fortaleza Digital representava. Sua *back door* era uma chance única na vida.

Tomado pelo pânico, Hale começou a imaginar coisas. Via a Beretta de Strathmore onde quer que olhasse. Começou a girar, segurando Susan contra seu corpo, tentando evitar que o comandante tivesse ângulo para atirar. Com medo, dirigiu-se cegamente em direção às escadas. Dentro de cinco minutos as luzes iriam se acender, as portas se abririam e uma equipe da SWAT iria entrar.

– Você está me machucando! – gemeu Susan. Ela tentava respirar, presa pelo braço de Hale em uma gravata apertada, esperneando em meio a seus movimentos desesperados.

Hale chegou a pensar em libertá-la e correr como um louco para o elevador de Strathmore, mas era suicídio. Ele não tinha a senha. Além disso, uma vez do lado de fora da NSA, sem um refém, estaria morto. Nem mesmo sua possante Lotus seria mais rápida que os helicópteros da NSA. *Susan é a única coisa que pode me salvar de Strathmore.*

– Susan – disse Hale, desesperado, puxando-a em direção às escadas. – Venha comigo! Prometo que não irei machucá-la!

Susan continuava se debatendo, e Hale percebeu que tinha outros problemas pela frente. Mesmo que encontrasse uma forma de entrar no elevador privativo e levar Susan junto, ela provavelmente iria se debater durante todo o caminho de saída do prédio. Ele sabia muito bem que aquele elevador só parava em um lugar, na "Estrada Subterrânea", um labirinto de túneis de acesso restrito, através dos quais o alto escalão da NSA se movia em segredo. Hale não pretendia ficar perdido nos corredores do subsolo da agência com uma refém hostil. Era uma armadilha mortal. Além disso, mesmo que saíssem, ele não estava armado. Como faria para atravessar o estacionamento com Susan? Como iria dirigir?

A voz de um dos professores de estratégia militar de Hale, em seu período como marine, ecoou na mente de Hale: *Tente dobrar um braço e ele resistirá. Mas convença uma mente a pensar como você deseja e terá conquistado um aliado.*

– Susan, Strathmore é um assassino! Você está em perigo aqui! – Hale disse, as palavras saindo de sua boca de forma quase automática.

Susan não lhe deu atenção. Hale sabia que era uma tentativa fútil: o vice-diretor jamais iria machucar Susan e ela sabia disso.

Hale forçou os olhos, tentando descobrir onde o comandante estava escondido. Strathmore havia ficado em silêncio, o que só aumentava o pânico de Greg. A Segurança iria chegar em poucos instantes.

Com força renovada, o criptógrafo abraçou a cintura de Susan usando os dois braços e puxou-a vigorosamente para cima da escada. Ela enganchou seus saltos no primeiro degrau e resistiu, mas não adiantou, pois Hale era bem mais forte.

Cuidadosamente, ele foi subindo a escada de costas, puxando Susan pela cintura. Empurrá-la para cima seria mais fácil, mas a plataforma do lado de fora do escritório de Strathmore estava levemente iluminada pelas telas de computador. Se Susan estivesse na frente, o comandante teria um ângulo perfeito para atirar nele pelas costas. Da maneira como estava procedendo, Susan servia como escudo humano entre ele e o salão da Criptografia.

Pouco antes da metade do caminho, Hale sentiu um movimento na base da escada. *Strathmore está se preparando para agir!*

– Não tente nada, comandante! – rosnou. – Qualquer movimento em falso e Susan morre.

Hale esperou um pouco, mas não ouviu nada. Prestou bastante atenção. Nada. A base da escada estava imóvel. Não sabia se estava imaginando coisas, mas não importava. Strathmore jamais se arriscaria a atirar enquanto ele estivesse mantendo Susan à sua frente.

Continuou subindo a escada, puxando Susan, quando um fato inesperado aconteceu. Ouviu um leve ruído na plataforma que estava acima e atrás dele. Hale parou. Sua adrenalina estava no máximo. Pensou se Strathmore teria conseguido chegar ao topo da escadaria. O instinto lhe dizia que o vice-diretor tinha que estar *lá embaixo*. Mas, subitamente, ouviu de novo o mesmo som, mais alto desta vez. Claramente aquilo era um passo na plataforma superior.

Aterrorizado, Hale percebeu que havia cometido um erro. *Strathmore está na plataforma atrás de mim! Ele tem uma mira limpa para as minhas costas!* Desesperado, trocou de posição com Susan e começou a descer a escada de volta.

Quando chegou no último degrau, olhou furiosamente para a plataforma e gritou:

– Afaste-se, comandante! Afaste-se ou irei quebrar o...

Na base da escada, a coronha da Beretta desceu violentamente, acertando Hale na cabeça. Susan desvencilhou-se de Hale, que havia caído no chão com a pancada, e tentou equilibrar-se, ainda meio desnorteada. Strathmore pegou-a e puxou-a em sua direção, abraçando seu corpo trêmulo.

– Shhh... Está tudo bem, sou eu. Você está segura – disse ele, acalmando-a.

Susan continuava tremendo.

– Com... comandante... – ela balbuciava, desorientada. – Pensei que... Eu pensei que você estivesse lá em cima... Eu ouvi...

– Calma, fique calma – sussurrou. – Você ouviu o som dos sapatos que eu joguei em cima da plataforma.

Susan começou a rir e a chorar ao mesmo tempo. O comandante tinha salvado sua vida. Ao seu lado, na escuridão, ela se sentiu tomada por um enorme alívio. Contudo, também se sentia culpada: a Segurança estava vindo. Ela havia deixado que Hale a tomasse como refém e fora usada contra Strathmore. O comandante teve que pagar caro para salvá-la.

– Me desculpe – ela disse.

– Por quê?

– Seus planos... o Fortaleza Digital... está tudo perdido agora.

Strathmore sorriu e balançou a cabeça.

– Nada disso.

– Mas o que vamos fazer com o pessoal da Segurança? Eles estarão aqui em instantes. Não teremos tempo para...

– A Segurança não virá, Susan. Temos todo o tempo do mundo.

Susan ficou desnorteada. *A Segurança não virá?*

– Mas ouvi quando você ligou...

Strathmore deu um sorriso malicioso.

– O truque mais velho do mundo. Simulei aquela ligação.

CAPÍTULO 83

A Vespa de Becker era, sem dúvida alguma, o menor veículo que já havia percorrido a pista do aeroporto de Sevilha. Na sua velocidade máxima de 80 km/h, soava mais como uma motosserra do que como uma motocicleta e, infelizmente para Becker, estava bem abaixo da potência necessária para decolar.

Pelo espelho lateral, Becker viu o táxi surgindo na pista escura, 400 metros atrás dele. Aproximava-se rapidamente. Ele olhou para a frente. Cerca de 800 metros adiante, o contorno dos hangares das aeronaves delineava-se contra o céu noturno. Becker tentou calcular se o táxi conseguiria alcançá-lo na distância que restava. Susan certamente conseguiria fazer as contas em dois segundos e ainda estimaria suas chances. Becker nunca tinha sentido tanto medo em toda a sua vida.

Abaixou a cabeça e girou o acelerador até o limite. A moto já estava dando seu máximo. Ele calculou que o táxi atrás dele estava a pelo menos 140 km/h, quase o dobro de sua velocidade. Olhou fixamente para os três hangares que cresciam à sua frente. *O do meio. É onde o Learjet está.* Ouviu um tiro.

A bala foi bater na pista, alguns metros atrás dele. Becker olhou para trás. O assassino estava debruçado na janela, mirando nele. Becker jogou a Vespa para o lado, pouco antes de seu espelho lateral explodir com um tiro. Pôde sentir o impacto da bala estremecendo o guidão da motoneta. *Meu Deus, não vou conseguir!*

O asfalto da pista estava ficando mais claro à sua frente agora. O táxi se aproximava mais e seus faróis iluminavam a pista. Outro tiro. Desta vez a bala ricocheteou no metal da Vespa.

Becker lutava para não desviar e seguir em outra direção. *Tenho que chegar ao hangar!* Torcia para que o piloto do Learjet estivesse vendo que ele se aproximava. *Será que ele está armado? Ele terá tempo de abrir as portas da cabine?* Mas, quando Becker viu o interior iluminado dos hangares, percebeu que suas perguntas eram em vão. O Learjet não estava lá. O hangar estava vazio. *Onde foi parar o maldito avião?*

Os dois veículos entraram a toda a velocidade dentro do hangar vazio, enquanto Becker procurava desesperadamente uma saída. Não havia saída alguma. A parede nos fundos do hangar, fechada com folhas de zinco, não tinha nem portas nem janelas. O táxi emparelhou com ele, e Becker olhou à esquerda a tempo de ver Hulohot levantar a arma.

Agindo por puro reflexo, Becker freou abruptamente. Quase não fez diferença. O chão do hangar estava sujo de óleo, e a Vespa continuou deslizando na mesma trajetória.

Ouviu o ruído estridente do táxi ao seu lado, freios travando as rodas e os pneus carecas deslizando pela superfície oleosa. O carro perdeu o controle e começou a girar em uma nuvem de fumaça e de borracha queimada a poucos centímetros da moto de Becker.

Lado a lado, os dois veículos escorregavam em rota de colisão contra a folha metálica da parte posterior do hangar. Becker tentava desesperadamente bombear os freios, mas tinha perdido completamente a tração e era como dirigir sobre o gelo. À sua frente, a parede de zinco se aproximava rapidamente. Com o táxi girando ao seu lado, ele fechou os olhos e se encolheu, esperando o impacto.

Ouviu-se um ruído ensurdecedor de aço se chocando contra o zinco, mas David não sentiu dor alguma. Em vez disso, quando abriu os olhos, viu que estava a céu aberto, ainda sobre sua Vespa, quicando sobre um gramado. Era como se a parede do hangar houvesse desaparecido à sua frente. O táxi ainda estava a seu lado, varando o campo. Sobre sua capota, ondulante, uma das folhas de zinco pairava acima da cabeça de Becker.

Com o coração em disparada, Becker acelerou e seguiu noite adentro.

CAPÍTULO 84

Jabba soltou um suspiro de alegria quando terminou seu último ponto de solda. Desligou o ferro de soldar, colocou a lanterna no chão e ficou deitado por algum tempo na escuridão, sob o mainframe. Ele estava exausto. Seu pescoço doía. Trabalhar dentro de uma máquina era sempre complicado, sobretudo para um homem de seu tamanho.

E não param de diminuir o tamanho dessas coisas, pensou.

Fechou os olhos, tentando relaxar um pouco, mas alguém do lado de fora começou a puxar suas botas.

– Jabba! Saia já daí! – gritou uma voz feminina.

Droga, Midge me encontrou, resmungou.

– Vamos, Jabba, saia daí.

Relutantemente, deslizou o corpo para fora.

– Pelo amor de Deus, Midge! Eu já lhe disse que... – Mas não era Midge. Jabba olhou para cima, surpreso, e viu Soshi.

Com apenas 45 quilos, Soshi Kuta tinha o pavio curto. Era o braço direito de Jabba, sua assistente, uma técnica perspicaz formada pelo MIT. Muitas vezes ficava trabalhando até tarde com Jabba e, de todas as pessoas de sua equipe, parecia ser a única que não se deixava intimidar por ele. Ela o olhou e perguntou:

– Por que diabos você não atendeu minha chamada? Nem ligou de volta para a central?

– *Sua* chamada? – repetiu Jabba. – Eu achei que fosse...

– Deixa pra lá. Tem alguma coisa estranha acontecendo no banco de dados central.

Jabba olhou para o relógio.

– Estranha? – agora estava ficando preocupado. – Você pode ser mais objetiva?

Dois minutos depois Jabba estava correndo pelo hall em direção ao banco de dados.

CAPÍTULO 85

Greg Hale estava curvado no chão do Nodo 3. Strathmore e Susan haviam acabado de arrastá-lo através do salão da Criptografia e tinham atado seus pés e suas mãos usando alguns cabos grossos removidos de equipamentos do Nodo 3.

Susan ainda estava impressionada com a manobra que o comandante executara. *Ele simulou a ligação!* No final das contas, Strathmore conseguiu capturar Hale e salvar Susan, tudo isso sem perder sua chance de reescrever o Fortaleza Digital.

Susan olhou para o criptógrafo amarrado no chão, perturbada. Ele estava respirando pesadamente. Sentado no sofá, com a Beretta pousada em sua perna, Strathmore não o perdia de vista. Susan voltou sua atenção para o terminal de Hale e continuou sua busca pela chave de North Dakota.

Mais uma vez sua pesquisa não gerou nenhum resultado.

– Não conseguimos nada ainda – suspirou. – Talvez tenhamos que esperar que David encontre a cópia de Tankado.

Strathmore olhou para ela, preocupado.

– Se David falhar e a chave de Tankado cair em mãos erradas...

Ele não precisava terminar a frase. Susan compreendeu. Até que o arquivo do Fortaleza Digital que estava na Internet fosse substituído pela versão modificada de Strathmore, a chave de Tankado continuaria sendo um problema.

– Depois que fizermos a troca, não me importa quantas chaves estejam soltas por aí. Na verdade, quanto mais, melhor. – Fez sinal para que ela continuasse pesquisando. – Até lá, contudo, estamos lutando contra o relógio.

Susan ia acrescentar alguma coisa, mas suas palavras foram abafadas por um som ensurdecedor. O silêncio da Criptografia foi interrompido por sirenes de alarme vindas dos subníveis. Susan e Strathmore trocaram olhares espantados.

– O que é *isso?* – gritou Susan, no intervalo do ruído das sirenes.

– O TRANSLTR! – Strathmore gritou de volta, visivelmente preocupado. – Está superaquecendo. Creio que Hale estava falando sério quando disse que a energia auxiliar não estava bombeando fréon suficiente.

– E o sistema de autodesativação?

Strathmore pensou por um segundo, depois gritou:

– Deve ter havido algum curto-circuito.

A luz de emergência da Criptografia entrou em ação, iluminando seu rosto.

– É melhor interromper a execução! – gritou Susan.

Strathmore assentiu. Não havia como saber o que iria acontecer se os três milhões de microprocessadores superaquecessem e pegassem fogo. Ele precisava subir até sua sala, acessar o terminal e interromper a execução do Fortaleza Digital. Precisava fazer isso rápido, antes que alguém do lado de fora da Criptografia notasse a confusão e resolvesse intervir.

O comandante olhou de relance para Hale, ainda inconsciente. Deixou a Beretta em uma mesa perto de Susan e gritou acima do barulho das sirenes:

– Eu já volto! – Foi andando na direção do buraco na parede de vidro do Nodo 3, mas antes de sair virou-se e falou:

– Enquanto isso, dê um jeito de encontrar essa chave!

Susan olhou para os resultados nem um pouco produtivos de sua pesquisa pela chave e torceu para que Strathmore conseguisse abortar o processo rápido. Com o ruído e as luzes, a Criptografia parecia um sítio de lançamento de mísseis.

No chão, Hale começou a se mover lentamente. A cada toque da sirene, ele piscava. Com um gesto automático, Susan pegou a Beretta. Hale abriu os olhos e viu Susan de pé, sobre ele, com a pistola mirando sua virilha.

– Onde está a chave? – perguntou Susan.

Hale estava com dificuldades para entender a situação.

– O que... o que aconteceu?

– Você estragou tudo, foi isso que aconteceu. Agora me diga onde está a chave!

Hale tentou mover os braços, mas percebeu que estava amarrado. Entrou em pânico.

– Deixe-me sair!

– Preciso da chave – repetiu Susan, friamente.

– Não tenho a chave! Me deixa sair! – Hale tentou levantar-se. Mal conseguia girar o corpo no chão.

Susan gritou, entre os apitos da sirene.

– Sei que você é North Dakota e que Ensei Tankado lhe deu uma cópia da chave. Eu preciso dessa cópia, preciso dela agora!

– Você está louca! – disse Hale, exasperado. – Não sou North Dakota! – Lutou para libertar-se dos cabos que o amarravam, mas não conseguia.

Susan se abaixou um pouco e continuou a discussão, nitidamente irritada.

– Não minta para mim! Por que diabos todos aqueles e-mails para North Dakota estão em *sua* conta, então?

– Já lhe disse! – falou Hale, implorando, enquanto as sirenes continuavam a todo o volume. – Eu estava espionando Strathmore! Aqueles e-mails em minha conta foram mensagens que copiei da conta de Strathmore! São mensagens de Tankado interceptadas pelo COMINT!

– Mas que besteira! Você nunca seria capaz de espionar a conta do comandante!

– Você não entende, não é? – gritou Hale. – Alguém *já estava* espionando a conta de Strathmore. – Hale soltava as palavras nos intervalos entre as sirenes. – Outra pessoa havia colocado um grampo lá. Acho que foi o diretor Fontaine! Eu apenas me aproveitei desse grampo. Você tem que acreditar em mim! Foi assim que descobri o plano de reescrever o Fortaleza Digital! Eu li todas as estratégias que Strathmore desenvolveu no BrainStorm.

Susan parou. Strathmore com certeza havia traçado seus planos para o Fortaleza Digital usando seu software. Se alguém de fato houvesse espionado sua conta, toda a informação estaria disponível...

– Reescrever o Fortaleza Digital é *doentio!* – continuou Hale, gritando a plenos pulmões. – Você sabe muito bem quais são as implicações: acesso *completo* para a NSA! – O som estridente das sirenes abafou suas palavras, mas Hale estava possuído e continuou. – Você acha que está pronta para assumir esta responsabilidade? Você acha que *alguém* está? É uma idéia de louco! Você diz que nosso governo só está interessado em cuidar do que é melhor para o povo? Genial! Mas o que acontecerá se algum futuro governo *não* estiver preocupado com os interesses do povo?? Essa tecnologia é *eterna!*

Susan mal podia ouvi-lo. O barulho na Criptografia era ensurdecedor.

Hale continuava lutando para livrar-se dos cabos. Olhava fixamente para Susan e continuava a gritar.

– Como os civis vão poder se defender de um estado totalitário se o sujeito que estiver no poder tiver acesso a *todas* as suas linhas de comunicação? Como irão planejar uma revolta?

Susan já ouvira esse argumento muitas vezes. A reclamação a respeito de "governos futuros" era uma constante nos questionamentos da EFF.

– Strathmore *precisava* ser detido! – gritou Hale, em meio às sirenes. – Jurei que eu iria fazê-lo. E foi por isso que passei o dia aqui, observando sua conta, esperando que ele fizesse o movimento final para que eu pudesse gravar a alteração sendo feita. Eu precisava de provas – uma evidência de que ele tinha escrito uma *back door*. Foi por isso que copiei todo o seu e-mail em minha conta. Era a evidência de que ele estava vigiando o Fortaleza Digital. Meu plano era apresentar as informações à imprensa.

O coração de Susan sobressaltou-se. Subitamente as coisas que estava ouvindo se encaixavam no perfil de Greg Hale. *Seria verdade?* Se Hale de fato soubesse do plano de Strathmore para lançar uma versão adulterada do Fortaleza

Digital, ele poderia esperar até que todo mundo estivesse usando o algoritmo e então soltar sua bomba, com todas as provas.

Susan imaginou as manchetes nos jornais: *Criptógrafo Greg Hale revela plano secreto dos Estados Unidos para obter controle global das informações!*

O que era aquilo, uma reprise do Skipjack? Descobrir um novo acesso de programador criado pela NSA tornaria Greg Hale mais famoso do que ele jamais teria imaginado. Também seria o fim da NSA. Ela ficou pensando se Hale estaria contando a verdade. *Não*, decidiu-se. *Claro que não!*

Hale continuou com sua ladainha.

– Eu interrompi seu *tracer* porque achei que você estava *me procurando!* Pensei que você suspeitasse de que Strathmore estava sendo espionado. Não queria que encontrasse o grampo e descobrisse que estava ligado à minha conta!

Plausível, mas improvável.

– Então por que matar Chartrukian? – retrucou Susan.

– Mas não o matei! – gritou Hale, em meio ao caos das sirenes. – Strathmore o empurrou! Eu vi tudo de onde estava, no subsolo! Chartrukian estava prestes a chamar o pessoal de SegSis e arruinar os planos do comandante de reescrever o algoritmo.

Hale é hábil, pensou Susan. *Tem respostas para tudo.*

– Deixe-me sair! – implorou Hale. – Não fiz nada!

– Não *fez nada?* – gritou Susan, preocupada porque Strathmore estava demorando tanto. – Você e Tankado estavam mantendo a NSA como refém. Pelo menos até você resolver traí-lo. Vamos, conte-me, Tankado realmente morreu de ataque cardíaco ou você pediu a um de seus amigos que o tirassem do caminho?

– Você é tão cega! – gritou Hale. – Não dá para ver que não estou envolvido? Me solte antes que a Segurança chegue!

– A Segurança não virá – ela respondeu, secamente.

Hale ficou branco.

– O quê?

– Strathmore apenas fingiu aquele telefonema.

Os olhos de Hale se esbugalharam. Ele ficou paralisado por um instante. Depois começou a contorcer-se histericamente.

– Strathmore vai me matar! Ele vai me matar! Eu sei demais!

– Calma, Greg.

As sirenes soaram outra vez, enquanto Hale gritava.

– Mas sou inocente!

– Você está mentindo! E eu tenho a prova! – Susan andou pelo círculo de terminais. – Você se lembra do *tracer* que interrompeu? – ela perguntou, em frente a seu próprio terminal. – Eu o reenviei! Vamos ver se ele nos diz algo de interessante?

De fato, na tela de Susan um ícone piscava indicando que o *tracer* havia retornado. Ela moveu o mouse e abriu a mensagem. *Esses dados irão selar o destino de Hale*, pensou. *Hale é North Dakota.* A caixa de texto se abriu na tela. *Hale é...*

Susan parou. O *tracer* exibiu seu resultado, e ela ficou olhando, perplexa, em silêncio. Devia haver algum engano. O *tracer* havia apontado para outra pessoa, alguém bastante improvável.

Susan apoiou-se na mesa, em frente ao terminal, olhando fixamente para a janela de texto à sua frente. Era a mesma informação que Strathmore disse que tinha recebido quando *ele* rodou o programa! Susan achou que o vice-diretor tivesse cometido algum engano, mas ela sabia que tinha configurado seu programa corretamente.

Ainda assim, a informação na tela era impensável:

NDAKOTA = ET@DOSHISHA.EDU

ET?, Susan se perguntou, sua cabeça dando voltas. *Ensei Tankado é North Dakota?*

Aquilo era inconcebível. Se os dados estivessem corretos, Tankado e seu parceiro eram a *mesma* pessoa. Os pensamentos de Susan foram, mais uma vez, interrompidos pela irritante sirene. *Por que Strathmore não desliga logo essa droga?*

Hale remexia-se no chão, tentando encontrar uma posição de onde pudesse ver Susan.

– Então? O que o programa retornou? Me diga!

Susan varreu Hale e todo o caos em volta de sua mente. *Ensei Tankado é North Dakota...*

Ela estava revirando as peças do quebra-cabeça, tentando fazer com que se encaixassem. Se Tankado era North Dakota, então ele estivera enviando e-mails para *si mesmo...* O que significava que North Dakota não existia. O parceiro de Tankado era uma farsa.

North Dakota é um fantasma. Um jogo de fumaça e espelhos, pensou Susan.

A trama era brilhante. Strathmore aparentemente estivera assistindo a apenas um lado de uma partida de tênis. Como a bola sempre voltava, havia presumido que tinha alguém do outro lado da rede. Mas Tankado estivera jogando contra uma parede. Durante todo aquele tempo tinha anunciado as virtudes do Fortaleza Digital em e-mails que enviava para si mesmo. Escrevia as mensagens, depois as encaminhava para uma empresa de envio de e-mails anônimos e, poucas horas depois, essa mesma empresa mandava os e-mails de volta para ele.

Pensando no esquema agora, tudo parecia óbvio para Susan. Tankado *queria* que o comandante o vigiasse. *Queria* que lesse suas mensagens. Ensei Tankado criou uma apólice de seguro imaginária sem nunca ter que confiar em outra pessoa para guardar sua chave. Claro que, para fazer com que toda a farsa parecesse autêntica, ele usou uma conta secreta. Ou, pelo menos, secreta o bastante para afastar qualquer suspeita de que tudo não passava de armação. Tankado era seu próprio parceiro. North Dakota não existia. Ensei Tankado criou uma operação de um homem só.

Um homem só.

Um pensamento aterrador tomou conta de Susan. *Tankado poderia ter usado sua falsa correspondência para convencer Strathmore de praticamente qualquer coisa.*

Ela se lembrou de sua primeira reação quando Strathmore havia lhe contado sobre o algoritmo inquebrável. Ela tinha dito que era impossível. A insegurança criada por aquela situação estava perturbando-a profundamente. Que prova eles tinham de que Tankado havia *realmente* criado o Fortaleza Digital? Apenas ele mesmo, se vangloriando em seus e-mails. E, claro, o TRANSLTR. O computador tinha ficado travado em um *loop* sem fim durante as últimas 24 horas, ou quase. No entanto havia outros programas que poderiam manter a máquina em *loop* durante todo esse tempo, programas que eram bem mais fáceis de criar do que um algoritmo inquebrável.

Vírus.

Um arrepio desceu pela espinha de Susan. *Mas como um vírus poderia entrar no TRANSLTR?* Como uma voz retornando da tumba, Phil Chartrukian lhe deu a resposta: *Strathmore contornou o Gauntlet!*

Em uma revelação aterrorizante, Susan compreendeu o que acontecera. Strathmore fez o download do arquivo do Fortaleza Digital de Tankado e tentou enviá-lo para que o TRANSLTR o decifrasse. Mas o Gauntlet havia rejeitado o arquivo, porque continha perigosas cadeias de caracteres mutantes. Normalmente Strathmore teria ficado preocupado, mas ele tinha lido o e-mail de Tankado: *Cadeias de caracteres mutantes são a saída!* Convencido de que era seguro carregar o Fortaleza Digital, Strathmore contornou os filtros do Gauntlet e enviou o arquivo para o TRANSLTR.

Susan mal podia falar.

– *Não há* Fortaleza Digital nenhum – ela disse, trêmula, enquanto as sirenes continuavam gritando. Lentamente, dolorosamente, inclinou-se sobre seu terminal. Tankado saiu à caça de tolos, e a NSA mordeu a isca.

Vindo lá de cima, ela ouviu um longo grito angustiado. Era Strathmore.

CAPÍTULO 86

Strathmore estava curvado sobre sua mesa quando Susan chegou, sem fôlego, à sua porta. Tinha colocado a cabeça entre os braços, num gesto de desespero, e pingava de suor. As sirenes continuavam tocando.

Susan correu até a mesa.

– Comandante?

Ele não se moveu.

– Comandante! Temos que desligar o TRANSLTR! Nós estamos com um...

– Ele nos pegou – disse Strathmore, sem levantar a cabeça. – Tankado enganou a todos...

Ela percebeu, pelo tom soturno de sua voz, que ele já havia entendido. Tudo que Tankado disse sobre o algoritmo inquebrável, o leilão da senha, tudo havia sido um jogo, uma charada. Tankado enganou a NSA, fez com que espionassem sua conta de e-mail, acreditassem que tinha um parceiro e, finalmente, induziu-os a carregarem um arquivo muito perigoso.

– As cadeias de caracteres mutantes... – continuou Strathmore, quase incapaz de falar.

– Eu já sei.

O comandante levantou lentamente a cabeça.

– O arquivo que eu peguei na Internet... Era um...

Susan estava tentando permanecer calma. Todas as peças haviam mudado de posição no tabuleiro. Nunca houve um algoritmo inquebrável, nunca houve um Fortaleza Digital. O arquivo que Tankado colocou na rede era um vírus encriptado, provavelmente protegido por um algoritmo de encriptação comercialmente disponível, mas forte o suficiente para manter todo mundo longe do vírus – todos, exceto a NSA. O TRANSLTR havia quebrado o código protetor e libertado o vírus.

– As cadeias de caracteres mutantes... – repetiu Strathmore. – Tankado disse que faziam parte do algoritmo. – Strathmore jogou-se para trás em sua cadeira.

Susan podia compreender o estado de desespero em que o comandante se encontrava. Ele havia sido completamente enganado. Tankado nunca quisera que uma empresa de software comprasse seu algoritmo, porque *não havia* um algoritmo. Tudo não passava de uma farsa. O Fortaleza Digital era uma grande isca criada com o único propósito de despertar a curiosidade da NSA. A cada movimento de Strathmore, Tankado estava por trás das cortinas movendo os fios como se ele fosse uma marionete.

– Eu ordenei que o Gauntlet fosse contornado.

– Mas você não tinha como saber.

Strathmore bateu com o punho na mesa.

– Eu *tinha* que saber! Por Deus, olhe para o apelido que ele usou! NDAKOTA! Preste atenção!

– O que você quer dizer?

– Ele está nos gozando! É um maldito anagrama!

Susan olhou, pensativa. *Um anagrama?* Mentalizou as letras e começou a fazer permutações. *Ndakota... Kado-tan... Oktadan... Tandoka...* Sentiu seu corpo fraquejar. Strathmore estava certo, estava na cara deles. Como não tinham visto aquilo antes? North Dakota não era uma referência a um dos estados norte-americanos, mas Tankado esfregando sal na ferida! Ele chegara ao cúmulo de mandar um aviso à NSA, uma pista óbvia de que ele mesmo era NDAKOTA – TANKADO. Mas os melhores decifradores de código do mundo não haviam percebido, exatamente como ele planejara.

– Ele estava zombando de nós! – disse Strathmore.

– Você tem que interromper a execução do TRANSLTR!

Strathmore continuou olhando para a parede, estarrecido.

– Comandante! Desligue a máquina! Ninguém sabe o que pode estar acontecendo lá dentro!

– Já tentei – Strathmore respondeu, soturno.

– Como assim, *tentou?*

Strathmore não disse nada. Apenas virou sua tela na direção de Susan. Seu monitor exibia uma estranha cor marrom. No final da tela, uma caixa de diálogo mostrava diversas tentativas de desligar o TRANSLTR. Todas eram seguidas pela mesma resposta:

IMPOSSÍVEL INTERROMPER A EXECUÇÃO
IMPOSSÍVEL INTERROMPER A EXECUÇÃO
IMPOSSÍVEL INTERROMPER A EXECUÇÃO

Susan sentiu um frio na barriga. *Impossível interromper a execução? Por quê?* Ela temia já saber a resposta. *Então essa é a vingança de Tankado?* Destruir o TRANSLTR! Durante anos, ele quisera que todos soubessem da existência do TRANSLTR, mas ninguém acreditou nele. Então decidiu destruir o gigante por conta própria. Lutou até a morte por seus ideais: o direito dos indivíduos à privacidade.

Lá embaixo, as sirenes continuavam berrando.

– Temos que cortar toda a energia – pediu Susan. – Já!

Sabia que, se corressem, poderiam salvar o supercomputador. Todos os computadores do mundo, dos PCs mais baratos até os sistemas de controle de satélite da NASA, possuíam alguma forma de desligamento manual. Não era uma saída elegante, mas sempre funcionava: "puxar a tomada".

Se desligassem toda a energia que ainda havia na Criptografia, forçariam o TRANSLTR a ser desligado também. Depois poderiam remover o vírus. Essa parte seria simples, pois bastaria reformatar os discos rígidos do TRANSLTR. Uma reformatação iria apagar completamente tudo que houvesse no computador – dados, programas, o vírus, *tudo*. Muitas vezes, reformatar os sistemas era uma solução inviável, pois levava à perda de milhares de arquivos, algumas vezes meses de trabalho. Mas com o TRANSLTR era diferente. Aquela máquina podia ser reformatada sem perda alguma. Supercomputadores com processamento paralelo eram projetados para fazer contas, não para armazenar dados. Quase nada era gravado dentro do TRANSLTR. Quando ele quebrava um código, enviava os resultados para o banco de dados central da NSA para que...

Susan congelou. Em um relance, percebeu a extensão da tragédia. Colocou a mão na boca e abafou um grito.

– O banco de dados central!

Strathmore mantinha o mesmo olhar vago para a escuridão. Ele já havia chegado à mesma conclusão. Falou com uma voz mecânica.

– Sim, Susan. O banco de dados. Tankado usou o TRANSLTR para colocar um vírus em nosso banco de dados central.

Strathmore apontou, trêmulo, para sua tela. Susan apoiou-se na parede e olhou novamente para algumas palavras que estavam logo abaixo da caixa de texto que ela havia visto antes.

DIVULGUEM A EXISTÊNCIA DO TRANSLTR
APENAS A VERDADE PODERÁ SALVÁ-LOS

Susan sentiu o sangue gelar. As informações mais secretas dos Estados Unidos estavam armazenadas na NSA: protocolos de comunicações militares, a identidade de espiões no exterior, planos de armas em desenvolvimento, documentos digitalizados, acordos de comércio... A lista era enorme.

– Tankado não faria isso! – respondeu ela. – Corromper todos os registros secretos de nosso país?

Nem mesmo Ensei Tankado seria capaz de atacar o banco de dados da NSA, pensava Susan. Olhou para a mensagem novamente.

APENAS A VERDADE PODERÁ SALVÁ-LOS

– A verdade? A respeito de quê?

Strathmore respondeu, respirando pesadamente.

– O TRANSLTR – disse, com voz fúnebre. – A verdade sobre o TRANSLTR.

Susan concordou. Tankado estava forçando a NSA a divulgar a existência do TRANSLTR. Era uma forma de chantagem. Havia dado duas escolhas à agência: confessar que o supercomputador existia ou perder seu banco de dados. Ela olhou, aturdida, para o texto à sua frente. Na última linha da tela, uma mensagem piscava de forma ameaçadora.

DIGITE A SENHA __________

Olhando para as palavras que piscavam, Susan repassou toda a trama em sua mente: o vírus, a chave, o anel de Tankado, a engenhosidade da chantagem. A chave não tinha relação alguma com a desencriptação de um algoritmo: era um *antídoto* que servia para interromper a ação do vírus. Susan já havia estudado vírus como aquele: programas destrutivos que incluíam um mecanismo interno de desativação, uma senha secreta que podia ser usada para interromper sua execução.

Tankado nunca planejou destruir o banco de dados da NSA! Apenas queria que contássemos a verdade sobre o TRANSLTR! Depois iria nos dar a senha para que pudéssemos interromper a ação do vírus.

Estava claro para ela, também, o quão errado o plano de Tankado havia saído. Ele não planejara morrer. Certamente pensou em ficar sentado num bar na Espanha, ouvindo o noticiário da CNN a respeito do computador americano ultra-secreto para decifrar códigos. Então provavelmente ligaria para Strathmore e leria os dígitos da chave, salvando o conteúdo do banco de dados no último instante. Após umas boas gargalhadas, ele desapareceria, tornando-se um herói para a EFF.

Susan socou a mesa.

– Precisamos encontrar o anel! É a *única* chave!

Como não havia North Dakota algum, também não havia uma segunda chave. Mesmo que a NSA resolvesse revelar a verdade sobre o TRANSLTR, Tankado não poderia mais ajudá-los.

Strathmore permaneceu em silêncio.

A situação era mais séria do que Susan havia imaginado. Ela estava chocada por Tankado ter permitido que as coisas chegassem a esse ponto. Ele sabia o que aconteceria se a NSA não conseguisse o anel. Ainda assim, em seus últimos segundos de vida, ele havia dado o anel para estranhos. Havia deliberadamente tentado mantê-lo fora do alcance deles. Por outro lado, pensou Susan, o que se esperaria que Tankado fizesse se achasse que a NSA havia mandado matá-lo?

Ainda assim, Susan não acreditava que Tankado fosse permitir que isso acontecesse. Ele era um pacifista. Não queria provocar destruição, queria apenas deixar as coisas claras. Sua luta dizia respeito ao TRANSLTR. Dizia respeito ao direito das pessoas de manterem um segredo. O que ele desejava é que todos soubessem que a NSA estava ouvindo. *Apagar o banco de dados da agência era um ato de agressão que Ensei Tankado não cometeria*, pensou Susan.

As sirenes a trouxeram de volta à realidade. Ela olhou para o comandante, arrasado. Não apenas seus planos de inserir um acesso oculto no Fortaleza Digital haviam sido destruídos, como também seu descuido havia deixado a NSA muito próxima do que poderia ser o pior desastre para a segurança nacional em toda a história dos Estados Unidos.

– Comandante, isso *não* é culpa sua! – insistiu ela, tentando superar o ruído das sirenes. – Se Tankado não houvesse morrido, teríamos como barganhar, teríamos *opções!*

Mas Strathmore não estava ouvindo mais nada. Sua vida estava acabada. Passara trinta anos servindo seu país. Aquele deveria ser seu momento de glória, seu *grand finale:* uma *back door* colocada no padrão mundial de encriptação. Em vez disso havia deixado um vírus entrar no banco de dados central da Agência de Segurança Nacional. Não havia como deter o vírus, ao menos não sem desligar a energia e apagar todos os bilhões de bytes de dados irrecuperáveis. Apenas o anel poderia salvá-los, e se David não havia encontrado o anel até agora...

– Preciso desligar o TRANSLTR! – disse Susan, tomando as rédeas da situação. – Vou ao subsolo desligar o disjuntor principal.

Strathmore virou-se lentamente e olhou para ela. Era um homem derrotado, arrasado.

– Eu vou – disse em voz baixa. Levantou-se, tropeçando ao tentar sair de trás de sua mesa.

Susan foi até ele e fez com que se sentasse novamente.

– Não – disse em tom autoritário. – *Eu* vou. – Não deixou espaço para discussões.

Strathmore apoiou o rosto entre as mãos.

– Está bem. Último nível. Ao lado das bombas de gás fréon.

Susan virou-se e dirigiu-se para a porta. A meio caminho, olhou para trás e gritou:

– Comandante, isso ainda *não* acabou. Não fomos derrotados ainda. Se David puder encontrar o anel a tempo, podemos salvar o banco de dados!

Strathmore não respondeu.

– Ligue para o pessoal do banco de dados! – ordenou Susan. – Avise-os a respeito do vírus! Você é o vice-diretor da NSA. Você é um sobrevivente!

Em câmara lenta, Strathmore olhou para ela. Como alguém que toma a decisão mais penosa de sua vida, assentiu pesarosamete.

Cheia de determinação, Susan partiu em meio à escuridão.

CAPÍTULO 87

A Vespa se arrastava pela pista para veículos lentos da Carretera de Huelva. Estava quase amanhecendo e já havia bastante tráfego: jovens de Sevilha retornando de suas noitadas festivas na praia. Uma van cheia de adolescentes passou por ele buzinando. A motoneta de Becker parecia um brinquedo na estrada.

Cerca de 500 metros atrás, um táxi semidestruído surgiu na estrada, com pedaços de metal soltos arrastando no chão e soltando faíscas. Sem muito controle, jogou um Peugeot 504 para o gramado central.

Becker passou por uma placa onde estava escrito: SEVILLA CENTRO – 2 KM. Se ele pudesse encontrar abrigo no centro da cidade, talvez tivesse uma chance. O velocímetro marcava 60 km/h. *Dois minutos até a saída.* Ele sabia que não teria tanto tempo assim. Em algum ponto atrás dele, o táxi avançava rapidamente. Becker olhou para as luzes do centro de Sevilha e rezou para chegar vivo até lá.

Estava a meio caminho da saída quando o som de metal riscando a pista se fez ouvir atrás dele. Curvou-se sobre a Vespa, puxando o acelerador ao máximo. Ouviu o som abafado de um tiro e o assobio da bala que errou o alvo. Jogou-se para a esquerda, cortando as pistas de um lado para o outro, na esperança de conseguir um pouco mais de tempo. Era inútil. A rampa de saída ainda estava a uns 300 metros quando o táxi encurtou a distância entre eles e ficou cerca de dois ou três carros atrás. Becker sabia que, em poucos segundos, levaria um tiro ou seria atropelado. Ele olhou à frente, procurando alguma alternativa, mas a estrada era cercada de ambos os lados por encostas íngremes cobertas de pedregulhos. Ouviu outro tiro. Hora de tomar uma decisão.

Com a moto zunindo e soltando faíscas no asfalto, jogou-se à direita e saiu da estrada. Os pneus da motoneta chegaram à base da encosta. Becker lutava para manter o equilíbrio sobre a Vespa, que jogava para trás uma nuvem de pedrinhas, a roda traseira patinando enquanto galgava a montanha. O pequeno motor roncava de forma patética e as rodas giravam em falso enquanto a moto subia o terreno acidentado. Becker fazia o possível para ajudar, esperando que o motor não engasgasse. Não teve coragem de olhar para trás, certo de que, a qualquer momento, o táxi iria parar com uma freada brusca e balas voariam em sua direção.

Contudo, nenhuma bala foi disparada.

A Vespa chegou até o topo, e Becker pôde ver, à sua frente, o centro. As luzes da cidade descortinavam-se à sua frente como um céu estrelado. Passou a toda por alguns arbustos e saiu em uma rua. Tinha a impressão de que sua motocicleta andava mais rápido agora. A Avenida Luis Montoto parecia fugir sob os pneus. O estádio de futebol passou rápido à sua esquerda. Estava a salvo.

Foi então que Becker ouviu o ruído familiar de metal sendo arrastado pelo concreto. Cerca de 100 metros à frente, o táxi surgiu em alta velocidade na rampa de saída, derrapando ao entrar na Luis Montoto e depois acelerando na direção de David.

Desta vez ele manteve-se indiferente. Sabia para onde estava indo. Virou à esquerda na Menéndez Pelayo e acelerou. A Vespa atravessou um pequeno parque e depois saiu na Rua Mateus Gago, uma ruela de mão única que dava no portal do bairro de Santa Cruz.

Só mais um pouco, pensou.

O táxi seguia em seu encalço, cada vez mais perto. Entrou atrás de Becker no arco de Santa Cruz, perdendo um dos espelhos laterais ao passar pelo arco estreito. Becker sentiu que tinha vencido: Santa Cruz era uma das partes mais antigas de Sevilha. Não havia ruas largas entre os prédios, apenas um labirinto de vielas estreitas construídas na época dos romanos. Ali só era possível andar a pé ou de motoneta. Anos atrás, Becker havia passado algumas horas perdido naquelas ruelas.

Ao acelerar no trecho final da Mateus Gago, a catedral gótica de Sevilha, do século XI, cresceu como uma montanha diante de seus olhos. Logo a seu lado estava a torre da Giralda, projetando-se 127 metros para cima contra as primeiras luzes do amanhecer. A segunda maior catedral do mundo ficava em Santa Cruz, que era também local de residência de algumas das mais antigas e devotas famílias católicas de Sevilha.

Becker cruzou a praça com calçamento de pedras. Ouviu um único tiro, mas era tarde. Ele e sua motoneta já haviam desaparecido por uma pequena viela, a Callita de la Virgen.

CAPÍTULO 88

O farol da Vespa de Becker desenhava sombras nítidas nas paredes das pequenas vielas. Ele brigava com a embreagem enquanto a moto roncava entre o casario branco, acordando um pouco mais cedo alguns moradores de Santa Cruz naquela manhã de domingo.

Haviam se passado menos de 30 minutos desde que Becker fugira do aeroporto. Estava sendo perseguido desde então e tinha muitas perguntas em sua mente: *Quem está tentando me matar? Por que este anel é tão especial? Onde está o jatinho da NSA?* Lembrou-se de Megan morta no banheiro, e a sensação de náusea voltou.

A idéia inicial de Becker era atravessar o bairro e sair do outro lado, mas Santa Cruz era um desnorteante labirinto de vielas. Em toda parte havia caminhos falsos e ruas sem fim. Becker perdeu o rumo rapidamente. Tentou encontrar a torre da Giralda para se situar, mas as paredes a seu redor eram altas demais e só deixavam que visse um pouco do céu acima dele, com a manhã surgindo.

Ficou pensando onde poderia estar o homem com os óculos de armação de metal. Já tinha percebido que ele não desistiria assim tão fácil. O assassino provavelmente havia descido do carro para persegui-lo a pé. Becker se concentrava em manobrar a Vespa pelas esquinas apertadas. O ruído do motor ecoava ao longo das ruelas, e ele sabia que era um alvo fácil de ser encontrado no silêncio de Santa Cruz. Naquele momento, tudo que tinha a seu favor era a velocidade. *Tenho que chegar ao outro lado!*

Após uma longa série de curvas e retas, Becker parou em uma interseção de três vias, a Esquina de los Reyes. Sabia que estava com problemas: já tinha passado por ali antes. Apoiou um pé no chão para segurar a moto enquanto pensava para onde iria, mas o motor engasgou e parou. O medidor de gasolina indicava que o tanque estava vazio. De forma quase cronometrada, uma sombra surgiu em uma viela à sua esquerda.

A mente humana é o computador mais rápido que existe. Em uma fração de segundos, Becker registrou o formato dos óculos do homem, pesquisou algo similar em sua memória, encontrou o que buscava, registrou "perigo" e requisitou que tomasse uma atitude. A decisão foi rápida: largou a motoneta inútil e saiu correndo o mais rápido que pôde.

Infelizmente para Becker, dessa vez Hulohot estava de pé e imóvel, e não se sacudindo dentro de um táxi. Levantou calmamente sua arma e disparou.

A bala atingiu Becker de raspão, pouco antes que ele virasse uma esquina e saísse da linha de mira. Deu cinco ou seis passos antes que a sensação começasse a se propagar. Primeiro parecia uma contração muscular, pouco acima do quadril. Depois tornou-se uma pontada. Becker viu o sangue. Não havia dor alguma: apenas uma corrida desesperada através do labirinto de vielas de Santa Cruz.

◆◆◆

Hulohot correu atrás de sua presa. Tinha pensado em atirar na cabeça, mas era um profissional e sabia calcular seus riscos. Becker era um alvo móvel e mirar em seu torso lhe dava maior margem de erro, tanto na vertical quanto na horizontal. Seus cálculos tinham dado certo. Becker havia se movido na última hora e, em vez de errar sua cabeça, Hulohot acertou de raspão próximo à cintura. Sabia que a bala mal tinha arranhado Becker e que não faria grandes danos, mas o tiro tinha servido a seu propósito. Ele havia feito contato. A presa tinha sido tocada pela morte. Era outro jogo agora.

Becker corria, cegamente. Virando. Andando em ziguezague. Mantendo-se fora das vias mais abertas. Os passos atrás dele pareciam incansáveis. Becker não pensava em mais nada. Não queria saber onde estava ou quem estava atrás dele. Havia sobrado apenas instinto, autopreservação. Nenhuma dor, apenas medo e energia pura.

Um tiro atingiu um azulejo pouco atrás dele. Pequenos fragmentos voaram de encontro à sua nuca. Jogou-se para a esquerda, em outra ruela. Ouviu sua própria voz gritando por socorro, mas, a não ser pelo som dos passos e de sua respiração acelerada, o ar da manhã permanecia morbidamente silencioso.

O ferimento estava ardendo. Becker temia estar deixando um rastro de sangue pelo piso claro. Procurava desesperadamente uma porta aberta, um portão, qualquer saída daquele labirinto sufocante. Nada. A viela se estreitava.

– Socorro! – a voz de Becker era quase inaudível.

As paredes se comprimiam contra ele. Becker virou uma esquina. Procurou um cruzamento, uma bifurcação, qualquer tipo de saída. A rua se estreitava. Portas trancadas. Estreitando-se ainda mais. Portões fechados. Passos se aproximando. Estava em uma passagem reta que se transformava em uma ladeira. Cada vez mais íngreme. Becker sentiu que suas pernas fraquejavam. Estava perdendo velocidade.

Então chegou ao fim.

Como uma estrada inacabada, a ladeira terminou. Havia uma parede alta, um banco de madeira e nada mais. Nenhuma saída. Becker olhou para o topo do prédio ao seu lado, três andares acima, depois virou-se e começou a voltar pela longa viela. Deu apenas alguns passos e parou abruptamente.

Uma figura surgiu na base da ladeira. O homem moveu-se na direção de Becker com uma determinacão calculada. Em uma das mãos a arma reluzia sob os primeiros raios de sol.

Becker sentiu uma enorme lucidez apoderando-se dele enquanto recuava em direção à parede. Sentiu nitidamente a dor do ferimento. Colocou os dedos sobre a ferida e a examinou. Havia sangue em seus dedos e sobre o anel de ouro de Ensei Tankado. Sentiu-se tonto. Olhou para o anel, perplexo. Tinha esquecido que o estava usando. Não se lembrava por que viera a Sevilha. Voltou a observar a figura que se aproximava. Depois olhou novamente para o anel. Tinha sido por isso que Megan morrera? Seria por isso que *ele* morreria?

A sombra avançava pela ruela inclinada. Becker via paredes subindo a seu redor. Sem saída. Conseguia ver alguns corredores fechados por portões, mas era tarde demais para gritar por socorro.

Encostou-se no muro e naquele momento podia sentir cada minúscula pedrinha sob a sola de seus sapatos, cada mínima rugosidade na parede atrás dele. Seus pensamentos voltaram no tempo para sua infância, para seus pais... e para Susan.

Meu Deus... Susan.

Pela primeira vez desde que era criança, Becker rezou. Não para se livrar da morte: não acreditava em milagres. Rezou para que a mulher que iria deixar encontrasse forças, para que ela soubesse sem dúvida alguma que fora amada. Fechou os olhos. As lembranças o invadiram como um turbilhão. Não eram lembranças de reuniões no departamento ou de assuntos da universidade, nem tampouco das coisas que preenchiam 90% de sua vida. Eram lembranças dela. Memórias simples, como o dia em que a ensinara a usar os *hashi*, ou quando velejaram em Cape Cod. *Eu te amo*, pensou. *Saiba disso... para sempre.*

Era como se cada defesa, cada fachada, cada insegurança de sua vida tivessem sido arrancadas. Ele estava ali em carne e osso perante Deus. Fechou os olhos enquanto o homem de óculos de armação de metal andava em sua direção. Em algum lugar próximo, um sino começou a tocar. Becker esperou, na escuridão, pelo som que poria fim à sua vida.

CAPÍTULO 89

O sol estava começando a se levantar sobre os telhados de Sevilha e brilhava em suas ruas. Os sinos no alto da Giralda anunciavam a primeira missa do dia. Esse era o momento pelo qual os moradores do bairro esperavam. Portas se abriam e de todos os lados famílias surgiam nas ruelas. Como sangue sendo bombeado pelas veias da velha Santa Cruz, fluíam em direção ao coração de seu *pueblo*, em direção ao centro de sua história, seu Deus, sua catedral.

No interior da mente de Becker, um sino tocava. *Estou morto?* Hesitante, abriu os olhos e contraiu as sobrancelhas, ofuscado pelos raios de sol. Sabia onde estava. Levantou os olhos e procurou seu agressor na viela. Contudo, o homem e seus óculos não estavam lá. Em vez disso havia muitos outros. Famílias espanholas em roupas de domingo, saindo de seus portões gradeados para as ruas, falavam e riam.

◆◆◆

Na base daquela ruela, oculto da visão de Becker, Hulohot xingava em voz baixa. Primeiro surgira um único casal separando-o de sua presa. Hulohot esperou que partissem. Mas o som dos sinos continuou reverberando, tirando outras pessoas de suas casas. Surgiu um segundo casal, com crianças. Cumprimentaram o outro casal, falando, rindo, beijando-se três vezes no rosto. Depois surgiu outro grupo, e Hulohot já não podia mais ver sua vítima. Agora, enfurecido, corria em meio à multidão que aumentava rapidamente. Tinha que chegar até David Becker!

O assassino tentou abrir caminho até o fim da ruela, mas se viu perdido em meio a um mar de gente: casacos e gravatas, vestidos, mantas sobre as costas curvadas de senhoras idosas. Todos pareciam ignorar a presença de Hulohot. Moviam-se sem pressa, todos de preto, uma massa compacta que bloqueava seu caminho. Hulohot conseguiu atravessar o povaréu e subiu correndo a ladeira, a arma engatilhada. Becker, contudo, havia sumido. Frustrado, Hulohot soltou um grito inumano e abafado.

◆◆◆

Becker tropeçava e ia cortando caminho através da multidão. *Siga a multidão*, pensava. *Eles sabem onde fica a saída*. Ele virou à direita em uma interseção e foi dar em uma rua mais larga. Em toda parte, portões se abriam e pessoas saíam para as ruas. Os sinos tocavam mais alto.

O ferimento de Becker ainda ardia, mas podia sentir que o sangramento tinha parado. Apressou-se. Em algum lugar atrás dele, aproximando-se rapidamente, havia um homem armado.

David ia entrecortando os grupos de pessoas que se dirigiam à missa, tentando manter sua cabeça baixa. Não estava muito longe, ele podia sentir isso. De repente a multidão ficou mais densa e a ruela se alargou. Não estava mais em um pequeno afluente, aquele era o rio principal. Quando passou por uma curva, Becker pôde vê-las, crescendo à sua frente: a catedral e a torre da Giralda.

O ruído dos sinos era ensurdecedor, ecoando pelas paredes da praça cercada por muros altos. Os diferentes fluxos de pessoas convergiam, todas de preto, atravessando a praça em direção às portas da catedral de Sevilha. Becker tentou sair dali e ir em direção à Mateus Gago, mas estava preso, ombro a ombro, passo a passo com a multidão compacta. Becker estava encaixado entre duas mulheres corpulentas, ambas caminhando de olhos fechados, deixando-se levar pela massa. Rezavam em voz baixa e seguravam contas de rosários em suas mãos.

Quando o povo se aproximou da enorme estrutura de pedra, Becker tentou mais uma vez sair para o lado esquerdo, mas a corrente humana estava ainda mais forte agora. Pessoas se comprimiam, em expectativa, avançando às cegas, murmurando orações. Virou-se, tentando abrir caminho na direção oposta. Era impossível, como tentar remar contra a maré. Desistiu. As portas da catedral ficavam cada vez mais perto, como a entrada para alguma atração macabra de um parque de diversões que ele preferia ter evitado. David Becker subitamente percebeu que iria à igreja.

CAPÍTULO 90

As sirenes da Criptografia continuavam tocando. Strathmore não sabia há quanto tempo Susan partira. Tinha ficado sentado sozinho nas sombras, o murmúrio do TRANSLTR chamando-o. *Você é um sobrevivente... Você é um sobrevivente...*

Sou um sobrevivente, ele pensou, *mas a sobrevivência de nada vale sem a honra. Prefiro morrer do que viver em desgraça.*

Certamente a desgraça era aquilo que esperava por ele. Havia ocultado informações do diretor e deixado um vírus entrar no computador mais seguro do país. Não restavam dúvidas de que iriam tirar o seu couro. Suas intenções tinham sido patrióticas, é certo, mas nada saíra conforme planejara. Ocorreram mortes e traições que acabariam em julgamentos, acusações, indignação pública. Tendo servido seu país com honra e integridade durante tantos anos, não podia permitir que as coisas terminassem dessa forma.

Sou um sobrevivente, pensou. *Você é um mentiroso*, responderam seus pensamentos.

De fato *era* um mentiroso. Tinha mentido para muitas pessoas. Susan Fletcher era uma delas. Havia muitas coisas que não tinha contado para ela, coisas das quais se envergonhava agora. Durante anos ela foi sua ilusão, sua fantasia viva. Sonhava com ela à noite, dizia seu nome em meio aos sonhos. Não podia evitar. Era a mulher mais inteligente e mais bela que podia imaginar. No início, sua mulher tentou ser paciente, mas, quando finalmente encontrou Susan, perdeu as esperanças. Bev Strathmore nunca recriminou seu marido por seus sentimentos. Tentou suportar a dor pelo tempo que foi possível, mas há alguns meses aquela vida havia se tornado impossível. Bev disse ao marido que o casamento terminara: não podia passar o restante de seus dias à sombra de outra mulher.

Aos poucos as sirenes tiraram Strathmore de seus devaneios. Analisou a situação, buscando alguma outra saída. Sua mente confirmou, relutantemente, aquilo que seu coração suspeitara. Havia apenas uma saída, uma única solução.

Strathmore olhou para o teclado e começou a digitar. Deixou o monitor como estava, virado para a porta, onde não podia ver o que estava escrevendo. Apenas digitou as palavras, lenta e decididamente.

Queridos amigos, vou tirar minha própria vida hoje...

Desta forma, ninguém teria dúvida. Não fariam perguntas. Não haveria acusações. Ele iria contar, palavra por palavra, o que acontecera. Muitos já haviam morrido, mas era necessário sacrificar uma última vida.

CAPÍTULO 91

Em uma catedral é sempre noite. O calor do dia se transforma em frescor úmido. O ruído do trânsito é completamente abafado pelas grossas paredes de granito. Nenhuma quantidade de candelabros seria suficiente para iluminar aquele amplo espaço. Os detalhes da arquitetura gótica projetam sombras em toda parte. Apenas os vitrais, colocados no alto das paredes, filtram as imperfeições do mundo externo em raios esmaecidos de vermelho e azul.

A catedral de Sevilha, como todas as grandes catedrais da Europa, possui o formato de uma cruz. O sacrário e o altar ficam na nave central, um pouco acima da interseção dos dois eixos da cruz. Bancos de madeira ocupam todo o eixo vertical, ao longo de impressionantes 100 metros que vão do altar até a base da cruz. De ambos os lados do altar o transepto abriga confessionários, túmulos sagrados e mais bancos.

Becker se viu cercado no meio de um longo banco mais ou menos na metade posterior da nave. Acima dele, no enorme espaço vazio, um incensório de prata do tamanho de uma geladeira descrevia enormes arcos, preso por uma velha corda, deixando um rastro de incenso. Os sinos da Giralda continuavam tocando, gerando um murmúrio grave na estrutura de pedra da catedral. Becker olhou para a parede ornamentada atrás do altar. Tinha muito a agradecer. Estava respirando. Estava vivo. Era um milagre.

O celebrante se preparava para iniciar a missa. Becker olhou para seu ferimento. Havia uma mancha em sua camisa, mas o sangramento cessara. A ferida era pequena, mais próxima de um corte do que de uma perfuração. Ele recolocou sua camisa para dentro e soltou o pescoço. Ouviu as portas sendo fechadas atrás dele. Se houvesse sido seguido, estava agora aprisionado. A catedral de Sevilha possuía uma única entrada, um projeto arquitetônico popular nos tempos em que as igrejas eram usadas como fortalezas, um local seguro para proteção contra invasões mouras. Dessa forma só havia uma porta a ser protegida com barricadas.

As portas ornamentadas de sete metros de altura fecharam-se com um ruído forte. Becker estava trancado na casa de Deus. Fechou os olhos e escorregou para baixo no banco. Era o único, em toda a catedral, que não estava vestido de preto. Em algum lugar, vozes entoaram um cântico.

◆◆◆

Também no lado de dentro da igreja, um vulto se movia lentamente ao longo do corredor lateral, mantendo-se nas sombras. Havia chegado pouco antes que as portas se fechassem. Ele sorriu consigo mesmo. A caçada estava ficando mais interessante. *Becker está aqui... posso senti-lo.* Movia-se metodicamente, uma fileira de cada vez. *Um bom lugar para morrer*, pensou Hulohot. *Espero ter a mesma sorte.*

◆◆◆

Becker ajoelhou-se sobre o assoalho frio da catedral e abaixou a cabeça, para se esconder. O homem sentado ao seu lado olhou para ele: aquele era um comportamento muito estranho na casa de Deus.

– *Enfermo* – desculpou-se Becker. – Estou doente.

Becker tinha que ficar agachado. Ele vislumbrara uma silhueta que lhe era familiar movendo-se em direção ao altar pelo corredor lateral. *É ele! Está aqui!* Apesar de estar no meio de uma enorme comunidade de fiéis, ele temia ser um alvo fácil – seu blazer cáqui era um farol naquele mar de preto. Tinha cogitado tirar o blazer, mas a camisa branca que usava por baixo não iria ajudar em nada. Em vez disso, abaixou-se ainda mais.

O homem ao seu lado fez uma cara feia.

– Turista – grunhiu. Depois disse em voz baixa: – Devo chamar um médico?

Becker olhou para a face cheia de verrugas do velho.

– *No, gracias. Estoy bien.*

O homem lhe devolveu um olhar irritado.

– *Pues siéntate!* Então sente-se! – Algumas pessoas em volta fizeram sinais para que se calassem, e o velho decidiu morder a língua e voltar-se para o altar.

Becker fechou os olhos e abaixou-se ainda mais, pensando em quanto tempo a missa iria durar. Protestante, sempre tivera a impressão de que os católicos tinham uma cerimônia muito demorada. Rezava para que fosse verdade, pois, assim que a missa terminasse, seria forçado a levantar-se e deixar que os outros saíssem. Vestido de cáqui, estaria morto.

Naquele momento ele não tinha outra alternativa. Simplesmente deixou-se ficar ajoelhado no chão de pedra fria da grande catedral. O homem ao seu lado acabou se esquecendo dele. A congregação estava agora de pé, cantando um hino de louvor. Becker continuava abaixado. Suas pernas começaram a ficar dormentes. Não havia espaço para esticá-las. *Paciência*, pensou. *Paciência.* Fechou os olhos e respirou profundamente.

Ficou abaixado, tentando pensar numa saída. Concentrado, não percebeu o tempo passar e espantou-se quando sentiu que alguém o cutucava com os pés. Olhou para cima. O velho estava à sua direita, esperando impacientemente para deixar o banco.

Becker entrou em pânico. *Ele já quer ir embora? Vou ter que me levantar!* Fez sinal para que o homem passasse por cima dele. O velho mal podia controlar sua irritação. Segurou as abas de seu casaco preto, puxou-as para baixo com veemência, depois curvou-se para trás, mostrando a Becker a fileira de pessoas que esperavam para sair. David olhou para seu lado esquerdo e viu que a mulher que estava sentada ali havia saído. Todo o banco à sua esquerda estava vazio até a aléia central.

A missa não pode ter terminado! É impossível!

Contudo, quando Becker viu o coroinha no fim da fila e as duas filas indianas se movendo em direção ao altar, entendeu o que estava acontecendo.

Comunhão! – resmungou. *Eu tinha me esquecido da comunhão!*

CAPÍTULO 92

Susan desceu a escada que dava no subsolo. Havia uma grossa camada de vapor quente em torno do TRANSLTR. O gradeado da escada e os corrimãos estavam úmidos devido à condensação. Olhou em volta, pensando quanto tempo mais o computador agüentaria. As sirenes continuavam emitindo seu aviso intermitente. A cada dois segundos, as luzes de emergência completavam uma volta. Três andares abaixo, os geradores auxiliares vibravam no limite de sua potência. Em algum lugar, no fundo daquela névoa obscurecida, estava o disjuntor que Susan procurava. Sabia que seu tempo estava se esgotando.

◆◆◆

Lá em cima, Strathmore segurava a Beretta. Leu seu bilhete novamente e deixou-o no chão da sala. Estava prestes a cometer um ato covarde e não tinha dúvidas disso. *Sou um sobrevivente*, pensou. Pensou no vírus no banco de dados da NSA, pensou em David Becker na Espanha, pensou em seus planos para o acesso de programador. Havia contado mentiras demais; era culpado de muitas coisas. Aquela era a única forma de evitar a culpa, de evitar a vergonha. Apontou a arma cuidadosamente. Depois fechou os olhos e puxou o gatilho.

◆◆◆

Susan havia descido apenas seis lances de escada quando ouviu o som do tiro. Vinha de longe e fora abafado pelo barulho dos geradores tão próximos. Nunca havia ouvido um tiro, a não ser na televisão, mas não tinha dúvida.

Parou na hora, o som ressoando em seus ouvidos. Tomada de choque, temeu pelo pior. Em sua mente surgiram as imagens dos sonhos do comandante, o acesso oculto no Fortaleza Digital e as imensas possibilidades que isso abriria. Depois, as imagens do vírus no banco de dados, o casamento arruinado, seu olhar de desamparo há poucos minutos. Tropeçou e segurou-se no corrimão para não cair. *Comandante! Não!*

Ficou paralisada por instantes, sua mente em branco. O eco do tiro parecia sobrepujar todo o caos que a cercava. A intuição lhe dizia que devia continuar descendo, mas as pernas se recusavam. *Comandante!* Logo em seguida, viu-se subindo a escada aos tropeções, alheia ao perigo que a cercava.

Subia às cegas, escorregando no metal dos degraus. Acima dela, a umidade parecia quase chuva. Quando chegou à escada que dava acesso ao piso da Criptografia, tentou subir correndo, mas tropeçou no último degrau. Rolou no chão da Criptografia e sentiu o ar fresco a seu redor. Sua blusa estava grudada na pele, inteiramente molhada.

Estava escuro. Ela parou, tentando se orientar. O som do tiro continuava ecoando em sua cabeça, sem cessar. O vapor quente saía da portinhola como gases saindo de um vulcão prestes a explodir.

Susan amaldiçoou-se por ter deixado a Beretta com Strathmore. *Ou será que ela tinha ficado no Nodo 3?* Seus olhos se ajustavam à escuridão e ela olhou na direção do buraco na parede do Nodo 3. O brilho dos monitores era fraco, mas, ao longe, podia ver Hale deitado, imóvel, no chão, no mesmo lugar onde ela o deixara. Nenhum sinal de Strathmore. Aterrorizada com o que iria encontrar, voltou-se para a sala do comandante.

Começou a andar. Contudo, algo lhe pareceu estranho. Deu alguns passos para trás e olhou novamente para o Nodo 3. Na luz pálida ela podia ver o braço de Hale. Não estava mais ao seu lado, e ele também não estava mais amarrado como uma múmia. Seu braço estava jogado por cima de sua cabeça e ele estava esparramado no chão, de bruços. Será que ele tinha se libertado? Não viu movimento algum. Hale estava imóvel como um cadáver.

Susan olhou para o escritório de Strathmore, no alto.

– Comandante?

Silêncio.

Hesitantemente, começou a mover-se em direção ao Nodo 3. Sob a luz dos monitores, um objeto brilhava na mão de Hale. Susan aproximou-se devagar, bem devagar. Quando chegou mais perto pôde ver o que Hale estava segurando. Era a Beretta.

Susan engoliu em seco. Seguindo o arco do braço de Hale, chegou à sua face. O que viu era grotesco. Metade do rosto dele estava encharcado de sangue. A mancha escura se alastrava pelo carpete.

Meu Deus! Susan recuou, trêmula. Não era o comandante quem ela tinha ouvido atirar, mas Hale.

Como em um pesadelo, ela aproximou-se do corpo. Aparentemente, Hale havia conseguido soltar-se. Os cabos usados para amarrá-lo estavam jogados no chão a seu lado. *Devo ter deixado a arma no sofá*, ela pensou. O sangue que saía do buraco em seu crânio ficava preto sob a luz azul.

No chão, ao lado de Hale, havia um pedaço de papel. Susan foi até lá e pegou-o, trêmula. Era um bilhete.

Queridos amigos, vou tirar minha própria vida hoje, em penitência por meus pecados...

Susan olhou para o bilhete incrédula. Leu-o devagar. Não fazia o menor sentido, não era o estilo de Hale... Uma lista de crimes. No bilhete, ele confessava tudo: ter descoberto que NDAKOTA era uma farsa, ter contratado um mercenário para matar Ensei Tankado e pegar o anel, ter atirado Phil Chartrukian sobre os geradores e planejado vender o Fortaleza Digital.

Susan chegou à última linha. Não estava preparada para o que viria a seguir. As últimas palavras do bilhete foram um duro golpe.

Sobretudo, lamento por David Becker. Perdoem-me, fiquei cego pela ambição.

Susan tremia, olhando para o corpo de Hale. Ouviu passos, alguém se aproximando correndo por detrás dela. Em câmara lenta, virou-se.

Strathmore apareceu na janela quebrada, pálido e sem fôlego. Olhou para o corpo de Hale, aparentando estar chocado.

– Meu Deus! – ele disse. – O que aconteceu?

CAPÍTULO 93

Comunhão.

Hulohot avistou Becker rapidamente. O blazer cáqui era facilmente localizável, especialmente com uma pequena mancha de sangue em um dos lados. O blazer estava se movendo em direção ao altar, pelo corredor central, em meio a um mar de pessoas de preto. *Ele provavelmente não sabe que estou aqui,* pensou o assassino, sorrindo. *É um homem morto.*

Acariciou os pequenos contatos metálicos na ponta de seus dedos, ávido para enviar boas notícias a seu contratante nos Estados Unidos. *Em breve, muito em breve.*

Como um predador cercando sua caça, Hulohot seguiu o fluxo dos fiéis, caminhando para os fundos da igreja. Depois começou sua aproximação, subindo diretamente o corredor central. Ele não estava com a menor vontade de caçar Becker em meio à multidão que sairia da igreja ao final da missa. Sua vítima não tinha como escapar agora, fora uma virada conveniente nos acontecimentos. Hulohot só precisava encontrar uma forma de eliminá-lo sem fazer barulho. Seu silenciador, o melhor que havia, deixava escapar apenas um ligeiro barulho abafado. Isso bastaria.

Hulohot se aproximou do blazer cáqui sem ouvir os murmúrios de reclamação das pessoas que ia empurrando em seu caminho. Os fiéis podiam até entender o desejo daquele homem de receber a bênção de Deus, mas, ainda assim, havia regras estritas que todos seguiam: fila indiana, duas filas paralelas.

Hulohot continuava movendo-se. Aproximava-se rapidamente. Colocou a mão na arma que estava no bolso da jaqueta. O momento havia chegado. David Becker tivera uma sorte enorme até então, mas tudo tinha limites.

O blazer cáqui estava apenas dez pessoas à frente, dirigindo-se para o altar. O assassino repassou as próximas ações mentalmente. Era claro como um filme: chegaria por trás de Becker, mantendo a arma baixa e imperceptível, e faria dois disparos contra suas costas. Ele cairia e Hulohot o seguraria, levando-o para um dos bancos, como um amigo preocupado. Depois Hulohot sairia rapidamente da igreja, como se fosse buscar ajuda. Na confusão, desapareceria antes que alguém notasse o que havia acontecido.

Cinco pessoas. Quatro. Três.

Hulohot colocou o dedo no gatilho, mantendo a arma baixa. Iria atirar da altura de seus quadris para cima, na espinha de Becker. Dessa forma, a bala iria acertar a dorsal ou o pulmão antes de atingir o coração. Mesmo que a bala errasse o coração, Becker morreria. Uma perfuração no pulmão quase sempre era fatal.

Duas pessoas... uma. Hulohot chegou a seu alvo. Como um dançarino executando uma coreografia ensaiada, virou-se para a direita. Colocou a mão no ombro do blazer cáqui, apontou a arma e atirou. Dois ruídos secos e abafados.

O corpo ficou rígido no mesmo instante. Depois começou a cair. Hulohot segurou sua vítima por baixo dos ombros. Em um único gesto, girou o corpo e colocou-o em um banco antes que as manchas de sangue se espalhassem pelas costas. A seu redor, as pessoas se viravam. Ele não lhes deu atenção. Em um instante, teria sumido.

Apalpou os dedos do morto procurando o anel. Nada. Apalpou de novo. Não havia anel algum. Irritado, Hulohot examinou as feições do homem. Ficou ainda mais furioso quando viu que aquele não era Becker.

Rafael de la Maza, um bancário que morava nos subúrbios de Sevilha, morreu quase instantaneamente. Ainda segurava nas mãos as 50 mil pesetas que um americano esquisito havia lhe dado em troca do blazer preto que estava usando.

CAPÍTULO 94

Midge Milken estava ao lado do bebedouro próximo à entrada da sala de reuniões. *Que diabos Fontaine está fazendo?* Amassou seu copinho e jogou-o com raiva dentro da lixeira. *Alguma coisa está errada na Criptografia! Eu posso sentir!* Só havia uma maneira de provar que ela estava certa: iria até a Criptografia ela mesma. Se necessário, arrastaria Jabba. Virou-se e dirigiu-se para a porta.

Brinkerhoff apareceu, como se tivesse saído do nada, barrando seu caminho.

– Para onde você vai?

– Para casa! – mentiu.

Ele se recusou a deixá-la passar.

Midge fulminou-o com o olhar.

– Fontaine lhe disse para não me deixar sair, não foi?

Brinkerhoff olhou em volta, sem jeito.

– Chad, há alguma coisa acontecendo lá na Criptografia. Algo grande. Não sei por que Fontaine está se fazendo de tolo, mas sei que o TRANSLTR está com problemas. Algo está errado por lá esta noite.

– Midge – ele disse em tom calmo, andando em direção às janelas da sala de conferência, fechadas por venezianas –, vamos deixar que o diretor cuide disso.

Midge continuava olhando fixamente para ele.

– Você tem alguma noção do que pode acontecer ao TRANSLTR se o sistema de resfriamento falhar?

Brinkerhoff olhou para ela, indiferente, e continuou andando em direção à janela.

– Provavelmente já restauraram a energia a esta altura. – Ele abriu as venezianas e olhou para fora.

– Ainda às escuras? – perguntou Midge.

Brinkerhoff não respondeu. Estava siderado. A cena lá embaixo, no domo da Criptografia, era inimaginável. Pela cúpula transparente dava para ver as luzes de alarme piscando e as nuvens de vapor. Perplexo, Brinkerhoff cambaleou em frente ao vidro. Depois, tomado pelo pânico, saiu correndo e gritando:

– Diretor! *Diretor!*

CAPÍTULO 95

O sangue de Cristo... *o cálice da salvação...*

As pessoas estavam se juntando ao redor do corpo caído no banco. Acima deles, o incensório balançava pacificamente. Hulohot ia e vinha pelo corredor central, procurando Becker desesperadamente por toda a igreja. *Ele tem que estar aqui!* Virou-se e foi em direção ao altar.

Trinta fileiras à frente, a sagrada comunhão prosseguia tranqüilamente. O celebrante, padre Gustaphes Herrera, olhou com curiosidade para a pequena agitação em torno de um dos bancos centrais, mas não se preocupou com isso. Muitas vezes, alguns de seus fiéis mais idosos eram tomados pelo Espírito Santo e desmaiavam. Em geral um pouco de ar fresco resolvia tudo.

O assassino continuava sua busca frenética. Becker não parecia estar por perto. Havia cerca de 100 pessoas ajoelhadas no longo altar, recebendo a comunhão. Hulohot pensou se Becker seria uma delas. Inspecionou cuidadosamente as costas de cada uma. Estava pronto para atirar, a cerca de 50 metros de distância, e sair correndo para pegar o anel.

◆◆◆

El cuerpo de Jesus, el pan del cielo.

O jovem padre que estava dando a comunhão a Becker lançou-lhe um olhar de censura. Ficava contente que aquele fiel quisesse expressar sua fé ardorosa, mas isso não era motivo para furar a fila.

Becker abaixou a cabeça e recebeu a hóstia. Sentiu que havia algo de errado acontecendo atrás dele – algum tipo de confusão. Pensou no homem de quem havia comprado o blazer e torceu para que houvesse levado a sério seu aviso para que não usasse o blazer cáqui. Começou a se virar para olhar, mas ficou com medo de que os óculos de armação de metal estivessem à espreita lá atrás. Agachou-se um pouco mais, esperando que o blazer preto estivesse cobrindo inteiramente suas calças cáqui. Não estava.

O cálice estava sendo passado em sua direção, vindo da direita. As pessoas estavam tomando seu gole de vinho, fazendo o sinal-da-cruz e levantando-se para sair. *Mais devagar!* Becker não estava com a menor pressa de sair do altar. Mas, com duas mil pessoas esperando pela comunhão e apenas oito padres para servi-las, era considerado falta de educação demorar muito para tomar um gole de vinho.

◆◆◆

O cálice estava quase chegando a Becker quando Hulohot finalmente viu as calças cáqui sob o blazer preto. *Você é um homem morto*, sibilou para si mesmo. Hulohot andou pelo corredor central em direção ao altar. Já havia dispensado qualquer sutileza. Dois tiros nas costas, depois pegaria o anel e sairia correndo. O maior ponto de táxi de Sevilha estava apenas a meio quarteirão na Mateus Gago. Ele pegou a arma. *Adeus, senhor Becker.*

◆◆◆

Lo sangre de Cristo, la copa de la salvación.

O rico aroma do vinho tinto tomou conta de Becker quando padre Herrera abaixou o cálice de prata polido à mão. *Um pouco cedo para beber*, pensou Becker, enquanto se inclinava para a frente. Mas, quando a prata polida ficou na altura de seus olhos, Becker entreviu um movimento atrás dele. Alguém se aproximava rápido, a forma distorcida pelo reflexo no cálice.

Becker viu, por um curto instante, um reflexo metálico, uma arma. Instintivamente, como um corredor que se lança ao ouvir o tiro de largada, ele saltou para frente. O padre caiu para trás, horrorizado, enquanto o cálice voou para cima e o vinho tinto caiu sobre o mármore branco. Padres e coroinhas se afastavam, alvoroçados, enquanto Becker mergulhava para trás da grade do altar. O silenciador cuspiu um único tiro. Becker caiu do outro lado e o tiro explodiu contra o chão de mármore. Um segundo depois ele estava correndo escada abaixo para dentro do *valle*, uma estreita passagem pela qual os clérigos entravam, dando a impressão de que surgiam no altar como que elevados pela divina graça.

No final da escada, ele tropeçou e caiu. Escorregou sem controle pela superfície lisa de pedra polida. Uma dor pontiaguda percorreu suas entranhas quando bateu de lado no chão. Logo depois estava novamente de pé, correndo através de uma passagem fechada por uma cortina e descendo por uma escadaria de madeira.

Dor. Becker continuou correndo e chegou ao que parecia ser a sacristia. Estava escuro. Ouviu gritos vindos lá de cima, do altar. Em seguida, passos vigorosos correndo a seu encalço. Becker atravessou uma série de portas duplas e foi sair em uma espécie de saleta. Era escura, com mobília em mogno ricamente ornamentada. Na parede dos fundos havia um crucifixo em tamanho natural. Ele parou, hesitante. Não havia saída. Estava encurralado e podia ouvir os passos de Hulohot se aproximando rapidamente. Becker olhou para o crucifixo e amaldiçoou sua má sorte. *Mas que diabos!*, praguejou.

Ouviu um som de vidro se quebrando do seu lado esquerdo. Virou-se. Um homem usando uma batina vermelha engoliu em seco e olhou para ele, assustado. Como um gato pego com o canário na boca, o santo padre limpou a boca com a batina e tentou disfarçar escondendo os cacos da garrafa de vinho da santa comunhão que estava quebrada a seus pés.

– *Salida!* – gritou Becker. – *Salida!* Onde fica a saída?

O cardeal Guerra não pensou duas vezes. Um demônio havia entrado em seus aposentos santificados e gritava para ser libertado da casa de Deus. Guerra iria satisfazer seu desejo, imediatamente, até porque o demônio chegara em um momento muito inoportuno.

Lívido, o cardeal apontou para uma cortina na parede à sua esquerda. Havia ali atrás uma porta oculta que ele tinha mandado instalar há três anos. Levava diretamente para o pátio lá fora. O cardeal se cansara de sair da igreja pela entrada principal como um pecador qualquer.

CAPÍTULO 96

Molhada e sentindo calafrios, Susan se encolheu no sofá do Nodo 3. Strathmore colocou seu paletó sobre os ombros dela. O corpo de Hale estava no chão, a alguns metros de distância. As sirenes continuavam tocando. Como gelo rachando em um lago congelado, o revestimento do TRANSLTR emitiu um ruído seco e alto.

– Vou lá embaixo cortar a força – disse Strathmore, colocando sua mão protetora sobre os ombros de Susan. – Já volto.

Susan observou o comandante, com um olhar ausente, enquanto ele corria pelo chão da Criptografia. Não era mais o homem catatônico que ela havia visto dez minutos atrás. O velho comandante Strathmore estava de volta: lógico, controlado, fazendo o que fosse preciso para levar a cabo seu trabalho.

As últimas palavras do bilhete de suicídio de Hale se repetiam na mente de Susan: *Sobretudo, lamento por David Becker. Perdoem-me, fiquei cego pela ambição.*

O mais terrível pesadelo de Susan havia sido confirmado. David estava em perigo... ou pior. Talvez já fosse tarde demais. *Lamento por David Becker.*

Olhou para o bilhete mais uma vez. Hale nem mesmo havia assinado, apenas digitou seu nome no final, *Greg Hale*. Ele contou tudo, imprimiu a nota e deu um tiro na cabeça. Simples assim. Hale havia jurado que jamais voltaria para a prisão. Mantivera seu voto: escolheu a morte em vez disso.

– David... – ela soluçou. – *David!*

◆◆◆

Naquele momento, alguns metros abaixo do chão da Criptografia, o comandante Strathmore desceu da escada e pisou na primeira plataforma. O dia tinha sido uma sucessão de fracassos. Aquilo que começara como uma missão patriótica acabou saindo completamente de controle. O comandante tinha sido forçado a tomar decisões impossíveis e a cometer atos medonhos. Atos dos quais nunca achou que fosse capaz.

Era uma solução! Era a única *solução possível!*

Antes de tudo, estava o dever: a pátria e a honra. Strathmore sabia que ainda havia tempo. Desligaria o TRANSLTR. Poderia usar o anel para salvar o banco de dados mais valioso da nação. *Sim*, pensou, *ainda há tempo.*

Olhou em volta, observando a cena caótica a seu redor. Os *sprinklers* haviam sido ativados. O TRANSLTR parecia estar gemendo. As sirenes tocavam. As luzes giravam como helicópteros se aproximando em meio a uma névoa densa. A cada passo podia ver Greg Hale olhando para ele, implorando com os olhos e, depois, o tiro. A morte de Hale fora pelo país, pela honra. A NSA não podia se envolver em outro escândalo. Strathmore precisava de um bode expiatório. Além disso, Greg Hale era uma bomba pronta para explodir.

◆◆◆

Os pensamentos de Strathmore foram interrompidos pelo som de seu celular, quase inaudível em meio às sirenes e ao ruído sibilante de vapor que saía dos dutos. Sem parar de andar, pegou o aparelho.

– Fale.

– Onde está minha chave? – exigiu uma voz que lhe soou familiar.

– Quem está falando? – gritou Strathmore, em meio ao estrondo.

– Numataka! – berrou de volta o homem, irritado. – Você me prometeu uma chave.

Strathmore continuou andando.

– Quero o Fortaleza Digital! – urrou o outro.

– *Não há* Fortaleza Digital algum! – retrucou Strathmore.

– O quê?

– Não existe nenhum algoritmo inquebrável.

– Mas é claro que existe! Eu o baixei na Internet! Meus programadores estão tentando desbloqueá-lo há dias!

– É um vírus encriptado, seu tolo. E vocês têm sorte de não terem sido capazes de desbloqueá-lo.

– Mas...

– Nosso acordo está desfeito! – gritou Strathmore. – Não sou North Dakota. *Não existe* North Dakota algum! Esqueça que um dia falou comigo! – Colocou o celular em modo silencioso e enfiou-o de volta no cinto. Não haveria mais interrupções.

◆◆◆

A 20 mil quilômetros de distância, Tokugen Numataka olhava perplexo através de sua enorme janela. Seu charuto Umami estava quase caindo de sua boca. O maior negócio de sua vida acabava de se desintegrar à sua frente.

◆◆◆

Strathmore continuava descendo. *O acordo está desfeito*. A Numatech Corp. jamais teria seu algoritmo inquebrável, e a NSA não teria sua *back door*.

O vice-diretor havia gasto muito tempo planejando seu sonho. Escolheu a Numatech com cuidado. A empresa tinha muito dinheiro e era uma das prováveis vencedoras do leilão da chave. Ninguém acharia estranho se a chave terminasse em suas mãos. Era conveniente, também, porque dificilmente poderiam suspeitar que aquela companhia estivesse em conluio com o governo norte-americano. Tokugen Numataka simbolizava o antigo Japão: a morte antes da desonra. Ele odiava americanos. Odiava sua comida, seus hábitos e, sobretudo, odiava seu domínio sobre o mercado global de software.

◆◆◆

A visão de Strathmore havia sido ousada. Um padrão de encriptação global com um acesso de programador para a NSA. Há muito tinha desejado compartilhar essa visão com Susan, levar seus planos adiante com ela a seu lado, mas sabia que seria impossível. Mesmo que a morte de Ensei Tankado pudesse salvar milhares de vidas no futuro, Susan jamais concordaria com isso: era uma pacifista. *Eu também sou um pacifista*, pensou Strathmore. *Apenas não posso me dar ao luxo de pensar como um.*

Foi fácil escolher quem iria matar Tankado. Tankado estava na Espanha, o que significava Hulohot. O mercenário português de 42 anos era um dos profissionais preferidos do comandante. Trabalhava para a NSA há anos. Nascido e criado em Lisboa, ele havia executado trabalhos para a NSA em toda a Europa. Em nenhuma dessas ocasiões suas ações foram conectadas com Fort Meade. O único problema é que Hulohot era surdo e, portanto, contatos telefônicos eram impossíveis. Recentemente Strathmore providenciara para que ele recebesse o mais novo brinquedo da NSA, o computador Monocle. Strathmore então comprou um SkyPager e programou-o para a mesma freqüência. A partir daquele momento, sua comunicação com Hulohot tinha se tornado não apenas instantânea, mas também impossível de ser interceptada.

A primeira mensagem que Strathmore enviou para Hulohot foi bem clara. Já haviam discutido o assunto. Matar Ensei Tankado. Obter a senha.

Strathmore nunca perguntava que métodos Hulohot usava para fazer suas mágicas, mas de alguma forma ele havia conseguido novamente. Ensei Tankado estava morto, e as autoridades estavam convencidas de que ele sofrera um ataque cardíaco. Uma morte perfeita, exceto por um detalhe. Hulohot calculou mal o local do assassinato. Aparentemente, fazer Tankado morrer em um local público era uma parte importante da ilusão. Inesperadamente, porém, o público entrou em cena mais cedo do que o esperado. O assassino teve que se esconder antes que pudesse revistar o corpo de Tankado e encontrar a senha. Quando a poeira assentou, o corpo já estava a caminho do necrotério de Sevilha.

Strathmore ficara possesso. Pela primeira vez, Hulohot havia falhado em uma missão, e o momento não poderia ser pior. Obter a chave de Tankado era uma questão crítica, mas o comandante sabia que enviar um assassino surdo para o necrotério de Sevilha era uma missão suicida. Havia analisado as outras opções. Um segundo esquema começara, então, a se formar em sua cabeça. Strathmore percebeu que tinha em mãos uma chance de vencer em duas frentes. Uma chance de realizar dois sonhos. Naquela manhã, às 6h36, ele ligou para David Becker.

CAPÍTULO 97

Fontaine entrou correndo na sala de reuniões. Brinkerhoff e Midge vinham logo atrás.

– Olhe! – disse Midge, apontando freneticamente para a janela.

Fontaine olhou pela janela e viu as luzes piscando dentro do domo da Criptografia. Arregalou os olhos. Aquilo, definitivamente, *não* estava nos planos.

Brinkerhoff balbuciou:

– Aquilo lá parece uma discoteca saída do inferno!

O diretor tentou entender o que estava acontecendo. Desde que o TRANSLTR entrou em operação, aquilo jamais havia acontecido. *Ele está superaquecendo*, pensou. Tentou imaginar por que Strathmore não havia desligado a máquina. Tomou uma decisão no mesmo instante.

Agarrou um telefone na mesa de reuniões e digitou o ramal da Criptografia, mas o ramal estava inacessível. Bateu o telefone com força.

– Mas que droga! – esbravejou, ligando imediatamente para o celular de Strathmore. Dessa vez a linha foi completada e o telefone começou a chamar. Tocou seis vezes.

Brinkerhoff e Midge observavam em silêncio enquanto Fontaine andava de um lado para o outro, dentro dos limites que o fio do telefone permitia, como um tigre aprisionado. Depois de um minuto inteiro esperando, o diretor estava roxo de raiva. Bateu o telefone novamente.

– Inacreditável! – gritou. – A Criptografia está prestes a explodir, e Strathmore não atende o maldito telefone!

CAPÍTULO 98

Hulohot saiu correndo dos aposentos do cardeal Guerra e encontrou a luz forte do sol da manhã. Protegeu os olhos com a mão e praguejou. Estava do lado de fora da catedral, em um pequeno pátio, cercado por uma alta parede de pedra, a fachada oeste da torre da Giralda e duas cercas de ferro. O portão estava aberto. Para fora do portão estendia-se a praça, mas estava vazia. As paredes de Santa Cruz estavam longe. Não era possível que Becker tivesse atravessado uma distância tão grande em tão pouco tempo. Hulohot virou-se e varreu o pátio. *Ele está aqui dentro. Tem que estar.*

O pátio, conhecido como Jardin de los Naranjos, era famoso em Sevilha por suas laranjeiras em flor – 20 ao todo. Hulohot avançou entre as árvores, arma em punho. As laranjeiras já eram velhas e não havia mais folhagem na base dos troncos. Os galhos mais baixos eram altos demais para serem alcançados e os troncos finos não serviam como esconderijo. Ele concluiu rapidamente que o pátio estava vazio. Olhou para cima. A Giralda.

A entrada para a escadaria em espiral da Giralda era isolada por uma corda e um pequeno aviso de madeira. A corda estava imóvel. Os olhos de Hulohot percorreram a torre de 127 metros, mas sabia que aquilo seria ridículo. Becker não teria sido assim tão burro. A escadaria estreita subia diretamente até um cubículo quadrado de pedra. A torre tinha aberturas nas paredes para observação, mas não havia como escapar dali.

◆◆◆

David Becker subiu o último dos degraus íngremes e foi dar, sem fôlego e exausto, em um pequeno cubículo. Estava cercado por paredes altas e havia apenas fendas nas paredes a seu redor. Nenhuma saída.

O destino fora cruel com Becker naquela manhã. Enquanto corria para fora da catedral em direção ao pátio externo, seu blazer ficou preso na porta. Ele foi puxado para trás e depois girou antes que o tecido se rasgasse. Desequilibrado, saiu em disparada debaixo do sol ofuscante. Olhou para a frente, viu uma escada, pulou uma corda e subiu correndo. Quando se deu conta de onde ela ia dar, era tarde demais.

Agora se encontrava confinado em uma cela, tentando recuperar o fôlego. Sentia sua ferida arder. Raios de sol matinal penetravam pelas aberturas na murada. Ele olhou para fora. O homem com os óculos de armação de metal estava distante, lá embaixo, de costas para Becker, olhando em direção à praça. Becker ajeitou o corpo em frente à abertura para ver melhor. *Vamos, atravesse a praça!*

◆◆◆

A sombra da Giralda se esparramava pela praça como uma enorme árvore cortada. Hulohot percorreu com os olhos sua extensão. Na parte mais distante, três fendas de luz passavam cortantes pelas aberturas de observação da torre e marcavam retângulos de contornos nítidos no chão abaixo. Um dos retângulos tinha acabado de ser interrompido pela sombra de um homem. Sem nem mesmo olhar para o topo da torre, Hulohot virou-se e correu em direção às escadas da Giralda.

CAPÍTULO 99

Fontaine socava seu punho contra a mão. Andava de um lado para o outro na sala de conferências e olhava para as luzes enlouquecidas na Criptografia.

– Interrompa a execução! Mas que diabos! Interrompa!

Midge entrou na sala segurando um novo relatório.

– Diretor! Strathmore *não pode* interromper nada!

– Como? – disseram Brinkerhoff e Fontaine quase ao mesmo tempo.

– Ele já tentou, senhor! – Midge entregou-lhe o relatório. – Quatro vezes. O TRANSLTR está preso em algum tipo de *loop* infinito.

Fontaine virou-se e olhou novamente para a janela.

– Meu Deus!

O telefone tocou abruptamente. O diretor olhou para trás.

– Tem que ser Strathmore! Já era hora!

Brinkerhoff tirou o fone do gancho.

– Escritório do diretor.

Fontaine estendeu a mão para pegar o fone. Brinkerhoff olhou de volta, constrangido, e virou-se para Midge.

– É Jabba. Quer falar com *você*.

O diretor olhou perplexo para Midge, que atravessou a sala e ativou o viva-voz.

– Fale, Jabba.

A voz metálica de Jabba ressoou na sala.

– Midge, estou na sala do banco de dados. Encontramos umas coisas bem estranhas por aqui. Estava pensando se...

– Diabos, Jabba! – Midge enfureceu-se. – É sobre isso que estive tentando lhe avisar o tempo todo!

– Pode não ser nada, mas... – disse Jabba, tentando amenizar a situação.

– Pare de dizer isso! *É alguma coisa*, sim! Seja lá o que for que está acontecendo por aí, é melhor você levar isso muito a sério. Meus dados não estão *errados*, nunca estiveram, nunca estarão. – Ia desligar, mas resolveu acrescentar uma última coisa. – Jabba? Só para ter certeza de que não haverá surpresas... Strathmore ordenou que o Gauntlet fosse contornado.

CAPÍTULO 100

Hulohot subiu a escada da Giralda, três degraus de cada vez. A única luz que entrava na passagem em espiral vinha de pequenas frestas na parede a cada 180 graus. *Ele está preso. David Becker vai morrer!* O assassino subia, segurando sua arma. Mantinha-se encostado à parede externa, caso Becker decidisse atacar de cima. Os castiçais de ferro, colocados a cada patamar da escada, dariam boas armas caso Becker resolvesse usá-los. Ainda assim, mantendo um ângulo aberto, Hulohot conseguiria vê-lo a tempo. Sua arma tinha, é claro, um alcance bem maior do que um castiçal de um metro e meio.

Hulohot movia-se com agilidade, mas também com cuidado. A escada era íngreme e já tinha acontecido de turistas desavisados morrerem ali. Não havia placas de segurança nem corrimãos..

O assassino parou diante de uma das aberturas na parede e olhou para fora. Estava na face norte e, ao que parecia, a meio caminho do topo.

A abertura para a plataforma de observação estaria à vista logo após a próxima volta. A escadaria para o topo estava vazia. David Becker não havia tentado enfrentá-lo. Hulohot supôs que Becker não o tivesse visto entrar na torre. Isso significava que o elemento surpresa também estava a seu favor. Não que ele precisasse. Tinha todas as cartas na mão. Até a disposição da torre estava a seu favor. A escadaria terminava no canto sudeste da plataforma de observação. Desta forma, Hulohot teria uma linha de tiro limpa para qualquer ponto da cela sem que Becker pudesse se colocar por trás dele. E, para melhorar ainda mais as coisas, o assassino estaria saindo da escuridão para um local iluminado. *Uma armadilha perfeita*, pensou.

Hulohot mediu a distância até a abertura da porta. Sete passos. Repassou seus movimentos mentalmente. Se ele se mantivesse à direita ao se aproximar da abertura, seria capaz de ver o canto esquerdo da plataforma antes de adentrá-la. Se Becker estivesse lá, ele atiraria. Caso contrário, iria passar para o outro lado e entrar se movendo em direção ao leste, de frente para o canto direito, o único outro lugar onde Becker poderia estar. Sorriu.

ALVO: DAVID BECKER – ELIMINADO

Chegara a hora. Verificou sua arma.

Com um movimento rápido e violento, lançou-se para cima, e a plataforma surgiu à sua vista. O canto esquerdo estava vazio. Conforme havia planejado, moveu-se para dentro e jogou-se pela abertura olhando para a direita. Disparou no canto. A bala ricocheteou na parede nua e quase o acertou. Hulohot olhou para um lado e para o outro e soltou um grito abafado. Não havia ninguém lá dentro. David Becker havia desaparecido.

◆◆◆

Três lances de escada abaixo, suspenso a 100 metros sobre o Jardin de los Naranjos, David Becker estava dependurado do lado de fora da Giralda como alguém que estivesse fazendo musculação na borda de uma janela. Quando Hulohot começou a subir a escadaria, Becker desceu três lances e colocou o corpo para fora de uma das aberturas. Tinha saído de cena bem a tempo, pois o assassino passou correndo por ele pouco depois. Estava apressado demais para notar os dedos brancos agarrados à borda de pedra.

Pendurado do lado de fora da janela, Becker agradeceu mentalmente o fato de seus treinos diários de squash incluírem 20 minutos de musculação especificamente voltada para desenvolver seus bíceps, em busca de um saque mais violento. Contudo, apesar dos braços musculosos, Becker estava tendo dificuldade para voltar novamente para dentro. Seus ombros queimavam devido ao esforço. Seu ferimento parecia estar sendo aberto e doía. Além disso, a borda de pedra talhada de forma rústica não lhe dava um bom apoio e arranhava as pontas de seus dedos como se fosse vidro cortado.

Calculou que o assassino estaria de volta em poucos instantes. Olhando de cima, não teria dificuldades de ver os dedos de Becker na pedra.

Ele fechou os olhos e fez força. Precisaria de um milagre para escapar da morte. Seus dedos estavam perdendo apoio. Olhou para baixo. Era uma queda e tanto dali até as laranjeiras do jardim. Impossível de sobreviver. A dor de seu ferimento estava piorando. Ouviu passos fortes acima dele, passadas de alguém pulando os degraus, descendo a escada. Fechou os olhos novamente. Era agora ou nunca. Com os dentes rangendo devido ao esforço, deu tudo de si e puxou-se para cima.

A pedra lixava a pele de seus pulsos enquanto ele se movia lentamente. As passadas estavam mais próximas. Becker agarrou-se à parte interna da abertura, tentando encontrar um bom ponto de apoio. Apoiou-se na parede com os pés para ganhar impulso. Seu corpo parecia feito de chumbo, como se alguém houvesse amarrado uma corda em suas pernas e estivesse puxando para baixo. Lutou contra seu próprio peso. Lançou-se para cima, firmando-se nos cotovelos. Podia ser visto agora com a cabeça enfiada pela metade na janela, como um homem em uma guilhotina. Balançou-se e sacudiu as pernas, até jogar o peso do corpo para cima e passar através da abertura. Metade do corpo já estava do lado de dentro. Seu torso estava pendente acima da escadaria. Podia ouvir os passos se aproximando. Então apoiou-se nas laterais da abertura e, com um só movimento, lançou seu corpo para dentro. Caiu seco nos degraus da escada.

◆◆◆

Hulohot pôde sentir o impacto do corpo de Becker no patamar logo abaixo dele. Pulou para a frente com a arma apontada e viu a janela. *É agora!* Encostou-se na parede externa e mirou para os degraus abaixo dele. As pernas de Becker sumiram de vista na curva da escada. Hulohot deu um tiro, irritado, mas a bala apenas ricocheteou na parede.

Mantendo-se sempre colado à parede externa para obter o melhor ângulo, Hulohot começou a descer rapidamente os degraus atrás de sua presa. A escada ia girando rápido, mas parecia que Becker estava sempre 180 graus à frente, mantendo-se fora da linha de tiro. Becker estava descendo as escadas por dentro, cortando o ângulo e pulando quatro ou cinco degraus de cada vez. O assassino mantinha o passo. Um único tiro seria o suficiente. Ele estava se aproximando. Além disso, sabia que, ao atingir o térreo, Becker não teria para onde correr. Hulohot poderia acertar um tiro pelas costas quando ele tentasse atravessar o pátio vazio. A corrida desesperada continuava escada abaixo.

A fim de ganhar velocidade, o assassino moveu-se para dentro da espiral. Sentia que estava mais próximo. Podia ver a sombra de Becker a cada vez que passavam por uma abertura na parede. Para baixo. Mais. Em espiral. Becker parecia estar sempre logo após a próxima volta. Hulohot mantinha um olho na sombra de Becker e outro na escada.

De repente pareceu ao português que a sombra de Becker havia tropeçado. Viu um movimento estranho para a esquerda, depois pareceu que girava no meio do ar, retornando ao centro da escadaria. Hulohot pulou à frente. *Eu o peguei!*

Um pouco abaixo, uma ponta de ferro atravessou o ar, vinda do canto da escada. Foi lançada para a frente como uma espada, na altura do tornozelo. Hulohot tentou desviar-se para a esquerda, mas era tarde. O objeto já estava entre seus tornozelos. Seu pé de apoio moveu-se e bateu em cheio na barra de ferro, que se chocou contra a parte inferior de sua perna. Colocou os braços à frente, buscando apoio, mas não havia onde segurar. Caiu no vazio. Logo depois estava no ar, girando de lado. Hulohot foi lançado para baixo, passando por cima de Becker, que estava dobrado sobre sua barriga, com os braços estendidos. O castiçal que ele antes segurava estava agora preso entre as pernas do asssassino, que caía escada abaixo.

Hulohot bateu com força na parede externa antes de cair sobre os degraus. Quando se chocou com o chão, começou a rolar sobre si mesmo. Deixou cair a arma. Seu corpo girou para baixo, rolando de ponta-cabeça. Completou cinco rotações de 360 graus pela espiral antes de parar. Doze degraus a mais e teria caído diretamente no pátio.

CAPÍTULO 101

Era a primeira vez que David Becker segurava uma arma. O corpo de Hulohot estava retorcido na escadaria escura da Giralda.

Becker pressionou o cano da arma contra a testa do assassino e ajoelhou-se cuidadosamente. Qualquer movimento e ele iria atirar. Mas não houve movimento algum. Hulohot estava morto.

Colocando a arma no chão, Becker deixou-se cair sobre os degraus. Pela primeira vez em muito tempo sentiu vontade de chorar. Lutou contra as lágrimas. Haveria tempo para se emocionar mais tarde. Agora era hora de voltar para casa. Ele tentou se levantar, mas estava cansado demais para se mover. Ficou sentado durante um bom tempo, exausto, na escadaria de pedra.

Meio ausente, olhava para o corpo dobrado à sua frente. Os olhos do assassino começaram a se embaçar, fixos no vazio. Incrivelmente, seus óculos ainda estavam inteiros. Eram estranhos, com um fio saindo por trás da armação e conectando-se a uma espécie de unidade que estava presa ao cinto. Mas Becker estava demasiado exausto para ficar curioso.

Sentado ali, sozinho na escadaria, examinando seus pensamentos, voltou a atenção para o anel que estava em seu dedo. Sua visão estava mais clara e finalmente podia ler a inscrição. Como suspeitara, não era inglês. Olhou para os caracteres por algum tempo e depois franziu a testa. *Vale a pena matar por isso?*

◆◆◆

O sol da manhã brilhava intensamente quando Becker saiu da Giralda para o pátio. A dor de seu ferimento havia diminuído, e sua visão estava quase normal. Apreciou a vista por um momento, entorpecido, sentindo a fragrância das flores de laranjeira. Depois começou a cruzar lentamente o pátio.

Mal havia deixado a torre quando uma van freou bruscamente perto dele. Dois homens saíram dela. Eram jovens e estavam vestidos em uniformes militares. Avançaram em direção a Becker com a precisão rígida de máquinas bem reguladas.

– Senhor? – chamou um deles.

Becker parou, espantado.

– Quem... quem são vocês?

– Venha conosco, por favor. Imediatamente.

Havia algo de surreal naquele encontro. Algo que fazia as terminações nervosas de Becker formigarem outra vez. Começou a andar para trás, tentando afastar-se.

O mais baixo dos dois olhou friamente para Becker:

– Por aqui, senhor. *Agora.*

Becker virou-se, pronto para correr. Deu apenas um passo. Um dos homens puxou uma arma e atirou.

Uma dor lancinante se espalhou pelo peito de Becker. Subiu até seu crânio. Seus dedos se enrijeceram e ele caiu. Um instante depois, havia apenas escuridão.

CAPÍTULO 102

Strathmore chegou ao nível mais baixo do subsolo onde ficava o TRANSLTR. Saindo do gradeado, enfiou os pés em três centímetros de água. O computador gigantesco tremia ao seu lado. Grossos pingos de água caíam, como chuva, em meio à névoa que o cercava. O ruído das sirenes ali era ensurdecedor.

O comandante olhou para os geradores principais que haviam entrado em curto. O corpo de Phil Chartrukian estava lá, seus restos carbonizados atravessados sobre um conjunto de dissipadores metálicos de calor. A cena evocava um filme de terror.

Apesar de lamentar a morte daquele rapaz, Strathmore não tinha dúvida de que fora necessária. Chartrukian não lhe deixou outra escolha. Quando o SegSis veio correndo no subsolo, gritando a respeito de um vírus, Strathmore o encontrou em uma das plataformas e tentou acalmá-lo. Contudo, o jovem havia perdido a razão. *Estamos com um vírus! Vou chamar Jabba!* Quando ele tentou passar, Strathmore bloqueou seu caminho. A plataforma era estreita. Eles brigaram. O corrimão era baixo. *A maior ironia*, pensou Strathmore, *é que Chartrukian estava certo a respeito do vírus o tempo todo.*

Sua queda foi horrível. Um uivo momentâneo de terror e depois o silêncio. Mas não foi pior do que aquilo que o comandante Strathmore viu a seguir. Greg Hale estava olhando para ele, escondido nas sombras um pouco abaixo, com uma expressão de terror e recriminação na face. Foi naquele momento que Strathmore soube que Greg Hale também teria que morrer.

O TRANSLTR emitiu outro ruído como se estivesse rachando ao meio, e Strathmore voltou sua atenção para a tarefa mais premente: cortar a energia. O disjuntor principal estava do outro lado das bombas de fréon, à esquerda do corpo de Phil. Strathmore podia vê-las de onde estava. Tudo o que precisava fazer era puxar uma alavanca e toda a energia restante na Criptografia seria desligada. Bastaria, então, esperar alguns segundos para ligar novamente os geradores principais. Todas as portas e outros equipamentos seriam reativados. O gás fréon voltaria a circular, e o TRANSLTR estaria salvo.

Contudo, quando se dirigiu cuidadosamente para o disjuntor, percebeu que haveria um último obstáculo. O corpo de Chartrukian ainda estava sobre os dissipadores do gerador principal. Desligá-lo e depois ligá-lo novamente causaria um novo curto e nova queda de energia. O corpo precisava ser removido.

Strathmore olhou para a grotesca massa humana que restava e foi em sua direção. Pegou um punho. A pele parecia feita de isopor. O tecido havia torrado. O corpo inteiro tinha ressecado completamente. O comandante fechou os olhos, segurou firme o pulso e puxou. O corpo se moveu, mas muito pouco. Strathmore puxou com mais força. O corpo deslizou mais um pouco. O comandante se concentrou e puxou com toda a sua força. Viu-se jogado para trás. Bateu com as costas em um quadro de força e caiu sentado. Tentando levantar-se em meio à camada de água que estava se acumulando aos poucos no chão, olhou horrorizado para o objeto que estava segurando. Era o antebraço de Chartrukian que havia se partido na altura do cotovelo.

◆◆◆

Lá em cima, no Nodo 3, Susan continuava esperando. Estava sentada no sofá, sentindo-se paralisada. Hale estava morto a seus pés. Ela não podia imaginar por que o comandante estava demorando tanto. Os minutos passavam. Tentou afastar David de seus pensamentos, mas era inútil. A cada vez que as sirenes tocavam, as palavras de Hale surgiam em sua mente: *Lamento por David Becker*. Achou que fosse enlouquecer.

Estava quase se levantando para sair correndo em direção ao salão da Criptografia quando a força finalmente foi cortada. Strathmore havia alcançado o disjuntor.

O silêncio tomou conta da Criptografia. As sirenes foram interrompidas e os monitores se apagaram. O corpo de Greg desapareceu na escuridão. Instintivamente, Susan encolheu as pernas sobre o sofá e cobriu-se com o paletó de Strathmore.

Escuridão.

Silêncio.

Nunca havia sentido o peso daquele silêncio na Criptografia. Podia-se ouvir sempre o zumbido grave dos geradores preenchendo o ar. Agora não havia nada, apenas o gigante de silício se aquietando, aliviado. O TRANSLTR estalava e sibilava, esfriando lentamente.

Susan fechou os olhos e rezou por David. Sua prece era simples: que Deus protegesse o homem que amava.

Ela não era religiosa e não esperava receber uma resposta às suas preces. Sobressaltou-se quando sentiu uma vibração no seu peito. Sentou-se. Colocou a mão sobre o peito e logo entendeu o que estava acontecendo. As vibrações não vinham da mão de Deus, mas do bolso do paletó do comandante. Ele havia deixado lá seu SkyPager com o modo de vibração ativado. Alguém havia lhe enviado uma mensagem.

◆◆◆

Seis andares abaixo, Strathmore estava de pé ao lado do disjuntor. O subsolo da Criptografia estava escuro como a mais profunda noite. Ficou parado por um instante, contemplando aquela escuridão. A água continuava caindo lá de cima. Era como uma tempestade noturna. O comandante levantou a cabeça e deixou aquelas gotas mornas lavarem sua culpa. *Sou um sobrevivente.* Ajoelhou-se e removeu os últimos pedaços da carne de Chartrukian que estavam colados à sua mão.

Seus sonhos para o Fortaleza Digital haviam sido destruídos. Podia viver com isso. Susan era tudo o que importava agora. Pela primeira vez entendeu, verdadeiramente, que havia outras coisas na vida além da pátria e da honra. *Sacrifiquei os melhores anos de minha vida em nome da pátria e da honra. Mas onde fica o amor?* Havia se privado disso por muito tempo. E para quê? Para ver um jovem professor roubar seus sonhos? Strathmore treinou Susan. Protegeu-a. Ele a merecia. Finalmente ela seria somente sua. Susan viria buscar abrigo em seus braços, agora que já não havia onde encontrar abrigo. Viria até ele, indefesa, ferida pela dor e, com o tempo, ele lhe mostraria que o amor cura todas as feridas.

Honra. Pátria. Amor. David Becker estava prestes a morrer por esses três motivos.

CAPÍTULO 103

O comandante saiu pela portinhola como Lázaro retornando do mundo dos mortos. Apesar de suas roupas encharcadas, seus passos eram leves. Foi na direção do Nodo 3 – na direção de Susan e de seu futuro.

O salão da Criptografia estava novamente iluminado. O fréon fluía para os níveis mais baixos do TRANSLTR, como sangue oxigenado. Strathmore calculou que ainda levaria algum tempo para que o gás de refrigeração chegasse ao fundo do revestimento e impedisse os processadores das camadas mais baixas de queimar, mas estava certo de que havia agido a tempo. Suspirou, vitorioso, sem suspeitar da verdade: já era tarde demais.

Sou um sobrevivente, pensou. Ignorando o buraco aberto no vidro do Nodo 3, andou até as portas eletrônicas, que se abriram com seu som característico. Entrou.

Susan estava de pé à sua frente, ainda molhada e desgrenhada, coberta por seu paletó. Parecia uma universitária pega de surpresa pela chuva. Strathmore se sentia como um estudante veterano emprestando seu casaco. Sentiu-se jovem, uma sensação que não tinha há muito tempo. Seus sonhos estavam se realizando.

No entanto, quando se aproximou, percebeu que não reconhecia a mulher à sua frente. Ela tinha um olhar gélido e cortante. Não havia suavidade alguma nela. Estava rígida como uma estátua. O único movimento perceptível eram as lágrimas que caíam de seus olhos.

– Susan?

Outra lágrima desceu por sua face trêmula.

– O que houve? – perguntou suavemente o comandante.

A poça de sangue sob o corpo de Hale havia se espalhado pelo carpete. Strathmore olhou para o corpo, preocupado, e depois novamente para Susan. *Será que ela sabe?* Impossível. Ele havia encoberto todas as pistas.

– Susan? – disse, aproximando-se. – O que há?

Ela não se moveu.

– Você está preocupada com David?

O lábio superior de Susan tremeu.

Strathmore aproximou-se ainda mais. Queria tocá-la, mas hesitou. A menção do nome de David aparentemente trouxe à tona a dor represada. Lentamente, no início, apenas um tremor. Depois uma enorme onda de infelicidade pareceu percorrer suas veias. Quase incapaz de conter seus lábios trêmulos, Susan fez menção de dizer algo, mas não saiu nenhum som.

Sem quebrar por um instante sequer o olhar gélido que mantinha fixado em Strathmore, ela tirou a mão do bolso do paletó. Estendeu, tremendo, o pequeno objeto que segurava.

Strathmore pensou, por instantes, que fosse encontrar a Beretta apontada para sua barriga. Contudo, a arma ainda estava no chão, na mão de Hale. O objeto que Susan segurava era menor. O comandante olhou para ele e então entendeu.

A realidade em volta pareceu se dobrar, enquanto o tempo quase parava. Ele podia ouvir o ruído de seu próprio coração batendo. O homem que havia vencido gigantes durante tantos anos tinha sido derrotado em um instante. Destruído pelo amor, por sua própria tolice. Com um gesto simples e cavalheiresco, dera a Susan seu paletó. Com ele, seu SkyPager.

Agora era Strathmore quem estava rígido. A mão de Susan tremia. Deixou cair o pager aos pés de Hale. Com um olhar de incompreensão e de fúria que Strathmore jamais poderia esquecer, Susan saiu correndo do Nodo 3.

O comandante deixou que fosse. Em câmara lenta, curvou-se e pegou o pager. Não havia nenhuma mensagem nova: Susan já lera todas. Strathmore percorreu desesperadamente a lista.

ALVO: ENSEI TANKADO – ELIMINADO
ALVO: P. CLOUCHARDE – ELIMINADO
ALVO: HANS HUBER – ELIMINADO
ALVO: ROCÍO EVA GRANADA – ELIMINADO

A lista continuava. Strathmore ficou em choque. *Posso explicar! Ela irá compreender! A honra! A pátria!* Mas havia uma última mensagem que ele não havia visto ainda, aquela que jamais poderia explicar. Tremendo, olhou para a última transmissão.

ALVO: DAVID BECKER – ELIMINADO

Strathmore abaixou a cabeça. Seu sonho havia terminado.

CAPÍTULO 104

Susan saiu do Nodo 3 atordoada.

ALVO: DAVID BECKER – ELIMINADO

Como se fosse um pesadelo, foi em direção à saída principal da Criptografia. A voz de Greg Hale ecoava em sua mente: *Susan, Strathmore vai me matar! Susan, o comandante está apaixonado por você!*

Ela chegou até a enorme porta circular e começou a digitar furiosamente sua senha. A porta não se movia. Tentou novamente, mas nada acontecia. Susan soltou um grito abafado. Aparentemente o corte de energia havia apagado os códigos de acesso. Continuava presa.

Sem que tivesse tempo para notar, dois braços a seguraram por trás, abraçando seu corpo entorpecido. O toque era familiar, mas repugnante. Não tinha a mesma brutalidade de Greg Hale, mas havia nele um desespero, uma determinação interior forte como o aço.

Susan virou-se. O homem que a segurava estava arrasado, assustado. Era uma face que ela nunca vira antes.

– Susan – Strathmore implorou, segurando-a –, eu posso explicar.

Tentou livrar-se dele, mas o comandante segurou-a com firmeza. Tentou gritar, mas estava sem voz. Tentou correr, mas as mãos fortes a puxaram para trás.

– Eu te amo – sussurrava a voz. – Eu sempre te amei.

O estômago de Susan se revirava.

– Fique comigo.

Na mente de Susan, imagens pavorosas se sucediam: os olhos verdes de David fechando-se lentamente pela última vez; o corpo de Hale espalhando sangue pelo carpete; Phil Chartrukian espatifado e queimado sobre os geradores.

– A dor irá passar – dizia a voz. – Você voltará a amar.

Susan não ouvia nada.

– Fique comigo – pedia a voz. – Irei curar as suas feridas.

Ela se debateu, sem sucesso.

– Fiz tudo isso por nós. Fomos feitos um para o outro. Susan, eu te amo – as palavras fluíam como se ele houvesse esperado uma década para pronunciá-las. – Eu te amo! *Eu te amo!*

Naquele instante, a 30 metros de distância, como se estivesse refutando a desprezível confissão de Strathmore, o TRANSLTR emitiu um ruído agudo, selvagem e impiedoso. Aquele som era inteiramente novo – um silvo agudo, distante e ameaçador, que parecia crescer como uma serpente, vindo das profundezas do silo. O fréon, aparentemente, não atingiu o nível necessário a tempo.

O comandante soltou Susan e, em pânico, virou-se para o computador de dois bilhões de dólares.

– Não! – gritou, com as duas mãos na cabeça. – Não!

O foguete de seis andares começou a tremer. Strathmore deu um único passo cambaleante na direção da máquina trovejante. Caiu de joelhos, um infiel frente a um deus enraivecido. Era tarde. Na base do silo, os processadores de titânio-estrôncio do TRANSLTR haviam entrado em combustão.

CAPÍTULO 105

Uma bola de fogo subindo através de três milhões de chips de silício gera um som único. Uma floresta em chamas estalando e crepitando, um tornado uivando, um jato de vapor saído de um gêiser... todos esses sons, juntos, aprisionados dentro de um invólucro reverberante. Era o sopro do demônio, correndo por uma caverna fechada, procurando uma saída. Strathmore permaneceu ajoelhado, hipnotizado pelo ruído terrível que subia em sua direção. O computador mais caro do mundo estava prestes a se transformar em um inferno.

◆◆◆

Em câmara lenta, Strathmore virou-se para Susan, que continuava ao lado da porta da Criptografia, paralisada. Sua face, coberta de lágrimas, parecia reluzir sob a luz fluorescente. *É um anjo*, pensou. Buscou o paraíso nos olhos dela, mas tudo que podia ver era morte, a morte da confiança. O amor e a honra não estavam mais presentes. A fantasia que o sustentara durante todos aqueles anos estava morta. Susan Fletcher nunca seria sua. Nunca. O vazio que tomou conta dele era desesperador.

Susan observava o TRANSLTR com um olhar vago. Sabia que, sob aquele revestimento de cerâmica, uma bola de fogo avançava na direção deles. Ela podia sentir a bola se movendo cada vez mais rápido, alimentando-se do oxigênio liberado pelos chips que queimavam. Dentro de alguns momentos, o domo da Criptografia se transformaria em um inferno de chamas.

Ela queria correr, mas o peso da morte de David a mantinha estática. Pensou ter ouvido sua voz chamando-a, dizendo que fugisse, mas não havia lugar algum para onde correr. A Criptografia era um túmulo fechado. Não importava: não tinha medo. A morte iria acabar com a dor. Ela estaria novamente com David.

O chão da Criptografia começou a tremer como se, lá embaixo, um monstro furioso estivesse saindo das profundezas. A voz de David parecia dizer: *Corra, Susan! Corra!*

Strathmore agora se movia na direção dela, a face desprovida de vida. Seus olhos tinham se tornado cinzentos e frios. O patriota que vivera na mente de Susan como um herói estava morto. Em seu lugar havia um assassino. Ele a abraçou novamente, agarrando-se a ela em desespero. Beijou seu rosto.

– Perdoe-me – implorou.

Susan tentou afastar-se, mas Strathmore a segurava.

O TRANSLTR começou a vibrar como um míssil prestes a ser lançado. O chão da Criptografia começou a tremer. Strathmore segurou-a com mais força.

– Abrace-me, Susan. Preciso de você.

Uma onda de fúria tomou conta de Susan. Ouviu novamente a voz de David dizendo: *Eu te amo! Fuja!* Num ímpeto, empurrou Strathmore e soltou-se. O ruído vindo do TRANSLTR tornou-se ensurdecedor. O fogo já estava na borda do silo. O supercomputador urrava, abrindo-se em fissuras.

A voz de David parecia sustentar Susan, guiando-a. Ela correu pelo salão da Criptografia e começou a subir a escada que levava ao escritório de Strathmore. Atrás dela, o TRANSLTR soltou um rugido estrondoso.

O último dos chips de silício se desintegrou e uma poderosa onda de calor rasgou a parte superior do invólucro, lançando fragmentos de cerâmica a dez metros de altura. Instantaneamente o ar rico em oxigênio da Criptografia foi sugado para preencher o enorme vácuo.

Susan chegou até a plataforma superior e segurou-se firmemente no anteparo. Uma forte lufada de vento balançou seu corpo, fazendo-a virar para a Criptografia a tempo de ver o vice-diretor lá embaixo, ao lado do TRANSLTR, olhando fixamente para ela. Uma fúria tempestuosa o cercava, mas ainda assim havia paz em seus olhos. Seus lábios se abriram e ele proferiu uma última palavra:

– Susan.

O ar que estava sendo sugado para dentro do TRANSLTR entrou em combustão. Num lampejo flamejante, o comandante Trevor Strathmore passou de homem a silhueta, a lenda.

Quando a explosão chegou até Susan, arremessou-a quase cinco metros para trás, para dentro do escritório do comandante. Ela só sentiu uma enorme onda de calor.

CAPÍTULO 106

Muito acima do domo da Criptografia, nas janelas da sala de reuniões do diretor, três faces surgiram, ofegantes. A explosão havia sacudido todo o complexo da NSA. Leland Fontaine, Chad Brinkerhoff e Midge Milken olhavam para fora, horrorizados, em silêncio.

Abaixo deles, o domo em chamas. O teto de policarbonato estava intacto, mas abaixo de sua superfície transparente o prédio estava em chamas. Uma fumaça negra girava como um redemoinho no interior do domo.

Os três olharam sem dizer uma palavra. O espetáculo tinha uma grandeza sobrenatural.

Fontaine ficou parado um bom tempo. Quando falou, seu tom de voz era grave, mas firme.

– Midge, mande uma equipe para lá... agora.

Na sala de Fontaine, o telefone começou a tocar.

Era Jabba.

CAPÍTULO 107

Susan não sabia quanto tempo tinha decorrido. Uma sensação de ardência em sua garganta fez com que retomasse a consciência. Desorientada, olhou em volta. Estava deitada sobre um carpete, atrás de uma mesa. A única luz na sala era uma estranha luminosidade alaranjada. O ar cheirava a plástico queimado. O lugar no qual estava não era mais uma sala: era uma concha devastada. As cortinas estavam em chamas e as paredes de plexiglas estavam derretendo.

Então lembrou-se de tudo.

David.

Em pânico, levantou-se. Podia respirar, mas o ar era cáustico. Ela andou cambaleando até a porta, procurando uma saída. Quando chegou lá, sua perna deu um passo no vazio. Segurou-se na moldura da porta a tempo. A plataforma havia desaparecido. Quinze metros abaixo uma sucata de metal retorcido fumegava. Susan olhou para o salão da Criptografia horrorizada. Era um mar de chamas. O material derretido que restara dos três milhões de chips havia irrompido do TRANSLTR como uma corrente de lava, jogando no ar uma fumaça densa. Ela conhecia aquele cheiro: silício derretido. Era um veneno mortal.

Retornou para o que restara do escritório de Strathmore, sentindo-se fraca. Sua garganta queimava. A sala estava iluminada por uma luz aterrorizante. A Criptografia estava morrendo. *E eu também irei morrer*, pensou ela.

Pensou na única saída possível, o elevador de Strathmore. Mas sabia que era inútil: a parte elétrica não teria sobrevivido à explosão.

Contudo, andando na direção da porta do elevador em meio à fumaça cada vez mais densa, Susan lembrou-se do que Hale dissera: *O elevador funciona com energia do prédio principal! Eu vi os diagramas.* Sabia que era verdade e sabia também que todo o poço era revestido por concreto reforçado.

A fumaça enchia o ar. Andou cambaleante até a porta, mas, chegando lá, viu que o botão usado para chamar o elevador estava apagado. Susan bateu nervosamente no painel, depois deixou-se cair de joelhos e esmurrou o chão, em desespero.

Parou. Ouviu ruídos mecânicos atrás da porta. Surpresa, olhou para cima. Aparentemente a cabine do elevador estava lá! Susan socou o botão novamente. Ouviu de novo o mesmo som.

Então percebeu que o botão não estava apagado – apenas havia sido recoberto pela fuligem escura. Agora podia ver um leve brilho sob seus dedos.

Ainda há energia!

Com uma esperança renovada, apertou várias vezes o botão. A cada vez, alguma coisa se movia por trás das portas. Podia mesmo ouvir o som de um ventilador dentro da cabine. *O elevador está aqui! Por que as malditas portas não se abrem?*

Olhou para um pequeno teclado auxiliar. Havia botões com as letras do alfabeto. Em desespero, lembrou-se: a senha.

A fumaça estava começando a penetrar pelas janelas parcialmente derretidas. Socou as portas do elevador. Elas não se abriam. *A senha!*, pensou. *Strathmore nunca me disse qual era a senha!* A fumaça de silício estava entrando no escritório. Tossindo, Susan caiu em frente ao elevador, sentindo-se derrotada. O ventilador estava apenas a alguns metros. Deixou-se ficar, desnorteada, ofegante.

Fechou os olhos, mas a voz de David mais uma vez a trouxe de volta. *Fuja, Susan! Abra a porta! Saia daí!* Abriu os olhos, esperando ver seu rosto sorridente, os olhos verdes... Mas foi o teclado que surgiu novamente à sua frente. A senha... Olhava para o teclado, mal conseguindo manter o foco. Em um visor iluminado abaixo do teclado, cinco posições esperavam uma entrada. *Uma senha de cinco dígitos*, pensou. Sabia quais eram suas chances: 26 elevado à quinta potência, ou seja, quase 12 milhões de escolhas possíveis. Se tentasse uma por segundo, levaria cerca de 19 semanas.

Tossindo, sem ar, deixou-se cair novamente no chão, sob o teclado. Ouvia a voz do comandante, repetindo pateticamente: *Eu te amo, Susan! Sempre te amei! Susan! Susan! Susan!*

Sabia que ele estava morto, mas ainda assim sua voz não silenciava. Ela ouvia seu nome sem parar.

Susan... Susan...

Em um momento de súbita clareza, ela entendeu. Fraquejante e trêmula, esforçou-se para alcançar o teclado e digitou a senha.

S...U...S...A...N

Logo em seguida, as portas se abriram.

CAPÍTULO 108

O elevador de Strathmore movia-se com rapidez. Dentro da cabine, Susan aspirava avidamente o ar puro. Ainda tonta, apoiou-se em uma das paredes. O elevador reduziu a velocidade e parou. Logo em seguida, algumas engrenagens foram acionadas e o elevador começou a se mover novamente, desta vez na horizontal. Susan sentiu a cabine acelerar enquanto cruzava a distância que a separava do complexo principal da NSA. Por fim parou e as portas se abriram.

Tossindo, Susan saiu num corredor escuro, cimentado. Ela estava num túnel estreito e com o teto baixo. Duas linhas amarelas se estendiam à sua frente, paralelas. Perdiam-se na escuridão mais adiante.

A Estrada Subterrânea...

Ela andou lentamente ao longo do túnel, apoiando-se na parede para não cair. Atrás dela, as portas do elevador se fecharam. Mais uma vez viu-se mergulhada na escuridão.

Silêncio.

Nada a não ser um zumbido distante, propagando-se pelas paredes.

Um zumbido que se aproximava.

Subitamente foi ofuscada por uma luz forte. A escuridão transformou-se em uma névoa acinzentada. As paredes do túnel ficaram nítidas. Um veículo surgiu, vindo de uma transversal; seus faróis projetavam-se sobre ela, cegando-a. Susan encostou-se contra a parede e protegeu os olhos. Sentiu uma rajada de ar, e o veículo passou rapidamente por ela.

Logo em seguida ele freou e começou a voltar de ré. Em poucos segundos estava a seu lado.

– Senhorita Fletcher! – exclamou uma voz espantada.

Susan olhou para uma forma vagamente familiar, alguém sentado no volante de um carrinho elétrico de golfe.

– Meu Deus. – O homem olhava, incrédulo. – Você está bem? Achamos que estivesse morta!

Susan olhou, ainda zonza.

– Chad Brinkerhoff – disse ele, observando a criptógrafa, que visivelmente estava em choque. – Assistente do diretor.

Susan conseguiu apenas murmurar:

– O TRANSLTR...

Brinkerhoff assentiu.

– Esqueça. Vamos, suba!

◆◆◆

O farol do carrinho de golfe varria as paredes de cimento.

– Há um vírus no banco de dados central – disse Brinkerhoff.

– Eu sei – respondeu Susan ainda em transe.

– Precisamos de sua ajuda.

Ela estava lutando contra as lágrimas.

– Strathmore... ele...

– Também já sabemos – completou Brinkerhoff. – Ele contornou o Gauntlet.

– Sim... e... – As palavras ficaram presas em sua garganta. *Ele matou David!*

Brinkerhoff colocou a mão sobre seu ombro.

– Estamos quase lá, senhorita Fletcher. Agüente firme.

◆◆◆

O carrinho de golfe dobrou uma esquina e parou. Ao lado deles, perpendicular ao túnel, havia um corredor fracamente iluminado por luzes vermelhas no chão.

– Venha – disse Brinkerhoff, ajudando-a a saltar.

Ele a guiou pelo corredor enquanto Susan seguia, envolta em uma névoa. O corredor, revestido de lajotas, agora descia em um plano inclinado. Segurando o corrimão, Susan acompanhou Brinkerhoff. O ar começou a se tornar mais fresco. Continuaram descendo.

À medida que desciam, o túnel se estreitava. Podiam ouvir o eco de passos vindos de trás deles. Um andar vigoroso e cadenciado. O som ficou mais alto. Brinkerhoff e Susan pararam e se viraram.

Um homem negro, enorme, aproximava-se deles. Susan nunca o tinha visto antes. Quando chegou mais perto, ele lançou um olhar inquisitivo e penetrante sobre ela. Perguntou a Brinkerhoff:

– Quem é esta?

– Susan Fletcher – respondeu Brinkerhoff.

O grandalhão levantou as sobrancelhas. Mesmo coberta por fuligem e ensopada, Susan Fletcher era mais impressionante do que ele havia imaginado.

– E o comandante?

Brinkerhoff apenas balançou a cabeça.

O diretor não disse nada. Olhou para baixo por um instante. Depois voltou-se para Susan:

– Leland Fontaine – disse, estendendo a mão. – Fico feliz em saber que você está bem.

Susan olhou, espantada. Sabia que um dia iria conhecer o diretor, mas não era exatamente assim que ela imaginara o encontro.

– Junte-se a nós, senhorita Fletcher – disse Fontaine, seguindo em frente. – Vamos precisar de toda a ajuda possível.

◆◆◆

No final do túnel, visível em meio à tênue luz vermelha, uma parede de aço bloqueava o caminho. Quando chegaram diante dela, Fontaine aproximou-se e digitou uma senha de acesso em um teclado alfanumérico embutido na parede lateral. Depois colocou a mão sobre um pequeno painel de vidro. Uma luz varreu suas digitais. Logo em seguida a pesada parede se moveu.

Havia apenas uma sala mais sagrada que a Criptografia em toda a NSA. Susan sentiu que estava prestes a conhecê-la.

CAPÍTULO 109

A sala de comando do banco de dados central da NSA se parecia com uma versão menor do controle de missões da NASA. Uma dúzia de estações de trabalho estava voltada para um painel de vídeo com nove metros de altura e 12 metros de largura na outra extremidade da sala. No painel, números e diagramas eram exibidos em rápida sucessão, surgindo e desaparecendo como se alguém estivesse trocando de canais sucessivamente. Técnicos iam e vinham entre as estações, carregando longas listagens de computador e gritando comandos uns para os outros. O lugar estava um completo caos.

Susan observou a impressionante sala. Lembrava-se vagamente de ter lido que 250 toneladas de terra haviam sido escavadas para criá-la. A câmara ficava situada 65 metros abaixo da superfície, onde estava completamente a salvo de bombas de fluxo eletromagnético e de explosões nucleares.

Jabba estava em uma estação de trabalho elevada no centro da sala, berrando ordens, como um rei se dirigindo aos súditos. Ampliada no painel atrás dele, uma mensagem que Susan já vira antes:

APENAS A VERDADE PODERÁ SALVÁ-LOS
DIGITE A SENHA _________

Como se estivesse presa em um pesadelo surreal, ela seguiu Fontaine até a plataforma. Seu mundo parecia um borrão mudando em câmara lenta.

Ao ver que eles se aproximavam, Jabba virou-se como um touro furioso.

– Quando construí o Gauntlet, eu tinha uma razão muito forte para fazê-lo!

– O Gauntlet já não existe mais – retrucou Fontaine, sem se alterar.

– Já sei, diretor – prosseguiu Jabba. – A onda de choque me fez cair sentado! Onde está Strathmore?

– O comandante Strathmore está morto.

– Mas que porra de justiça poética.

– Mais respeito, Jabba – ordenou o diretor. – Como está a situação? Qual o poder de destruição desse vírus?

Jabba olhou para o diretor em silêncio e depois começou a rir.

– Um *vírus?* – Sua gargalhada ruidosa ressoou pela câmara. – Você pensa que estamos lidando com um vírus?

Fontaine ficou impassível. A insolência de Jabba já havia passado dos limites, mas o diretor sabia que aquele não era nem o momento nem o lugar para lidar com isso. Lá embaixo Jabba era superior até mesmo a Deus. Problemas técnicos no banco de dados tinham precedência sobre a cadeia de comando normal.

– Então *não* é um vírus? – exclamou Brinkerhoff, animado.

Jabba olhou para ele, desdenhoso.

– Um vírus tem comandos de replicação, chefe. *Isso aqui* não tem.

Susan mantinha-se próxima, mas não conseguia se concentrar em nada.

– Então o que está acontecendo? – Fontaine perguntou. – Pensei que estávamos lidando com um vírus.

Jabba respirou fundo e falou, baixando a voz:

– Os vírus... – começou a explicar, secando o suor em seu rosto. – Os vírus se reproduzem. Criam clones. São vaidosos e burros; egomaníacos binários, digamos assim. Geram bebês mais rápido do que coelhos. Esse é seu ponto fraco: é possível criar uma mutação que os aniquile, se você souber o que fazer. Infelizmente o programa que temos aqui não tem ego e não precisa se reproduzir. Seus objetivos estão claros e ele é determinado. Na verdade, quando tiver atingido seu objetivo, provavelmente irá cometer suicídio digital. – Jabba apontou com os braços, reverentemente, para a confusão que continuava sendo projetada no enorme painel. – Senhoras e senhores, gostaria de apresentar-lhes o kamikase dos invasores de computadores: um *verme*.

– *Verme?* – resmungou Brinkerhoff. Isso lhe soava como um termo muito mundano para descrever aquele invasor traiçoeiro.

– Isso, um verme – continuou Jabba. – Não tem uma estrutura complexa, apenas instinto: comer, defecar, se arrastar. Só isso. Simplicidade mortífera. Faz o que foi programado para fazer e depois some.

Fontaine encarou Jabba com severidade.

– E o que este verme em particular foi programado para fazer?

– Não tenho idéia. Neste momento, está se espalhando e se conectando a todos os nossos dados secretos. Depois disso, pode fazer qualquer coisa. Pode decidir apagar todos os arquivos, ou talvez prefira imprimir carinhas sorridentes em algumas transcrições da Casa Branca.

Fontaine permanecia sério e contido.

– Você pode detê-lo?

Jabba suspirou e olhou para a tela.

– Ainda não sei. Depende de quanto o autor disso aí estivesse irritado. – Apontou para a mensagem no painel. – Alguém pode me dizer o que *isso* significa?

APENAS A VERDADE PODERÁ SALVÁ-LOS
DIGITE A SENHA _________

Jabba esperou uma resposta, mas ninguém disse nada.

– Bem, parece que alguém está brincando conosco, diretor. Chantagem. Esse é o bilhete de resgate mais terrível que já vi.

A voz de Susan saiu como um sopro, etérea.

– É... Ensei Tankado.

Jabba virou-se para ela, espantado.

– *Tankado?*

Susan concordou, vagarosamente.

– Ele queria que confessássemos que o TRANSLTR existe, mas isso lhe custou...

– Confessar? – interrompeu Brinkerhoff, estupefato. – Tankado quer que confessemos que temos o TRANSLTR? Acho que é meio tarde para isso agora!

Susan abriu a boca e ia começar a dizer algo, mas Jabba se adiantou:

– Parece que Tankado possui um código de desativação – disse ele, fitando a mensagem na tela.

Todos olharam.

– Código de desativação? – perguntou Brinkerhoff.

Jabba assentiu.

– Isso aí. Uma senha que irá deter o verme. Resumindo: se admitirmos que temos o TRANSLTR, Tankado nos fornece a senha. Digitamos o que ele disser e salvamos o banco de dados. Bem-vindos à extorsão digital.

Fontaine permanecia rígido como uma rocha.

– Quanto tempo ainda temos?

– Cerca de uma hora. O tempo exato de preparar uma coletiva para a imprensa e contar todos os detalhes.

– Alguma *sugestão?* – questionou Fontaine. – O que você propõe?

– Uma *sugestão?* – Jabba respondeu, irônico. – Você quer uma sugestão? Vou lhe dar uma! Pare de fazer perguntas e aceite as exigências de Tankado, é isso que você tem que fazer!

– Jabba, cuidado... – respondeu o diretor rispidamente.

– Diretor – prosseguiu Jabba, falando rápido –, neste exato momento Ensei Tankado é *dono* deste banco de dados! Dê a ele *o que ele quiser*. Se ele quer que o mundo saiba a verdade sobre o TRANSLTR, ligue para a CNN e mostre tudo. De qualquer maneira, o TRANSLTR não passa de um buraco no chão, então por que se preocupar com isso?

Houve um silêncio. Fontaine estava avaliando suas opções. Susan começou a falar, mas Jabba a cortou de novo.

– O que você está esperando, diretor! Coloque Tankado na linha! Diga que vai fazer o jogo dele! Precisamos desse código de desativação. Do contrário, isso aqui vai virar sucata.

Ninguém se moveu.

– Vocês todos ficaram loucos? – gritou Jabba. – Chamem Tankado! Digam que nos rendemos! Descubram o maldito código de desativação! JÁ! – Jabba puxou seu telefone celular e ativou-o. – Ok, deixem pra lá. Me dêem o número dele! Eu mesmo vou ligar para esse maluco!

– Não vai ser possível – disse Susan em voz baixa. – Tankado está morto.

Após alguns instantes de perplexidade, as implicações atingiram Jabba como um raio.

– *Morto?* Mas então... quer dizer que... nós não podemos...

– Quer dizer que precisamos de outro plano – declarou Fontaine, seco.

Jabba ainda estava se recuperando do choque quando alguém começou a gritar histericamente em um canto da sala.

– Jabba! Jabba!

Era Soshi Kuta, chefe dos técnicos. Veio correndo em direção à plataforma de Jabba, puxando uma longa listagem. Parecia nervosa.

– Jabba – prosseguiu, sem fôlego. – O verme... Acabei de descobrir o que ele foi programado para fazer. – Soshi jogou o papel nas mãos de Jabba. – Peguei isso a partir da sonda de análise de atividade do sistema! Isolamos os comandos de execução do verme. Dê uma olhada na programação! Veja o que ele está pretendendo fazer!

Perplexo, Jabba pegou o papel e leu. Em seguida apoiou-se no anteparo.

– Meu Deus – disse Jabba, tenso. – Tankado, seu filho da mãe!

Capítulo 110

Jabba olhava para o papel que Soshi havia acabado de lhe entregar. Pálido, secava sua testa com a manga da camisa.

– Diretor, não temos escolha. Precisamos cortar a energia do banco de dados.

– Inaceitável – respondeu Fontaine. – Você sabe que o resultado seria catastrófico.

Jabba sabia perfeitamente. Havia mais de três mil conexões ISDN ligando o banco de dados da NSA ao restante do mundo. Todos os dias militares de alta patente acessavam fotos atualizadas de satélites para observar os movimentos de seus inimigos, engenheiros acessavam projetos de novos armamentos e agentes de campo atualizavam dados sobre suas missões. O banco de dados da NSA era a espinha dorsal de milhares de operações do governo americano. Desligá-lo sem aviso prévio provocaria blecautes em diversos setores da inteligência americana em todo o planeta, em alguns casos possivelmente fatais.

– Estou ciente das implicações, senhor, mas não vejo outra escolha – respondeu Jabba.

– Explique-se – ordenou Fontaine. Olhou rapidamente para Susan, de pé ao seu lado na plataforma. Ela parecia estar em outro mundo.

Jabba respirou fundo e secou o suor mais uma vez. Pela cara que fez, estava claro para o grupo ao seu redor que ninguém iria gostar do que tinha a dizer.

– Este verme não tem um ciclo degenerativo genérico. É um ciclo *seletivo*. Em outras palavras, ele tem um *paladar específico*.

Brinkerhoff fez menção de perguntar alguma coisa, mas Fontaine fez um gesto para que se calasse.

– A maioria dos programas destrutivos varre um banco de dados apagando seu conteúdo – prosseguiu Jabba. – Mas este é mais complexo. Ele está programado para apagar apenas arquivos que estejam dentro de certos parâmetros.

– Você quer dizer que ele não vai atacar *todo* o banco de dados? – Brinkerhoff perguntou, esperançoso. – Isso é uma boa notícia, não?

– Não! – irritou-se Jabba. – É ruim! Na verdade, é uma merda completa!

– Jabba, calma – ordenou Fontaine. – Que parâmetros esse verme está buscando? Militares? Operações secretas?

Jabba sacudiu a cabeça. Olhou para Susan, que continuava vagando, distante, depois encarou novamente o diretor.

– Como o senhor sabe, qualquer um vindo de fora que deseje se conectar a este banco de dados precisa passar por uma série de verificações de segurança antes de ser admitido.

Fontaine balançou a cabeça. As hierarquias de acesso ao banco de dados haviam sido brilhantemente implementadas. Pessoas com autorização adequada podiam acessá-lo através de conexões via Internet. Dependendo da seqüência de autorizações, cada um acessava suas próprias zonas compartimentalizadas.

– Como estamos ligados à Internet, hackers, outros governos e os tubarões da EFF passam seus dias circulando em torno deste banco de dados tentando encontrar uma forma de quebrá-lo – explicou Jabba.

– Sim – disse Fontaine. – E o tempo todo nossos filtros de segurança os mantêm do lado de fora. Onde você quer chegar?

Jabba apontou para o papel que Soshi lhe dera.

– Quero chegar aqui. O verme de Tankado não está interessado em nossos *dados*. – Limpou a garganta. – Ele está atrás de nossos *filtros de segurança*.

Fontaine ficou branco. Entendeu as implicações: o verme estava procurando os filtros que mantinham o banco de dados da NSA confidencial e que restringiam seu acesso. Sem eles, todas as informações poderiam ser acessadas por qualquer um.

– Precisamos desligar tudo – insistiu Jabba. – Dentro de mais uma hora, qualquer estudante com um modem vai ter o mais alto nível de acesso de segurança do país.

Fontaine passou um bom tempo em silêncio.

Jabba esperou, impaciente, e finalmente virou-se para Soshi.

– Soshi. Coloque uma RV na tela! Agora!

Soshi saiu correndo.

Jabba usava as RVs muitas vezes. Para muitos profissionais de informática, RV significava "realidade virtual". Na NSA, contudo, era o termo usado para "representação visual". Em um mundo cheio de técnicos e políticos, todos com diferentes níveis de compreensão técnica, uma representação gráfica era, muitas vezes, a única maneira de esclarecer um assunto. Um gráfico costumava gerar uma reação dez vezes maior do que a obtida por muitas páginas de planilhas. Uma RV da crise atual esclareceria sua visão rapidamente.

– RV pronta! – gritou Soshi de seu terminal.

Um diagrama gerado por computador foi exibido no painel de vídeo à frente deles. Susan olhou, ainda distante de toda a agitação que a cercava. Todos na sala seguiram o olhar de Jabba em direção à tela.

O diagrama no painel parecia uma mira de tiro. No centro havia um círculo vermelho onde se lia "dados". Ao seu redor havia outros cinco círculos concêntricos de diferentes espessuras e cores. O círculo mais externo estava desbotado, quase transparente.

– Temos um sistema de defesa em cinco camadas – explicou Jabba. – A camada mais externa é o servidor principal de segurança, o Bastion Host, seguido por dois conjuntos de filtros de pacotes para FTP e para o protocolo X11, depois um bloqueio por tunelamento e, finalmente, uma janela de autorização de PEM que veio diretamente do projeto Truffle. A defesa externa que está desaparecendo representa o *host* exposto. Está praticamente destruída. Daqui a mais uma hora, as outras defesas também irão cair. Depois disso, as portas estarão abertas e todos poderão entrar. Cada byte dos dados da NSA estará em domínio público.

Fontaine estudou a RV, visivelmente irritado.

Brinkerhoff resmungou.

– Esse verme pode mesmo abrir nosso banco de dados para o mundo?

– É um brinquedo de criança para Tankado – Jabba respondeu. – O Gauntlet era nossa maior proteção, mas Strathmore tornou-a inútil.

– É um ato de guerra! – grunhiu Fontaine, demonstrando rancor na voz.

Jabba sacudiu a cabeça.

– Eu sinceramente duvido que Tankado pretendesse que a coisa fosse tão longe. Acho que ele esperava estar por perto e interromper o processo a tempo.

Fontaine olhou para a tela e viu a primeira das cinco camadas de defesa desaparecer completamente.

– O Bastion Host se foi! – gritou um técnico. – O segundo escudo está exposto.

– Temos que começar a desligar tudo imediatamente – pressionou Jabba. – Pelo que a RV nos mostra, temos cerca de 45 minutos. E o processo de tirar o sistema do ar é complexo.

O banco de dados da NSA tinha sido construído de forma a jamais ficar sem energia – acidentalmente ou em caso de ataque. Diversos sistemas redundantes para comunicações e energia estavam enterrados em tubulações de aço reforçado bem fundo no solo, abaixo deles, e, além das linhas de alimentação que vinham do complexo da NSA, existiam outras fontes secundárias de energia partindo das principais redes públicas. Desligar o sistema envolvia uma série complexa de confirmações e protocolos, sendo uma tarefa bem mais complicada do que um lançamento padrão de um míssil nuclear.

– Ainda temos tempo, se nos apressarmos. Um desligamento manual deve levar cerca de 30 minutos – disse Jabba.

Fontaine continuava olhando para a RV, ponderando suas opções.

– Diretor! – Jabba perdeu a paciência. – Quando esses *firewalls* caírem, todos os usuários do planeta vão passar a ter acesso de alta prioridade! Estou falando do maior nível possível! Terão acesso aos registros de operações secretas. A nossos agentes no exterior. Aos nomes e localizações de todas as pessoas cobertas pelo programa federal de proteção a testemunhas. Códigos de confirmação de lançamento de mísseis. Precisamos desligar o sistema! Agora!

O diretor parecia não se deixar alterar.

– Tem que haver outro jeito.

– Sim – retrucou Jabba. – Claro que há! O código de desativação! Acontece que o único sujeito que conhecia o código está morto.

– E se usarmos força bruta? – sugeriu Brinkerhoff. – Podemos descobrir o código?

Jabba levantou os braços, irritado.

– Pelo amor de Deus! Os códigos de desativação são como chaves de encriptação: completamente aleatórios! São impossíveis de adivinhar. Se você achar que pode digitar 600 trilhões de entradas nos próximos 45 minutos, o teclado é todo seu!

– O código de desativação está na Espanha – disse Susan calmamente.

Todos se viraram para ela. Era a primeira coisa que ela dizia em muito tempo. Susan olhou para eles com os olhos turvos.

– Tankado passou-o adiante quando morreu.

Ninguém entendeu nada.

– A chave... – Susan tremia enquanto falava. – O comandante Strathmore enviou alguém para encontrá-la.

– E então? O homem de Strathmore *conseguiu ou não* encontrá-la? – perguntou Jabba, ansioso.

Susan tentou controlar-se, mas as lágrimas correram por seu rosto.

– Sim – soluçou –, acho que sim.

CAPÍTULO 111

Um grito estridente cortou a sala de controle.

– Tubarões! – gritou Soshi.

Jabba olhou para a RV. Duas linhas finas tinham aparecido fora dos círculos concêntricos. Pareciam espermatozóides tentando romper um óvulo relutante.

– Há sangue na água, pessoal! – Jabba virou-se para o diretor. – Preciso de uma decisão final. Ou começamos a desligar o sistema ou não vai dar tempo. Assim que esses dois invasores perceberem que o Bastion Host caiu, vão enviar um grito de guerra.

Fontaine não respondeu. Estava imerso em pensamentos. O que Susan dissera sobre a senha na Espanha parecia promissor. Olhou rapidamente para a criptógrafa nos fundos da sala. Ela parecia estar num mundo à parte, jogada em uma cadeira, a cabeça enfiada entre as mãos. O diretor não sabia o que havia desencadeado aquela reação, mas, fosse o que fosse, ele não tinha tempo para lidar com aquilo naquele momento.

– Preciso de uma decisão! – pressionou Jabba. – Agora!

Fontaine olhou para ele. Falou calmamente.

– Certo, aqui está minha decisão. Não vamos desligar o sistema. Vamos esperar.

Jabba ficou boquiaberto.

– *O quê?* Mas isso é...

– Uma aposta – cortou Fontaine. – Uma aposta que podemos ganhar. – Pegou o celular de Jabba e digitou um número. – Midge, aqui é Leland Fontaine. Preste atenção...

CAPÍTULO 112

– Diretor, é melhor que você saiba o que está fazendo, porque estamos prestes a perder nossa chance de desligar o sistema. – Jabba disse, em tom de desaprovação.

Fontaine não se deu ao trabalho de responder.

A porta da sala de controle se abriu e Midge entrou, apressada. Chegou quase sem fôlego à plataforma onde Fontaine e Jabba se encontravam.

– Diretor! A central está transferindo a conexão para cá!

Fontaine se virou e olhou para o painel de vídeo. Quinze segundos depois uma nova tela foi exibida.

A imagem inicial estava cheia de interferências e desalinhada. Aos poucos entrou em foco. Era uma transmissão em formato digital, com baixa resolução. A imagem mostrava dois homens. Um era pálido, com um corte militar de cabelo, enquanto o outro era um louro tipicamente americano. Ambos estavam sentados em frente à pequena câmera, como repórteres esperando para entrar no ar.

– Que diabos é isso? – perguntou Jabba.

– Preste atenção – ordenou Fontaine.

Os homens pareciam estar dentro de uma van cercados por cabos e equipamentos eletrônicos. A conexão de áudio entrou no ar e pôde-se ouvir um ruído de fundo.

– Estamos recebendo áudio – disse um técnico atrás deles. – Dentro de alguns segundos poderemos transmitir.

– Quem são estes? – perguntou Brinkerhoff, preocupado.

– Observação e vigilância – respondeu Fontaine, olhando para os dois homens enviados à Espanha. A precaução fora necessária. Fontaine havia confiado em quase todos os aspectos dos planos de Strathmore: a lastimável porém necessária eliminação de Ensei Tankado, reescrever o Fortaleza Digital, tudo fazia sentido. Mas uma coisa deixava Fontaine nervoso: usar Hulohot. Ele certamente era experiente, mas não passava de um mercenário. Seria confiável? Ou iria guardar a senha e usá-la em proveito próprio? O diretor queria que o português fosse vigiado, só por garantia, e tinha tomado suas providências.

Segundos depois, a conexão de áudio foi estabelecida, e o homem com cara de militar falou para a câmera:

– Diretor, sou o agente Coliander. Este é o agente Smith.

– Muito bem – respondeu Fontaine. – Relatório da situação?

CAPÍTULO 113

Nos fundos da sala, Susan Fletcher estava sentada, lutando contra uma solidão aterradora que tomara conta dela. Seus olhos estavam fechados, os ouvidos zuniam e ela estava chorando. Seu corpo parecia estar anestesiado. Toda a confusão da sala de controle fora reduzida a um murmúrio distante. As pessoas que estavam de pé sobre a plataforma ouviam atentamente o relatório do agente Smith.

– De acordo com suas ordens, diretor, chegamos aqui em Sevilha há dois dias para seguir o Sr. Ensei Tankado.

– Conte-me como ele morreu – abreviou Fontaine, impaciente.

Smith assentiu.

– Observamos a ação de dentro da van, a cerca de 50 metros. O assassinato foi bem executado. Hulohot obviamente era um profissional. Mas em seguida ele teve problemas. Surgiram outras pessoas. Hulohot não teve a chance de pegar o objeto.

Fontaine concordou. Os agentes fizeram contato com ele na América do Sul, avisando-o de que algo havia saído errado. Foi então que o diretor decidiu retornar mais cedo da viagem.

Coliander continuou.

– Seguimos Hulohot, conforme ordenado. Contudo, ele não foi para o necrotério. Em vez disso, passou a seguir uma outra pessoa. Parecia civil, de blazer e gravata.

– Civil? – conjeturou Fontaine. Soava exatamente como uma jogada de Strathmore, sabiamente mantendo a NSA fora de cena.

– Os filtros de FTP estão falhando! – gritou um técnico.

– Precisamos do objeto – intimou Fontaine. – Onde está Hulohot agora?

Smith olhou para trás.

– Bem, está conosco, senhor.

Fontaine suspirou.

– Onde? – Era a melhor notícia que havia recebido naquele dia.

Smith aproximou sua mão da lente e ajustou-a. A câmera foi virada dentro da van e passou a mostrar dois corpos inertes encostados na parte traseira. Um deles era um homem grande, com óculos de armação de metal. O outro era mais jovem, com cabelos escuros e uma camisa ensangüentada.

– Hulohot é o da esquerda – completou Smith.

– Ele está morto? – perguntou o diretor.

– Sim, senhor.

Fontaine decidiu deixar as perguntas para mais tarde. Olhou para os escudos de proteção diminuindo na tela.

– Agente Smith – disse, de forma lenta e clara. – O objeto. Eu preciso dele.

Smith pareceu envergonhado.

– Senhor, ainda não sabemos o que é o objeto. Nos informaram apenas o estritamente necessário.

CAPÍTULO 114

– Então procurem de novo! – bradou Fontaine.

O diretor olhava, incrédulo, a imagem um pouco distorcida de seus agentes revistando os dois corpos na van atrás de uma lista de números e letras aleatórios.

Jabba estava lívido.

– Meu Deus, eles não estão encontrando a senha! Estamos acabados!

– Perdemos os filtros de FTP! – gritou uma voz. – O terceiro escudo está exposto!

O corre-corre na sala aumentou.

No painel, o agente com o corte militar levantou os braços, sem saber o que fazer.

– Senhor, a senha não está aqui. Já revistamos os dois. Bolsos. Roupas. Carteiras. Nenhum sinal. Hulohot estava com um computador Monocle, e verificamos isso também. Aparentemente jamais transmitiu nada parecido com uma lista de caracteres aleatórios, apenas a lista de pessoas assassinadas.

– Droga! – vociferou, perdendo a calma. – Tem que estar aí! Continuem procurando!

Jabba aparentemente se cansara daquilo. Fontaine havia feito uma aposta e perdido. O chefe de SegSis assumiu o controle da situação. Desceu de sua plataforma como uma avalanche. Passou por seu pequeno exército de programadores dando ordens.

– Acessem os controles auxiliares de desativação. Comecem a desligar tudo! Agora!

– Não vai dar tempo! – gritou Soshi em resposta. – Precisávamos de meia hora. Quando conseguirmos desligar tudo será tarde.

Jabba ia responder algo, mas foi cortado por um grito agoniado vindo dos fundos da sala.

Todos se viraram. Como uma aparição, Susan Fletcher levantou-se de onde tinha ficado curvada todo aquele tempo. Seu rosto estava branco, os olhos vidrados na imagem congelada de David Becker, imóvel e com uma mancha de sangue, jogado no chão da van.

– Vocês o mataram! – ela gritou. – *Vocês o mataram!* – Ela saiu andando em direção à tela e estendeu os braços. – David...

Todos olharam para ela, confusos. Susan avançou em direção à tela, chamando por David, sem tirar os olhos do corpo dele.

– David... – ela soluçava. – David... como eles puderam...

Fontaine não estava entendendo nada.

– Você conhece esse homem?

Susan andou, trôpega, e passou pela plataforma. Parou a alguns metros do enorme painel e olhou para cima, perplexa e sem forças, repetindo sem parar o nome do homem que amava.

CAPÍTULO 115

A mente de Becker estava absolutamente vazia. *Estou morto.* Ainda assim, ouviu um som. Uma voz distante.

– David.

Sentia algo queimando debaixo do braço. Estava completamente tonto. Seu sangue parecia feito de lava incandescente. *Meu corpo não me pertence.* Ainda assim, podia ouvir uma voz baixa, distante. Mas era parte dele. Havia outras vozes também – não eram familiares, não eram importantes. Chamavam seu nome. Tentou bloqueá-las. Apenas uma voz importava. Aproximava-se, depois se afastava.

– David... eu lamento...

Surgiu uma luz, muito apagada primeiro, depois um risco cinza. Crescendo. Becker tentou mover-se. Dor. Tentou falar. Nada. A voz continuava chamando.

Alguém levantou-o. Becker se moveu em direção à voz. Estava chamando. Viu uma imagem iluminada. Podia ver alguma coisa em uma tela pequena. Parecia uma mulher, olhando para ele, vinda de algum outro mundo. *Ela está me vendo morrer?*

– David...

A voz era familiar. Era um anjo. Havia vindo buscá-lo. O anjo falou.

– David, eu te amo.

Então ele soube.

◆◆◆

Susan olhava para a tela chorando, rindo, perdida num emaranhado de emoções. Enxugava as lágrimas.

– David... Eu... eu pensei...

O agente Smith colocou David no assento em frente ao monitor.

– Ele está um pouco atordoado, senhora. Espere um minuto.

– M..mas... – Susan gaguejava. – Eu vi uma transmissão. Dizia que...

Smith assentiu.

– Nós também vimos. Hulohot cantava vitória antes do tempo.

– Mas o sangue...

– Uma ferida superficial. Colocamos uma gaze sobre ela – respondeu Smith.

Susan estava sem fala.

Coliander falou, fora do campo de visão:

– Nós o acertamos com o novo J23, uma arma tranqüilizante de longo alcance. Deve ter doído muito, mas nós o tiramos das ruas.

– Não se preocupe, senhora – completou Smith, em tom tranqüilizador. – Ele vai ficar bem.

David Becker olhou para o monitor de TV à sua frente. Estava desorientado e zonzo. Na tela, via a imagem de uma sala em completo caos. Susan estava lá, de pé no meio de uma área vazia, olhando para ele.

Ela chorava e ria ao mesmo tempo.

– David! Meu Deus! Achei que tinha perdido você!

Ele esfregou a testa. Moveu-se para a frente e puxou o microfone para perto de sua boca.

– Susan?

Ela olhava para cima, em êxtase. A face de David preenchia todo o painel de vídeo. Sua voz soava estrondosa na sala.

– Susan, preciso lhe perguntar uma coisa. – A ressonância e o volume da voz de Becker fizeram com que as pessoas na sala do banco de dados parassem para observar. Todos se viraram em direção à tela.

– Susan Fletcher, você quer casar comigo?

A sala ficou em total silêncio. Uma prancheta caiu no chão, junto com um porta-lápis. Ninguém se abaixou para pegá-los. Só era possível ouvir o leve zumbido dos ventiladores dos terminais e o som da respiração de David Becker no microfone.

– David... – Susan gaguejou, completamente alheia ao fato de que havia 37 pessoas na sala olhando para ela. – Você já me pediu em casamento, lembra-se? Cinco meses atrás. Eu disse sim.

– Eu sei – disse ele sorrindo. – Mas desta vez eu tenho um anel – estendeu sua mão esquerda para a câmera e mostrou um anel dourado em seu dedo.

CAPÍTULO 116

– **Vamos, leia, Sr. Becker!** – ordenou Fontaine.

Jabba sentou-se, molhado de suor, com as mãos a postos sobre o teclado.

– Isso aí, leia essa bendita inscrição.

Susan Fletcher estava com eles na plataforma, com as pernas ainda tremendo, mas radiante. Todos na sala pararam o que estavam fazendo e olharam para a enorme projeção de David Becker. O professor girou o anel entre os dedos e estudou a inscrição.

– Mas leia com *cuidado!* – disse Jabba, sério. – Um único erro e estamos *fritos!*

Fontaine olhou com uma cara feia para Jabba. Se havia algo que ele conhecia bem eram situações de alta pressão. Criar tensão adicional nunca era uma boa idéia nessas horas.

– Relaxe, Sr. Becker. Se houver algum erro, vamos digitar o código de novo, até acertar.

– Não é bem assim, Sr. Becker – interveio Jabba. – Temos que acertar da primeira vez. Os códigos de desativação em geral têm algum tipo de penalidade para evitar que alguém tente adivinhar cegamente a senha. Se digitarmos algo errado na primeira vez, o ciclo provavelmente irá se acelerar. Mas, se digitarmos errado duas vezes, estaremos fora. Fim de jogo.

O diretor franziu a testa e virou-se para a tela.

– Sr. Becker? Falha minha. Leia com cuidado, então. Com *extremo* cuidado.

Becker assentiu e estudou o anel por um instante. Depois começou a recitar calmamente a inscrição.

– Q...U...I...S...espaço...C...

Jabba e Susan interromperam a leitura ao mesmo tempo.

– *Espaço?* – Jabba parou de digitar. – Há um *espaço?*

Becker olhou o anel.

– É. Tem vários espaços.

– Qual o problema? – perguntou Fontaine. – Por que paramos?

– Senhor. É que isso é meio... – disse Susan, preocupada.

– Concordo – disse Jabba. – É estranho. Senhas *nunca* têm espaços.

Brinkerhoff engoliu em seco.

– O que isso quer dizer, então?

– Quer dizer – retomou Susan – que talvez esse não seja o código de desativação.

Brinkerhoff entrou em pânico.

– É claro que é o código de desativação! O que mais poderia ser? Por que outra razão Tankado daria esse anel? Quem é que fica escrevendo letras aleatórias em um anel?

Fontaine silenciou o assistente com um olhar severo.

– Ah... pessoal? – Becker disse, em dúvida se devia ou não se meter. – Vocês estão falando o tempo todo de letras *aleatórias*. Acho melhor eu avisar: as letras que estão aqui *não são* aleatórias.

Todos os que estavam na plataforma gritaram ao mesmo tempo:

– O quê?

Becker não sabia bem como agir.

– É, eu lamento, mas há palavras aqui. Elas estão bem juntas e, à primeira vista, parecem mesmo aleatórias. Mas, olhando de perto, dá para ver que a inscrição está em latim.

Jabba arregalou os olhos.

– Você está brincando!

Becker sacudiu a cabeça.

– Não. Está escrito: *Quis custodiet ipsos custodes*, o que significa, em linhas gerais...

– Quem irá guardar os guardiões! – interveio Susan, completando a frase de Becker.

Becker olhou para ela, espantado.

– Susan, não sabia que você...

– É das *Sátiras*, de Juvenal – exclamou Susan. – Quem irá guardar os guardiões? Quem irá vigiar a NSA enquanto nós vigiamos o mundo? Era a citação predileta de Tankado.

– Afinal – perguntou Midge –, essa é ou não a senha?

– *Tem que ser* a senha – declarou Brinkerhoff.

Fontaine estava em silêncio, ainda processando as novas informações.

– Não sei se esta é a senha – disse Jabba. – Me parece estranho que Tankado fosse usar uma construção não-aleatória.

– Vamos, remova os espaços e digite o maldito código! – disse Brinkerhoff, quase histérico.

Fontaine virou-se para Susan:

– Qual a sua opinião, senhorita Fletcher?

Susan refletiu. Não sabia dizer exatamente o que era, mas alguma coisa ali estava errada. Susan conhecia Tankado o suficiente para saber que ele era um amante da simplicidade. Os algoritmos e os programas que desenvolvia eram quase cristalinos, absolutos. A idéia de remover os espaços parecia deslocada. Era um pequeno detalhe, mas era um erro, e definitivamente não era *limpo*. Em resumo, não era o que Susan esperava do golpe final de Tankado.

– Acho que há algo de errado – Susan disse, após pensar. – Não acho que seja a senha.

Fontaine respirou fundo, olhando dentro dos olhos dela, como que tentando ler sua mente.

– Senhorita Fletcher, se esta não é a senha, por que Ensei Tankado a teria dado para outra pessoa? Se ele sabia que nós o havíamos assassinado, você não acha que iria querer nos punir fazendo o anel sumir?

Uma nova voz surgiu, interrompendo o diálogo.

– Ah... Diretor?

Todos se voltaram para a tela. Era o agente Smith, de Sevilha. Estava com a cabeça enfiada sobre o ombro de Becker, falando no microfone.

– Não sei se isto ajuda em algo, mas não estou tão certo de que o Sr. Tankado *soubesse* que estava sendo assassinado.

– O que você quer dizer? – perguntou Fontaine.

– Hulohot era um profissional, senhor. Vimos o ataque, estávamos a apenas 50 metros. Todas as evidências sugerem que Tankado não sabia de nada.

– Evidências? – perguntou Brinkerhoff. – Mas *que* evidências? Tankado deu o anel. Isso prova tudo!

– Agente Smith – Fontaine interrompeu. – O que o faz pensar que Ensei Tankado não percebeu que estava sendo assassinado?

Smith limpou a garganta.

– Hulohot usou uma bala não-invasiva. É uma pequena bala de borracha que é atirada contra o peito e que se espalha após o impacto. Silenciosa e muito limpa. O Sr. Tankado deve ter sentido apenas uma dor aguda e depois teve um ataque cardíaco.

– Uma bala de impacto – Becker murmurou para si mesmo. – Isso explica o hematoma.

– É difícil que Tankado tenha associado a sensação a um tiro – acrescentou Smith.

– Mas ainda assim ele deu seu anel – declarou Fontaine.

– É verdade, senhor. Mas não olhou em volta procurando seu agressor. Uma vítima *sempre* tenta localizar o agressor ao ser atingida. É instintivo.

Fontaine pensou a respeito.

– Você diz que ele não procurou Hulohot?

– Não, senhor. Temos tudo registrado em filme, se desejarem...

– O filtro X11 se foi! – gritou um técnico. – O verme está na metade do caminho!

– Esqueça o filme! – intrometeu-se Brinkerhoff. – Digite o maldito código e vamos terminar com isso!

Jabba suspirou, subitamente calmo e pensativo.

– Diretor, se digitarmos o código errado...

– Sim – interrompeu Susan. – Se Tankado não suspeitava de nós, temos algumas perguntas no ar.

– Quanto tempo nos resta, Jabba? – perguntou Fontaine.

Jabba olhou para a RV.

– Cerca de 20 minutos. É melhor usarmos nosso tempo com sabedoria.

Fontaine ficou em silêncio por alguns instantes. Depois suspirou e disse:

– Tudo bem. Passem o filme.

CAPÍTULO 117

– **Iniciando transmissão** de vídeo dentro de 10 segundos – disse o agente Smith. – Vamos transmitir apenas um quadro a cada dois, sem áudio; assim a transmissão vai ser quase em tempo real.

Todos ficaram em silêncio, observando e esperando. Jabba digitou alguns comandos e alterou a posição das imagens no painel de vídeo. A mensagem de Tankado estava sendo exibida no canto esquerdo:

APENAS A VERDADE PODERÁ SALVÁ-LOS

À direita, no painel, havia uma imagem estática do interior da van, com Becker e os dois agentes espremidos na frente da câmera. No centro surgiu uma borda pouco definida que logo se encheu de estática. Então surgiu a imagem em preto-e-branco de um parque.

– Transmitindo – anunciou Smith.

Parecia um antigo filme mudo. A imagem era granulada e pulava, resultado do processo de compressão de dados, que reduzia pela metade a quantidade de informações enviadas e permitia uma transmissão mais rápida.

A câmera se moveu através de um enorme pátio que terminava, num dos extremos, em uma fachada semicircular: o Ayuntamiento de Sevilha. Havia árvores em primeiro plano e o parque estava vazio.

– Os X11 caíram! – gritou um técnico. – Este bicho está faminto!

◆◆◆

Smith começou a narrar. Seu comentário tinha o desprendimento de um veterano.

– Essa é uma tomada da van, a cerca de 50 metros da zona de ação. Tankado se aproxima pela direita. Hulohot está nas árvores, à esquerda.

– Estamos com pouco tempo por aqui – disse Fontaine, apressando-o. – Vamos ao que interessa.

O agente Coliander mexeu em alguns botões e a imagem se acelerou.

Todos olharam, ansiosos, quando seu antigo colega, Ensei Tankado, entrou em cena. O vídeo acelerado fazia a imagem parecer engraçada. Tankado se movia rapidamente pelo pátio, depois parava subitamente, talvez para apreciar a paisagem. Ele protegeu os olhos do sol e olhou para cima, observando os detalhes da enorme fachada.

– É agora – avisou Smith. – Hulohot é bom. Acertou de primeira e em espaço aberto.

Notou-se um breve flash de luz saindo do meio das árvores à esquerda da tela. Pouco depois Tankado apertou o peito. Cambaleou. O zoom da câmera aproximou-se de Tankado, deixando a imagem instável, entrando e saindo de foco.

Enquanto as imagens passavam aceleradas, Smith continuava friamente sua narrativa.

– Como podem ver, Tankado teve uma parada cardíaca instantaneamente.

Susan sentiu-se mal vendo aquelas imagens. Tankado apertava o peito com suas mãos deformadas e tinha um olhar confuso de terror em seu rosto.

– Vocês podem notar – acrescentou Smith – que seus olhos estão voltados para baixo, para ele mesmo. Em nenhum momento Tankado olha em volta.

– E isso é importante? – disse Jabba, meio afirmando, meio perguntando.

– Bastante – respondeu Smith. – Se Tankado houvesse suspeitado de alguma armação, teria instintivamente olhado em volta. Mas, como vocês podem ver, ele não olhou.

Na tela, Tankado caiu de joelhos, ainda apertando o peito. Em nenhum momento olhou para cima. Ensei Tankado estava sozinho, morrendo uma morte particular e natural.

– É estranho – disse Smith, intrigado. – As balas de impacto em geral não matam tão rápido. Algumas vezes, se o alvo for uma pessoa grande, nem mesmo matam.

– Coração fraco – disse Fontaine, seco.

Smith levantou as sobrancelhas, impressionado.

– Boa escolha de arma, então.

Susan observou quando Tankado rolou para o lado e finalmente deitou-se de costas. Estava olhando para cima, ainda segurando o peito. Subitamente a câmera moveu-se e voltou-se novamente para as árvores. Um homem sorriu. Usava óculos de armação de metal e carregava uma maleta um pouco maior do que o normal. Enquanto se aproximava do pátio e de Tankado, que agonizava, seus dedos começaram a se mover, em uma estranha e silenciosa dança, sobre um mecanismo preso à sua mão.

– Ele está usando o Monocle – disse Smith. – Enviando a mensagem de que Tankado foi eliminado. – Smith virou-se para Becker. – Parece que Hulohot tinha o mau hábito de informar as mortes antes que os corpos esfriassem.

Coliander acelerou o filme um pouco mais, e a câmera seguiu Hulohot, que se aproximava de sua vítima. De repente, contudo, um homem mais velho saiu correndo de um local próximo, foi até Tankado e ajoelhou-se a seu lado. Hulohot começou a andar mais devagar. Um instante depois outras duas pessoas surgiram em cena: um homem obeso e uma mulher de cabelos vermelhos. Também se aproximaram de Tankado e ficaram a seu lado.

– Hulohot escolheu mal o local – disse Smith. – Ele achou que tinha isolado a vítima.

Na tela, o assassino observou por um momento e depois retornou para as árvores, provavelmente para esperar.

– Agora Tankado vai entregar o anel – avisou Smith. – Não havíamos notado da primeira vez.

Susan olhou para as imagens perturbadoras sendo exibidas. Tankado estava sufocando, mas tentava dizer alguma coisa para as pessoas ajoelhadas ao seu lado. Depois, desesperado, levantou a mão esquerda e quase acertou o rosto do velho. Mantinha seus dedos aleijados estendidos bem na frente dos olhos do homem. A câmera deu um zoom, focando os dedos de Tankado. Em um deles, brilhando nitidamente sob o sol da Espanha, estava o anel. Tankado fez o mesmo movimento de novo, estendendo o braço. O velho chegou para trás. Tankado então virou-se para a mulher. Colocou seus três dedos deformados bem na frente da cara dela, como se quisesse que ela entendesse algo. O anel brilhava no sol. A mulher virou o rosto. Tankado, agora tossindo e incapaz de falar, virou-se para o homem obeso e tentou mais uma vez.

O homem mais velho subitamente levantou-se e saiu correndo, provavelmente para buscar ajuda. Tankado parecia estar ficando mais fraco, porém continuava segurando o anel na cara do homem gordo. Finalmente o homem agarrou o pulso do moribundo e manteve-o firme. Tankado parecia estar olhando para seus próprios dedos, para seu anel, e depois de volta para os olhos do homem. Num último apelo antes de morrer, Ensei Tankado moveu ligeiramente a cabeça para o homem, como que dizendo *sim*.

Depois seu corpo ficou inerte.

– Jesus – murmurou Jabba.

A câmera voltou-se novamente para onde Hulohot tinha se escondido, mas ele já havia partido. Uma motocicleta da polícia apareceu, cruzando a Avenida Firelli. A câmera retornou ao local onde Tankado estava. A mulher que tinha ficado ajoelhada a seu lado pareceu ter ouvido as sirenes da polícia. Olhou em volta, ansiosa, e começou a puxar seu companheiro obeso, pedindo que partissem. Os dois saíram apressadamente.

A câmera deu um close em Tankado, suas duas mãos dobradas sobre o peito sem vida. O anel que estava em seu dedo havia sumido.

CAPÍTULO 118

– Isso definitivamente é uma prova – disse Fontaine, com firmeza. – Tankado queria se livrar do anel. Queria que estivesse tão longe dele quanto possível, para que não pudéssemos encontrá-lo.

– Mas, diretor – argumentou Susan –, não faz sentido. Se Tankado não sabia que estava sendo assassinado, *por que* daria o código de desativação para outra pessoa?

– Concordo com ela – disse Jabba. – O garoto era um rebelde, mas tinha consciência. Uma coisa seria nos obrigar a admitir que tínhamos o TRANSLTR. Expor nosso banco de dados secreto é algo completamente diferente.

Fontaine olhou para eles, hesitante.

– Vocês acham que Tankado *queria* parar esse verme? Acham que seus últimos pensamentos antes de morrer foram dirigidos à pobre NSA?

– Tunnel Block se desfazendo! – gritou alguém. – Estaremos completamente vulneráveis em 15 minutos, no máximo.

– Vou lhes dizer uma coisa – declarou o diretor, assumindo o controle.

– Dentro de 15 minutos, todos os países do Terceiro Mundo saberão como construir um míssil balístico intercontinental. Se alguém nesta sala achar que tem um candidato melhor para o código de desativação do que este anel, sou todo ouvidos. – Olhou em volta. Ninguém falou. Ele voltou a olhar para Jabba, fixamente. – Tankado queria se livrar daquele anel por algum motivo, Jabba. Não me importa se estava tentando fazê-lo sumir ou se achava que aquele homem gordo ia correr até o telefone público e ligar para nós. Tomei minha decisão. Vamos digitar aquela citação. Agora.

Jabba respirou fundo. Fontaine estava certo, não havia nenhuma opção melhor. Além disso, o tempo estava se esgotando. Jabba sentou-se.

– Muito bem, vamos lá. – Puxou a cadeira para perto do teclado. – Sr. Becker? A inscrição, por favor. Bem devagar.

David Becker leu a inscrição enquanto Jabba digitava. Quando acabaram, verificaram letra por letra, e Jabba retirou os espaços. Na parte central do painel estava escrito:

QUISCUSTODIETIPSOSCUSTODES

– Não estou gostando – murmurou Susan, baixinho. – Não está limpo.

Jabba hesitou, com a mão sobre a tecla ENTER.

– Vá em frente – ordenou Fontaine.

Jabba pressionou ENTER. Segundos depois todos perceberam que havia sido um erro.

CAPÍTULO 119

– O verme está acelerando! – Soshi gritou lá de trás. – Esse não era o código certo!

Estavam todos perplexos, tomados por um terror silencioso.

Na tela à frente deles havia uma mensagem de erro:

ENTRADA INVÁLIDA. CAMPO NUMÉRICO APENAS.

– Que diabos! – gritou Jabba. – Apenas números! Estamos procurando um maldito número! Estamos ferrados! Esse anel não serve para nada!

– O verme dobrou de velocidade! – gritou Soshi. – Estamos sendo penalizados.

No centro da tela, logo abaixo da mensagem de erro, a RV mostrava uma imagem terrível. O terceiro *firewall* havia caído, e cerca de meia dúzia de linhas pretas, representando os hackers que tentavam invadir o banco de dados, avançavam incessantemente em direção ao núcleo. A cada instante que passava surgiam novas linhas.

– Estão se multiplicando! – gritou Soshi.

– Confirmando conexões do exterior! – berrou outro técnico. – Alguém espalhou os boatos.

Susan desviou o olhar da imagem dos *firewalls* em colapso e olhou para o canto da tela. As cenas do assassinato de Tankado passavam repetidamente. Sempre a mesma coisa: Tankado segurando seu peito, caindo e, com uma cara de pânico e desespero, empurrando o anel na cara de alguns turistas inocentes. *Não faz sentido*, pensou Susan. *Se ele não sabia que nós o matamos...* Susan desistiu. Era tarde demais. *Deixamos de perceber algo.*

Na RV, o número de hackers batendo contra os portões havia dobrado nos últimos minutos. De agora em diante, iria aumentar exponencialmente. Hackers, assim como hienas, eram uma grande família, sempre ávidos para espalhar as notícias a respeito de uma nova vítima.

Leland Fontaine aparentemente já vira o bastante.

– Desligue tudo – disse. – Desligue essa droga.

Jabba olhava em frente, como o capitão de um navio que está afundando.

– Tarde demais, senhor. Os escudos vão cair.

CAPÍTULO 120

O SegSis de 180 quilos estava parado, as mãos apoiadas na cabeça, em total incredulidade. Havia ordenado que desligassem a força, mas isso levaria uns 20 minutos além do tempo que tinham. Hackers com conexões de alta velocidade poderiam fazer o download de enormes quantidades de informações secretas nesse meio tempo.

Jabba foi despertado de seu pesadelo por Soshi, que veio correndo até a plataforma com uma nova listagem.

– Descobri algo, senhor! – disse ela, animada. – Há orfãos no código-fonte! Agrupamentos de letras. Estão espalhados por todo o código!

Jabba não pareceu muito animado com a notícia.

– Estamos procurando por um número, bolas! Não uma seqüência de letras! O código de desativação é um *número!*

– Mas temos órfãos! Tankado é bom demais para deixar órfãos, sobretudo nesta quantidade!

O termo "órfãos" se referia a linhas adicionais de programação que não faziam parte do objetivo do programa. Não alimentavam nenhuma rotina, não faziam referência a nada, não levavam a qualquer outro ponto do código e geralmente eram apagados como parte do processo final de compilação e remoção de erros – *debugging.*

Jabba pegou a listagem e analisou-a.

Fontaine permanecia em silêncio.

Susan olhou a listagem por cima do ombro do chefe de SegSis:

– Estamos sendo atacados por uma versão preliminar do verme de Tankado?

– Preliminar ou final, está nos dando um couro – respondeu Jabba.

– Isso está errado – argumentou Susan. – Tankado era um perfeccionista, e você sabe disso. Ele não teria deixado órfãos em seu programa.

– Há muitos deles! – disse Soshi. Ela tirou a listagem das mãos de Jabba e mostrou a Susan. – Olhe!

Susan percorreu a listagem. A cada 20 ou 30 linhas de código havia quatro caracteres soltos.

A C N E
E E R N
D A T M

– Agrupamentos de quatro bytes cada – ela disse, pensativa. – Definitivamente não fazem parte do programa.

– Deixem isso de lado – grunhiu Jabba. – Isso não tem a menor importância!

– Não acho, não. Muitas técnicas de encriptação usam agrupamentos de quatro bytes. Isto pode ser um código – disse Susan.

– É, pode sim – resmungou Jabba. – Significa: "He, he. Vocês estão ferrados." – Olhou para cima, consultando a RV. – Dentro de nove minutos, para ser mais específico.

Susan ignorou Jabba e virou-se para Soshi.

– Quantos órfãos há no código?

Soshi deu de ombros. Ela se aproximou do terminal de Jabba e digitou todos os agrupamentos. Quando acabou, afastou-se do terminal. Todos na sala olharam para o painel.

ACNE EERN DATM SIOA IPRE PSSG FREN OPHA
EIOT NOIS RMSO SRMA EAES AHAK NELR VIEI

Susan era a única que estava sorrindo.

– De fato, é bem familiar. Blocos de quatro, exatamente como na Enigma.

O diretor assentiu. A Enigma, criada pelos nazistas, era a mais famosa máquina de escrever códigos da História. Encriptava as mensagens em blocos de quatro.

– Ótimo – resmungou Fontaine. – Por acaso você teria uma delas à mão?

– Essa não é a questão! – disse Susan, subitamente animada. Afinal, aquilo era sua especialidade. – A questão é que se trata de um código. Tankado nos deixou uma pista! Ele está nos gozando, nos desafiando a descobrir a senha a tempo. Deixou pistas bem na nossa cara!

– Isso é absurdo! – retrucou Jabba. – Tankado só nos deu uma saída: revelar a existência do TRANSLTR. Ponto final. Era nossa única saída. Perdemos a chance.

– Sou forçado a concordar com ele – completou Fontaine. – Não acho que Tankado fosse nos dar uma outra forma de escapar dessa deixando pistas para seu código de desativação.

Susan ficou pensativa, lembrando-se de como Tankado havia deixado o anagrama NDAKOTA bem na cara deles. Olhou para as letras, pensando se aquele não seria outro de seus jogos.

– Tunnel Block pela metade! – disse um técnico.

Na RV, uma massa de linhas escuras de conexões penetrava mais fundo nos dois escudos que restavam.

David tinha ficado sentado em silêncio, observando o drama que se desenrolava no monitor à sua frente.

– Susan? Eu tenho uma idéia. Esse texto está em 16 agrupamentos de quatro?

– Ah, mas que droga – grunhiu Jabba, baixinho. – Agora todo mundo vai querer brincar?

Susan ignorou o comentário irônico e contou os agrupamentos.

– Sim, há 16 deles.

– Remova os espaços – disse Becker, com firmeza.

– David – respondeu Susan, ligeiramente desconfortável. – Acho que você não entendeu. Os agrupamentos de quatro são...

– Remova os espaços – ele repetiu.

Susan hesitou, depois fez um gesto para Soshi. Soshi removeu os espaços. O resultado permanecia obscuro.

ACNEEERNDATMSIOAIPREPSSGFRENOPHAEIOTNOISRMSOSRMAEAESAHAKNELRVIEI

Jabba teve um ataque.

– CHEGA! O recreio acabou! Essa coisa está duas vezes mais rápida! Temos cerca de oito minutos e estamos procurando um *número*, não um bando de letras sem pé nem cabeça.

– Quatro vezes 16 – David prosseguiu calmamente. – Faça as contas, Susan.

Susan olhou para David, na tela. *Faça as contas? Ele é péssimo em contas!* Sabia que David podia memorizar conjugações verbais e vocabulário de outros idiomas como se fosse uma copiadora, mas... matemática?

– Tabelas de multiplicação – ele completou.

Tabelas de multiplicação? Do que ele está falando?, pensava Susan.

– Quatro vezes 16 – continuou. – Tive que decorar a tabuada no colégio.

– Sessenta e quatro – respondeu, sem entender. – E daí?

David inclinou-se em direção à câmera. Sua face encheu a tela.

– Sessenta e quatro letras...

– Sim, são... – Susan ficou muda.

– Um quadrado perfeito – disse David.

– Meu Deus! David, você é um gênio!

CAPÍTULO 121

– ***Sete minutos!*** – gritou um técnico.

– Oito fileiras de oito! – gritou Susan animada.

Soshi digitou. Fontaine observava, em silêncio. O penúltimo escudo estava quase desaparecendo.

– Sessenta e quatro letras! – Susan estava agora no controle da situação. – É um quadrado perfeito!

– Um quadrado perfeito? – perguntou Jabba. – *E daí?*

Dez segundos depois, Soshi havia reordenado as letras aparentemente aleatórias. Estavam em oito fileiras de oito. Jabba olhava para aquilo e sacudia a cabeça, sem compreender. A nova disposição era tão esquisita quanto a anterior.

A	C	N	E	E	E	R	N
D	A	T	M	S	I	O	A
I	P	R	E	P	S	S	G
F	R	E	N	O	P	H	A
E	I	O	T	N	O	I	S
R	M	S	O	S	R	M	A
E	A	E	S	A	H	A	K
N	E	L	R	V	I	E	I

– Claro como o breu – resmungou Jabba.

– Srta. Fletcher, você pode explicar o que está acontecendo? – exigiu Fontaine. Todos se voltaram para Susan.

Susan estava olhando para o bloco de texto. Inicialmente balançou a cabeça, depois abriu um enorme sorriso.

– David, parabéns!

As pessoas olhavam umas para as outras sem entender.

David piscou para a pequena imagem de Susan que estava na tela à sua frente.

– Sessenta e quatro letras. Júlio César ataca novamente.

Midge parecia perdida.

– Do que vocês estão falando?

– A Caixa de César – disse Susan, contente. – Leia por colunas, de cima para baixo. Tankado nos deixou uma mensagem.

CAPÍTULO 122

– ***Seis minutos!*** – avisou um técnico.

Susan dava ordens:

– Digite novamente, de cima para baixo! Leia na vertical e não na horizontal!

Soshi percorria rapidamente as colunas, redigitando o texto.

– Júlio César enviava seus códigos desta forma! – explicou Susan em meio à confusão. – As letras de suas mensagens sempre formavam um quadrado perfeito.

– Feito! – gritou Soshi.

Todos olharam para as letras, agora reordenadas em uma única linha de texto no painel de vídeo.

– Continua me parecendo lixo – disse Jabba, zombando. – Olhem para isso. É só um bando de letras aleatórias... – Engasgou-se com suas palavras. Seus olhos se arregalaram. – Uau. Minha nossa...

Fontaine também já havia visto. Levantou as sobrancelhas, obviamente impressionado. Midge e Brinkerhoff repetiram, quase ao mesmo tempo:

– Minha nossa...

As 64 letras agora podiam ser lidas como:

A D I F E R E N C A P R I M A E N T R E O S E L E M E N T O S R E S P O N S A V E I S
P O R H I R O S H I M A E N A G A S A K I

– Coloque os espaços de volta – ordenou Susan. – Temos uma charada para resolver.

CAPÍTULO 123

Um técnico subiu na plataforma, pálido.

– O Tunnel Block não vai durar muito.

Jabba olhou para a RV no vídeo. Os atacantes continuavam avançando, com muito pouco separando-os do quinto e último escudo. O banco de dados iria ficar exposto em pouco tempo.

Susan bloqueou o caos que havia em torno dela. Leu a estranha mensagem de Tankado diversas vezes.

A DIFERENCA PRIMA ENTRE OS ELEMENTOS
RESPONSAVEIS POR HIROSHIMA E NAGASAKI

– Isso nem mesmo é uma pergunta! – gritou Brinkerhoff. – Como podemos encontrar uma resposta?

– Precisamos de um número – lembrou Jabba. – A senha é *numérica*.

– Silêncio – disse Fontaine, sem se alterar. Virou-se e falou com Susan. – Srta. Fletcher, você nos trouxe até aqui. O que sugere?

Susan respirou fundo.

– O campo do código de desativação só aceita números. Eu diria, então, que essa mensagem é algum tipo de pista com relação ao número certo. O texto menciona Hiroshima e Nagasaki, as duas cidades japonesas que foram atingidas por bombas atômicas. Talvez o código de desativação esteja relacionado ao número de mortes, o valor estimado dos danos materiais... – Ela parou um instante, relendo a pista de Tankado. – A *diferença* principal entre Hiroshima e Nagasaki. Tankado considera que os dois casos foram diferentes de alguma forma.

A expressão de Fontaine não se alterou. As esperanças estavam se esvaindo rapidamente. Parecia que as questões políticas em torno das duas explosões mais devastadoras da História precisavam ser analisadas, comparadas e traduzidas em um número mágico. Tudo isso nos próximo cinco minutos.

CAPÍTULO 124

– **O último escudo** está sob ataque!

Na RV, a programação de autorização PEM começava a diminuir. Linhas pretas envolviam o último escudo protetor e começavam a forçar passagem em direção ao núcleo.

Os hackers agora estavam chegando de todos os lugares do mundo. O número praticamente dobrava a cada minuto. Em pouco tempo, qualquer um que dispusesse de um computador – espiões estrangeiros, radicais, terroristas – teria acesso a todas as informações secretas do governo norte-americano.

Enquanto os técnicos tentavam em vão cortar a força, o grupo reunido sobre a plataforma estudava a mensagem. Até mesmo David e os dois agentes da NSA estavam tentando quebrar o código em sua van, na Espanha.

A DIFERENCA PRIMA ENTRE OS ELEMENTOS
RESPONSAVEIS POR HIROSHIMA E NAGASAKI

Soshi estava pensando em voz alta.

– Os elementos responsáveis por Hiroshima e Nagasaki... Pearl Harbor? A recusa de Hirohito em...

– Precisamos de um *número* – repetiu Jabba – e não de teorias políticas. Estamos falando de matemática, não de história!

Soshi ficou em silêncio.

– O que vocês acham da carga de explosivos? – tentou Brinkerhoff. – Mortes? Danos materiais?

– Estamos procurando por um número *exato* – lembrou Susan. – As estimativas quanto aos danos não serão exatas. – Olhou para a mensagem. – Os elementos responsáveis...

A cinco mil quilômetros de distância, David Becker teve um estalo.

– Elementos! Tankado está brincando com as palavras!

Todos se voltaram para a janela com as imagens da Espanha.

– A palavra *elementos* tem diversos significados! – prosseguiu Becker.

– Explique sua teoria, Sr. Becker – retrucou Fontaine.

– Ele está falando de *elementos químicos*, não de elementos sociopolíticos!

Ninguém entendeu exatamente o que Becker estava querendo dizer.

– Elementos! – insistiu. – A tabela periódica! Elementos químicos! Nenhum de vocês assistiu ao filme *Fat Man and Little Boy*, sobre o Projeto Manhattan? As duas bombas atômicas eram diferentes. Usavam combustíveis diferentes: *elementos* diferentes!

Soshi deu pulinhos de alegria, empolgada.

– Isso! Ele está certo! Eu li sobre isso! Uma das bombas usava urânio e a outra, plutônio! Dois *elementos* diferentes!

Um silêncio tomou conta da sala.

– Urânio e plutônio! – exclamou Jabba, subitamente esperançoso. – A pista que ele deixou pede a *diferença* entre os dois elementos! – Virou-se para seu pequeno exército de programadores. – A diferença entre urânio e plutônio! Alguém sabe qual é?

Todos olhavam espantados.

– Vamos lá! – disse Jabba. – Vocês não foram ao colégio? Alguém! Qualquer um! Preciso saber a diferença entre plutônio e urânio.

Nenhuma resposta.

Susan virou-se para Soshi.

– Preciso acessar a Internet. Você tem um browser em sua estação?

Soshi assentiu.

– Sim, é claro.

Susan puxou-a pela mão.

– Venha. Vamos navegar.

CAPÍTULO 125

– Quanto tempo nos resta? – perguntou Jabba.

Nenhum dos técnicos respondeu. Olhavam, assoberbados, para a RV. O último escudo estava prestes a se desfazer.

Um pouco abaixo de Jabba, Susan e Soshi olhavam os resultados obtidos no programa de busca.

– Outlaw Labs? Quem são eles? – perguntou Susan.

Soshi encolheu os ombros.

– Você quer que eu abra a página?

– Com certeza. Seiscentas e quarenta e sete referências textuais a urânio, plutônio e bombas atômicas. Parece ser nossa melhor chance.

Soshi abriu o link. Uma mensagem de aviso foi exibida:

> *As informações contidas neste arquivo são apenas para uso acadêmico. Qualquer leigo que se disponha a construir qualquer um dos dispositivos aqui descritos corre o risco de envenenamento por radiação e/ou auto-explosão.*

– Auto-explosão? Nossa – disse Soshi.

– Pesquisem – retrucou Fontaine, olhando para trás. – Vamos ver se achamos algo.

Soshi mergulhou no documento. Passou por uma fórmula para criar nitrato de uréia, um explosivo 10 vezes mais poderoso que a dinamite. A informação apareceu na tela como uma receita para bolo.

– Plutônio e urânio – repetiu Jabba. – Vamos manter o foco.

– Volte – ordenou Susan. – O documento é grande demais. Ache o índice.

Soshi retornou até encontrá-lo:

I. Mecanismo de uma Bomba Atômica
   a. Altímetro
   b. Detonador por Pressão do Ar
   c. Cabeças Detonadoras
   d. Cargas Explosivas
   e. Defletor de Urânio
   f. Urânio e Plutônio
   g. Escudo de Chumbo
   h. Fusíveis

II. Fissão Nuclear / Fusão Nuclear
   a. Fissão (bomba A) & Fusão (bomba H)
   b. U-235, U-238 e Plutônio

III. História das Armas Atômicas
   a. Desenvolvimento (Projeto Manhattan)
   b. Explosões
      i. Hiroshima
      ii. Nagasaki
      iii. Efeitos Colaterais das Explosões Atômicas
      iv. Zonas de Impacto

– A seção dois! – exclamou Susan. – Urânio e plutônio! Vamos!

Soshi localizou a seção correta.

– Está aqui – disse ela. – Esperem um pouco. – Começou a ler rapidamente os dados. – Há muita informação. Uma tabela inteira. Como vamos saber qual é a diferença que estamos procurando? Um ocorre naturalmente, o outro é fabricado pelo homem. O plutônio foi descoberto pela primeira vez por...

– Um *número* – lembrou Jabba. – Precisamos de um número.

Susan leu novamente a mensagem de Tankado. *A diferença prima entre os elementos... a diferença entre... precisamos de um número...*

– Esperem! A palavra *diferença* também tem múltiplos sentidos. Precisamos de um *número*, então estamos falando de *matemática*. É outro dos jogos de palavra de Tankado. *Diferença* quer dizer *subtração*.

– Isso! – concordou Becker, na tela. – Talvez os elementos tenham um número diferente de prótons ou algo assim? Se subtrairmos...

– Ele está certo! – disse Jabba, virando-se para Soshi. – Há *números* nessa tabela? Contagem de prótons? Meia-vida? Algo que nós possamos subtrair?

– *Três minutos!* – gritou um técnico.

– Que tal a massa supercrítica? – perguntou Soshi. – Aqui diz que a massa supercrítica do plutônio é de 16 kg.

– Ótimo! – disse Jabba. – Verifique o urânio! Qual é a massa supercrítica do urânio?

Soshi procurou.

– Ah... 50 quilos.

– Cinqüenta? – Jabba pareceu esperançoso. – A diferença é então...

– Trinta e quatro – completou Susan, na mesma hora. – Mas eu não acho que...

– Saiam da frente! – gritou Jabba, dirigindo-se para o teclado. Esse tem que ser o código de desativação! A diferença entre as massas críticas! Trinta e quatro!

– Espere – disse Susan, olhando para a tela de Soshi. – Há outros valores aqui. Pesos atômicos. Contagem de nêutrons. Técnicas de extração. – Ela varreu com os olhos a tabela. – O urânio se divide em bário e criptônio; o plutônio age de outra forma. O urânio possui 92 prótons e 146 nêutrons, mas...

– Precisamos encontrar a diferença mais *óbvia* – sugeriu Midge. – A pista diz: *a diferença* primária *entre os elementos.*

– Mas que diabos! – praguejou Jabba. – Como vamos saber o que Tankado achava que fosse a diferença *primária?*

Foi a vez de David interromper.

– Na verdade, ele disse *prima*, não primária.

A palavra pegou Susan em cheio.

– *Primo!* – exclamou. – *Primo!* – Voltou-se para Jabba. – O código de desativação é um número *primo!* Pense nisso. Faz todo o sentido!

Jabba sabia que Susan tinha razão. Ensei Tankado havia construído sua carreira em cima dos números primos. Eles eram os fundamentos para a criação de todos os algoritmos de encriptação. Valores únicos que não possuíam outros divisores a não ser 1 e eles mesmos. Números primos funcionavam bem para gerar códigos porque os computadores não tinham como adivinhá-los usando o método típico de fatoramento.

Soshi resolveu manifestar-se.

– Sim! É perfeito! Os números primos são essenciais para a cultura japonesa. Os haikai usam primos. *Três* linhas com contagens de sílabas de *cinco, sete, cinco*. Todos são primos. E os templos de Kyoto têm...

– *Basta!* – ordenou Jabba. – Mesmo se o código for um número primo, e daí? Há infinitas possibilidades!

Susan concordou. Como há infinitos números, é sempre possível encontrar um outro número primo. Mesmo considerando-se apenas os números entre zero e um milhão, havia mais de 70.000 primos. Tudo dependeria do valor escolhido por Tankado para seu número primo. Quanto maior fosse, mais difícil seria de adivinhar.

– Deve ser enorme – resmungou Jabba. – Seja lá qual for o primo que Tankado escolheu, com certeza é monstruoso.

Alguém lá atrás na sala gritou:

– *Alerta de dois minutos!*

Jabba olhou para a RV, sentindo-se derrotado. O último escudo começava a desaparecer. Os técnicos estavam correndo de um lado para o outro.

Susan, contudo, sentia que estavam próximos.

– Vamos lá, podemos resolver isso! – declarou, assumindo o controle. – De todas as diferenças entre o urânio e o plutônio, aposto que há somente uma que possa ser representada por um número primo! Esta é nossa última pista. Estamos procurando por um número primo!

Jabba olhou para a tabela de urânio e plutônio no monitor e jogou os braços para o alto.

– Deve haver centenas de entradas aí! Não há como subtrair todas elas e verificar quais vão dar em primos.

– Muitas das entradas não são numéricas – disse Susan, tentando manter o moral elevado. – Podemos ignorar todas elas. O urânio é natural, o plutônio é criado pelo homem. O urânio precisa de um detonador, o plutônio usa a implosão. Essas coisas não são números, então são irrelevantes!

– Prossigam – ordenou Fontaine. Na RV, a última camada de proteção estava fina como um ovo.

Jabba passou a mão pela testa.

– Tudo bem, vamos lá. Comecem a subtrair. Eu pego a primeira parte. Susan, você fica com o meio. Todo mundo trabalha no resto. Estamos procurando por uma diferença que resulte em um número primo.

Dentro de alguns segundos... ficou claro que nunca iriam conseguir. Os números eram enormes e, em muitos casos, as unidades não eram equivalentes.

– Estamos comparando maçãs com laranjas, que droga! – disse Jabba. – Temos raios gama contra pulso eletromagnético. Fissionável contra não-fissionável. Alguns são valores. Outros são porcentagens. Está um caos!

– Tem que estar aqui – disse Susan com firmeza. – Temos que pensar. Deve haver uma diferença simples entre o plutônio e o urânio que não estejamos percebendo! Algo simples!

– Ahn... pessoal? – disse Soshi. Ela havia aberto uma segunda janela com o mesmo documento do Outlaws Lab e estava lendo alguns trechos.

– O que é? Você encontrou algo? – perguntou Fontaine.

– É... bem... de certa forma, sim – ela parecia constrangida. Sabem quando eu disse que a bomba de Nagasaki tinha sido feita com plutônio?

– Sim – responderam todos ao mesmo tempo.

– Bem... – Soshi respirou fundo. – Parece que cometi um erro.

– O quê! – vociferou Jabba. – Estivemos procurando pela coisa errada?

Soshi apontou para a tela. Todos se aproximaram e leram o texto:

...o engano freqüente de que a bomba de Nagasaki foi feita com plutônio. Na verdade, a bomba usava urânio, assim como sua irmã, a bomba de Hiroshima.

◆◆◆

– Mas... – Susan hesitou. – Se os dois elementos eram urânio, como poderemos encontrar uma diferença entre eles?

– Talvez Tankado tenha cometido um engano – sugeriu Fontaine. – Pode ser que ele não soubesse que as duas bombas eram iguais.

– Não – suspirou Susan. – Ele nasceu aleijado por conta dessas bombas. Com certeza sabia de tudo isso e muito mais.

CAPÍTULO 126

– *Um minuto!*

Jabba olhou para a RV.

– A autorização PEM está indo embora rápido. É nossa última linha de defesa, e há um bocado de gente querendo entrar.

– Concentrem-se! – ordenou Fontaine.

Soshi sentou-se em frente ao navegador e começou a ler em voz alta:

...a bomba de Nagasaki não usou plutônio, mas um isótopo de urânio-238, saturado de nêutrons e artificialmente fabricado.

– Que droga! – vociferou Brinkerhoff. – As duas bombas usaram urânio. Ambos os elementos responsáveis por Hiroshima e Nagasaki eram urânio. *Não há* diferença alguma!

– Estamos fritos – murmurou Midge.

– Espere. Leia essa última parte novamente – disse Susan, dirigindo-se a Soshi.

Soshi repetiu o texto que acabara de ler:

– *...um isótopo de urânio-238, saturado de nêutrons e artificialmente fabricado.*

– 238? – exclamou Susan. – Não acabamos de ler algo que dizia que a bomba de Hiroshima usava um outro isótopo de urânio?

Trocaram olhares perplexos. Soshi procurou agitadamente o texto e encontrou o ponto anterior.

– Sim! Diz aqui que a bomba de Hiroshima usava um outro isótopo de urânio!

Midge exclamou, animada:

– Então ambos são urânio, mas ainda assim são diferentes!

– Ambos são urânio? – Jabba moveu-se e olhou para o terminal. – Maçãs e maçãs! Perfeito!

– Qual a diferença entre os dois isótopos? – perguntou Fontaine. – Deve ser algo bem básico.

Soshi procurava no documento, lendo o mais rápido que podia.

– Esperem... estou procurando... achei...

– *Quarenta e cinco segundos!*

Susan olhou para cima. O último escudo mal podia ser visto.

– Está aqui! – gritou Soshi.

– Leia! – Jabba suava em profusão. – Qual a diferença? Tem que haver alguma diferença entre os dois!

– Sim, olhem! – disse Soshi, apontando para seu monitor.

Eles leram o texto:

...as duas bombas usavam dois tipos de combustível diferentes... características químicas absolutamente idênticas. Nenhum processo de extração química pode separar os dois isótopos. Eles são, descontando-se pequenas diferenças em seus pesos atômicos, completamente idênticos.

– O peso atômico! – disse Jabba, animado. – Tem que ser isto! A única diferença está nos pesos! Esta é a chave! Me dê os pesos, vamos subtraí-los!

– Vamos lá... – disse Soshi, avançando no texto. – Quase... Aqui! – Olharam para o texto, procurando o valor.

...a diferença nos pesos é muito pequena...
...difusão gasosa para separá-los...
*...10,032498X10^134 por oposição a 19,39484X10^23.**

– É isso! – gritou Jabba. – São estes os pesos!

– *Trinta segundos!*

– Rápido! – disse Fontaine em voz baixa. – Subtraia os valores.

Jabba pegou sua calculadora e começou a digitar os números.

– O que significa o asterisco? – perguntou Susan. – Há um asterisco após o número.

Jabba prosseguiu, ignorando o comentário. Digitava furiosamente em sua calculadora.

– Cuidado! – disse Soshi. – Precisamos de um número *exato*.

– O asterisco – repetiu Susan. – Há uma nota de pé de página.

Soshi clicou para chegar ao final do parágrafo. Ao ler a nota referente ao asterisco, Susan ficou pálida.

– Ah... Deus!

Jabba olhou para ela.

– O que foi?

Todos olharam para a tela e deram um suspiro de derrota. Na pequena nota estava escrito:

** 12% de margem de erro. Os valores publicados variam de acordo com o laboratório em que foi feita a medição.*

CAPÍTULO 127

Um silêncio pesado tomou conta do grupo que estava sobre a plataforma. Era como se estivessem observando um eclipse ou uma erupção vulcânica: uma cadeia incrível de acontecimentos sobre a qual não tinham controle. A sensação é de que o tempo passava devagar, quase parando.

– Estamos perdendo o escudo! – gritou um técnico. – Conexões! Em todas as linhas!

Na extrema esquerda do painel, David e os agentes Smith e Coliander olhavam para a câmera inexpressivamente. Na RV, o último *firewall* era apenas uma folha fina. Uma massa de traços negros o rodeava, milhares de linhas esperando para se conectar. À direita, as imagens de Tankado, em seus últimos momentos, continuavam sendo repetidas. Aquele olhar de desespero, os dedos levantados para o céu, o anel brilhando no sol.

Susan olhava para esse clipe entrando e saindo de foco. Observava os olhos de Tankado: pareciam cheios de arrependimento. *Ele não queria que isso fosse tão longe*, pensava. *Ele queria nos salvar.* Ainda assim, a cada vez o mesmo gesto se repetia. Tankado levantava os dedos, colocando o anel na cara das pessoas. Tentava dizer algo, mas não conseguia falar. Apenas projetava seus dedos para cima.

Em Sevilha, a mente de Becker continuava revirando todos os dados. Pensou consigo mesmo:

– O que eles disseram sobre os dois isótopos? U-238 e U...? – suspirou pesadamente. Não importava. Ele era um professor de línguas, não um físico.

– Conexões externas prontas para iniciar autenticação!

– Jesus! – Jabba gritou, frustrado. – Qual a maldita diferença entre os dois isótopos? Ninguém sabe?! – Não houve resposta. Todos os técnicos na sala estavam com os olhos grudados na RV sem poder fazer nada. Jabba balançou a cabeça.

– Onde estão os físicos nucleares quando se precisa deles?

◆◆◆

Susan olhou para o vídeo de Tankado no visor, consciente de que estava tudo acabado. Em câmara lenta, via Tankado morrer, sucessivas vezes. Ele estava tentando falar, engasgando em suas palavras, projetando sua mão deformada...

tentando comunicar algo. *Estava tentando salvar o banco de dados*, Susan pensou. *Mas agora já não temos como saber.*

– *Temos companhia na entrada!*

Jabba olhou para a tela.

– Bem, lá vamos nós! – ele suava.

Na tela central, a linha tênue do último *firewall* havia praticamente desaparecido. A massa preta de linhas em volta do núcleo estava opaca e piscava. Midge virou-se para não ver. Fontaine manteve-se de pé, rígido, olhando para a frente. Brinkerhoff parecia prestes a passar mal.

– *Dez segundos!*

Os olhos de Susan não desgrudavam da imagem de Tankado. O desespero. O arrependimento. Suas mãos esticadas, repetidamente, o anel brilhando, os dedos deformados apontados para a cara dos estranhos que o cercavam. *Ele está querendo lhes dizer algo. O que é?*

Na tela, David estava profundamente concentrado.

A diferença... – continuava repetindo para si mesmo. – *A diferença entre U-238 e U-235. Tem que ser algo simples.*

Um técnico começou uma contagem regressiva.

– *Cinco. Quatro. Três.*

A palavra chegou na Espanha em menos de um décimo de segundo. *Três... Três...*

Como se Becker tivesse sido atingido novamente pela arma tranqüilizante, seu mundo parou por completo. *Três... três... três. 238 menos 235! A diferença é três!* Em câmara lenta, aproximou-se do microfone.

No mesmo momento, Susan estava olhando para a mão estendida de Tankado. Subitamente, ela enxergou além do anel, além do ouro com uma inscrição, até chegar à carne que estava embaixo... até chegar aos dedos. *Três* dedos. Não era o anel. Eram os dedos. Tankado não estava dizendo para eles, estava mostrando para eles. Estava contando seu segredo, revelando o código de desativação. Implorando para que alguém compreendesse, rezando para que seu segredo pudesse chegar até a NSA a tempo.

– Três – murmurou Susan, atônita.

– *Três!* – gritou Becker, da Espanha.

Mas, em meio ao caos, ninguém pareceu ouvir.

– *Os escudos caíram!* – gritou um técnico.

A RV começou a piscar na tela e o núcleo sucumbiu em meio a um dilúvio de conexões externas. Sirenes começaram a tocar na sala.

– *Dados sendo transmitidos.*

– Conexões de alta velocidade em todos os setores!

Susan moveu-se como se estivesse num sonho. Foi até o teclado de Jabba. Enquanto virava, seu olhar estava fixo em seu noivo. A voz dele se espalhou novamente pela sala.

Três! A diferença entre 238 e 235 é três!

Todos olharam.

– *Três!* – gritou Susan, em meio à cacofonia ensurdecedora de sirenes e técnicos.

Ela apontou para a tela. Os outros olharam na mesma direção e viram Tankado, com os três dedos esticados, acenando desesperadamente sob o sol de Sevilha.

Jabba ficou paralisado.

– Meu Deus! – Compreendeu, naquele instante, que o gênio deformado havia tentado dar a resposta para eles o tempo todo.

– Três é um primo! – metralhou Soshi. – Três é um número *primo!*

Fontaine olhou, perplexo.

– Pode ser algo assim tão simples?

– *Dados sendo extraídos!* – gritou um técnico. – *Estamos perdendo nossos dados rapidamente!*

Todos na plataforma se atiraram para o terminal ao mesmo tempo, uma massa de braços estendidos. Em meio àquelas pessoas, Susan conseguiu uma brecha e chegou primeiro ao alvo. Digitou o número "3". Todos se voltaram para o painel.

DIGITE A SENHA: 3

– Sim! – ordenou Fontaine. – Vá em frente!

Susan segurou a respiração e pressionou a tecla ENTER. O computador emitiu um bipe. Ninguém se moveu. Três segundos de infinita agonia depois nada havia acontecido. As sirenes continuavam tocando. Cinco segundos. Seis segundos.

– *Dados sendo removidos!*

– *Nenhuma alteração!*

Então Midge apontou para a tela, excitada.

– Vejam!

Uma nova mensagem estava sendo exibida.

CÓDIGO DE DESATIVAÇÃO CONFIRMADO

– Levantem os *firewalls!* – ordenou Jabba.

Mas Soshi estava um passo à frente e já enviara o comando.

– *Saída de dados interrompida!* – gritou um técnico.

– *Conexões interrompidas!*

Na RV acima deles, o primeiro dos cinco *firewalls* começou a aparecer. As linhas pretas que atacavam o núcleo foram imediatamente interrompidas.

– Reativação! – Jabba gritou. – Essa porcaria está se reativando!

Por um segundo eles temeram que o sistema de segurança fosse cair aos pedaços a qualquer momento. Mas então o segundo *firewall* foi novamente exibido e depois o terceiro. Após alguns instantes, a série de filtros foi completamente reinstalada. O banco de dados estava novamente seguro.

A sala rompeu em comemorações. Os técnicos se abraçavam, jogando listagens de computador para o ar. As sirenes silenciaram. Brinkerhoff abraçou Midge. Soshi chorava.

– Jabba, quanto eles conseguiram pegar? – perguntou Fontaine

– Muito pouco – respondeu Jabba, olhando para seu monitor. – Muito pouco. E nada que estivesse completo.

Fontaine exibiu um ligeiro sorriso no canto da boca. Olhou em volta, procurando Susan, mas ela já estava andando para a frente da sala, em direção à imagem de Becker, que enchia a tela.

– David?

– Oi, querida! – disse ele sorrindo.

– Volte para casa. Já.

– Te encontro no Stone Manor? – perguntou.

Ela concordou, as lágrimas escorrendo pelo rosto.

– Combinado.

– Agente Smith? – chamou Fontaine.

Smith apareceu na tela, por trás de Becker.

– Senhor?

– Parece que o Sr. Becker tem um compromisso. Providencie para que ele volte para casa imediatamente.

Smith assentiu.

– Nosso jato está em Málaga. – Deu uns tapinhas nas costas de Becker. – Você vai ter uma bela surpresa, professor. Já voou em um Learjet 60?

Becker riu.

– Não, hoje ainda não.

CAPÍTULO 128

Quando Susan acordou, o sol brilhava. Os raios eram filtrados pelas cortinas, iluminando sua cama com acolchoado de penas de ganso. Ela virou-se, procurando David. *Estou sonhando?* Seu corpo continuava preguiçoso, cansado, ainda tomado pelo torpor da noite anterior.

– David? – murmurou.

Ele não respondeu. Ela abriu os olhos aos poucos, a pele ainda formigando. O outro lado do colchão estava frio. David tinha saído.

Estou sonhando. Sentou-se. O quarto era decorado no estilo vitoriano, cheio de rendas e antiguidades – o melhor quarto de Stone Manor. Sua valise estava jogada no chão de tábuas corridas e sua lingerie em uma cadeira Queen Anne ao lado da cama.

David já havia chegado? Ela tinha lembranças: seu corpo contra o dela, acordando-a com beijos doces. Tinha sido parte do sonho? Virou-se para a mesinha ao lado da cama, onde havia uma garrafa vazia de champanhe e dois copos.

Esfregando os olhos, Susan enrolou-se no edredom. Viu um movimento no canto. Em um sofá suntuoso, aproveitando o sol da manhã, enrolado em seu grosso roupão, David estava sentado em silêncio, olhando-a. Ela estendeu a mão, chamando-o de volta para a cama.

– Você ficará feliz em saber que durante meu vôo de volta liguei para o reitor da universidade – disse ele.

Susan olhou-o, cheia de esperança.

– Por favor, me diga que você pediu demissão do posto de chefe do departamento.

David assentiu.

– Estarei de volta às aulas no próximo semestre.

Susan suspirou aliviada.

– É onde você deve estar.

David sorriu levemente.

– Sim, acho que a Espanha me fez pensar nas coisas que realmente importam.

– Então você vai voltar a partir o coração de suas alunas? – Susan deu-lhe um beijinho no rosto. – Bem, pelo menos terá tempo de me ajudar a editar meu manuscrito.

– Que manuscrito?

– Decidi publicá-lo.

– Publicar? – David olhou para ela espantado. – Publicar *o quê?*

– Ah, algumas idéias que tenho sobre protocolos de filtros variantes e resíduos quadráticos.

Ele resmungou:

– Tenho certeza de que vai entrar na lista dos mais vendidos.

Ela riu.

– Você ainda vai se surpreender...

David procurou algo dentro de seu roupão e tirou um pequeno objeto.

– Feche os olhos. Tenho uma surpresa para você.

Susan fechou os olhos.

– Vamos ver se adivinho... Um reluzente anel de ouro com uma inscrição em latim?

– Não – disse David, rindo. – Entreguei o anel a Fontaine, para que ele o mandasse para o Japão junto com os outros pertences de Tankado. – Pegou a mão de Susan e colocou algo em seu dedo.

– Mentiroso! – ela riu, abrindo os olhos. – Eu sabia que era...

Ficou em silêncio. O anel em seu dedo realmente não era o de Tankado. Era uma armação de platina com um belo diamante solitário brilhando sobre ela. Susan ficou sem palavras.

Olhando em seus olhos, David perguntou:

– Você quer se casar comigo?

Susan ficou sem ação. Olhou para ele, depois de volta para o anel. Seus olhos se encheram de água.

– David, não sei o que dizer...

– Basta dizer sim.

epílogo

Dizem que, quando chega a hora da morte, tudo se torna claro. Tokugen Numataka sabia agora que isso era verdade. De pé em frente ao caixão na alfândega de Osaka, viu-se tomado por uma compreensão amarga que nunca sentira antes. Sua religião falava de círculos, da forma como tudo na vida estava interconectado, mas Numataka jamais teve tempo para ser religioso.

Os funcionários da alfândega lhe deram um envelope com formulários de adoção e registros de nascimento.

– Você é o único parente vivo deste rapaz. Tivemos muito trabalho para localizá-lo – disseram.

A mente de Numataka voltou-se para aquela noite chuvosa, há 32 anos, e para o hospital do qual saiu correndo, abandonando seu filho deformado e sua mulher moribunda. Fez aquilo em nome do *menboku* – a honra –, uma sombra vazia agora.

Havia um anel dourado junto com os papéis. Nele estavam gravadas palavras que Numataka não compreendia. Não fazia diferença, as palavras já não tinham sentido algum para Numataka. Ele havia abandonado seu único filho. Agora um destino cruel os havia reunido pela última vez.

O CÓDIGO DA VINCI

Edição Especial Ilustrada

O Código Da Vinci vem fascinando milhões de leitores ao redor do mundo com sua envolvente trama policial entremeada com informações sobre arte, religião e rituais secretos.

Com 160 ilustrações e impressão colorida, esta edição especial reproduz os símbolos, obras de arte, monumentos arquitetônicos e localidades históricas citados ao longo do livro. Dos segredos ocultos na *Mona Lisa* e na *Última Ceia* aos símbolos do antigo Egito e a marcos de referência como o Louvre e a Capela Rosslyn, as imagens reunidas aqui vão lançar novas luzes e suscitar outros questionamentos sobre o romance de Dan Brown, tornando sua leitura ainda mais fascinante.

O CÓDIGO DA VINCI

Um assassinato dentro do Museu do Louvre, em Paris, traz à tona uma sinistra conspiração para revelar um segredo que foi protegido por uma sociedade secreta desde os tempos de Jesus Cristo. A vítima é o respeitado curador do museu, Jacques Saunière, um dos líderes dessa antiga fraternidade, o Priorado de Sião, que já teve como membros Leonardo da Vinci, Victor Hugo e Isaac Newton.

Momentos antes de morrer, Saunière deixa uma mensagem cifrada que apenas a criptógrafa Sophie Neveu e Robert Langdon, um simbologista, podem desvendar. Eles viram suspeitos e detetives enquanto tentam decifrar um intricado quebra-cabeça que pode lhes revelar um segredo milenar envolvendo a Igreja Católica.

Apenas alguns passos à frente das autoridades e do perigoso assassino, Sophie e Robert vão à procura de pistas ocultas nas obras de Da Vinci e se debruçam sobre alguns dos maiores mistérios da cultura ocidental – da natureza do sorriso da Mona Lisa ao significado do Santo Graal. Mesclando os ingredientes de um envolvente suspense com informações sobre obras de arte, documentos e rituais secretos, Dan Brown consagrou-se como um dos mais brilhantes autores da atualidade.

ANJOS E DEMÔNIOS

Quando o famoso simbologista Robert Langdon é convocado por uma empresa suíça de pesquisas para analisar um misterioso símbolo – marcado a fogo no peito de um físico assassinado –, ele descobre indícios de algo inimaginável: o ressurgimento de uma antiga fraternidade secreta conhecida como Illuminati... a mais poderosa organização oculta que jamais existiu sobre a Terra. Os Illuminati estão de volta para levar a cabo a fase final de sua lendária vendetta contra seu inimigo mais odiado: a Igreja Católica.

Os piores temores de Langdon confirmam-se às vésperas de um importante conclave do Vaticano, quando um mensageiro dos Illuminati anuncia que estes esconderam uma bomba-relógio impossível de ser desativada no próprio coração da Cidade do Vaticano. Com a contagem regressiva já iniciada, Langdon voa para Roma a fim de juntar forças com Vittoria Vetra, uma bela e enigmática cientista italiana, e ajudar o Vaticano numa desesperada tentativa de sobrevivência.

Envolvidos numa caçada frenética através de criptas lacradas, perigosas catacumbas, catedrais desertas e até o mais resguardado cofre-forte do mundo, Langdon e Vetra seguem uma pista de 400 anos de antigos símbolos espalhados por Roma até o há muito esquecido covil dos Illuminati: um local clandestino onde está a única esperança de salvação do Vaticano.

CONHEÇA OS 25 CLÁSSICOS DA EDITORA SEXTANTE

Um dia daqueles, *Querida mamãe* e *O sentido da vida*, de Bradley Trevor Greive

Você é insubstituível, *Pais brilhantes, professores fascinantes* e *Dez leis para ser feliz*, de Augusto Cury

O Código Da Vinci, de Dan Brown

Palavras de sabedoria, *O caminho da tranqüilidade* e *Uma ética para o novo milênio*, do Dalai-Lama

Os 100 segredos das pessoas felizes, *Os 100 segredos das pessoas de sucesso* e *Os 100 segredos dos bons relacionamentos*, de David Niven

Por que os homens fazem sexo e as mulheres fazem amor, de Allan e Barbara Pease

Não leve a vida tão a sério, de Hugh Prather

Enquanto o amor não vem, de Iyanla Vanzant

A última grande lição, de Mitch Albom

A Dieta de South Beach, de Arthur Agatston

Histórias para aquecer o coração, de Mark V. Hansen e Jack Canfield

A divina sabedoria dos mestres e *Só o amor é real*, de Brian Weiss

O ócio criativo, de Domenico De Masi

Em busca da espiritualidade, de James Van Praagh

A vida é bela, de Dominique Glocheux

O outro lado da vida, de Sylvia Browne

INFORMAÇÕES SOBRE OS PRÓXIMOS LANÇAMENTOS

Para receber informações sobre os lançamentos da EDITORA SEXTANTE, basta enviar um e-mail para
atendimento@esextante.com.br
ou cadastrar-se diretamente no site
www.sextante.com.br

Para saber mais sobre nossos títulos e autores, e enviar seus comentários sobre este livro, visite o nosso site:
www.sextante.com.br

EDITORA SEXTANTE
Rua Voluntários da Pátria, 45 / 1.404 – Botafogo
Rio de Janeiro – RJ – 22270-000 – Brasil
Telefone: (21) 2286-9944 – Fax: (21) 2286-9244
E-mail: atendimento@esextante.com.br